Envoûtée

Sandra Hill

Envoûtée

Traduit de l'américain
par Daniel Garcia

Éditions J'ai lu

Titre original :

FRANKLY, MY DEAR...
A Leisure book. Published by arrangement with
Dorchester Publishing Co., Inc., N.Y.

Tous mes remerciements à Cindy Harding,
Sherry Hogan, Trish Jensen, Millie Ragosta,
et tout particulièrement à Katie.

Scarlett O'Hara n'était pas une très belle femme.
Mais elle possédait tant de charme que les hommes
ne s'en apercevaient même pas.

Margaret MITCHELL, *Autant en emporte le vent*

La Nouvelle-Orléans, 1996

– Alors là, je meurs !

Sandra s'était arrêtée net sur le trottoir, en portant théâtralement la main à son cœur.

Son agent, Georgia Jones, qui marchait derrière elle, ne put l'éviter. En la heurtant, elle laissa choir son sac Hermès. Après l'avoir ramassé en maugréant, elle vérifia qu'il n'était pas abîmé et réajusta le drapé de sa robe Prada. Georgia portait toujours des tons clairs – du blanc, de préférence, comme aujourd'hui – pour mettre en valeur sa peau café-au-lait, dont elle était très fière.

– Quoi ? Qu'y a-t-il ? demanda-t-elle.

Au lieu de lui répondre, Sandra fonça droit dans la foule, comme aimantée par une force surnaturelle.

Les deux femmes traversaient le Vieux Carré, un des quartiers les plus pittoresques de la ville. Les cris des vendeurs ambulants se mêlaient au concert des musiciens de rue et aux sirènes des bateaux ancrés le long du fleuve. A ce joyeux tintamarre s'ajoutaient les effluves embaumés du marché français : odeurs de fruits ou de viandes à l'étalage, senteurs de fleurs coupées ou arôme de café fraîchement torréfié.

Sandra s'arrêta devant un stand qui proposait des beignets. Fermant les yeux, elle respira l'odeur de friture et de sucre avec un plaisir indicible.

– Doux Jésus ! s'exclama Georgia en levant les yeux au ciel. Voilà qu'elle se pâme devant des sucreries, maintenant ! Elle m'aura tout fait !

Ne prêtant qu'une oreille distraite aux sarcasmes de son agent, Sandra ouvrit son sac pour chercher son porte-monnaie.

Avant qu'il soit trop tard, Georgia l'attrapa par la manche et l'entraîna fermement à l'écart.

– Tu es vraiment incroyable ! Quand toutes les femmes de la terre frissonnent devant un bel homme, toi tu te pâmes devant des beignets !

– Ce ne sont pas seulement des beignets, corrigea Sandra. C'est une spécialité locale, héritée du temps où la Louisiane était française. On appelle ça une *bugne*, précisa-t-elle, en prenant garde à respecter la prononciation originale.

– Une bugne ? Et alors ? Cette cochonnerie compte au moins deux milliards de calories. C'est parfaitement contre-indiqué pour un top model de ta classe. Sans parler des boutons disgracieux que te donnerait tout ce gras. Tu le sais très bien, du reste.

– Tu as raison, comme toujours, soupira Sandra en se laissant tomber sur l'un des bancs qui offraient une vue imprenable sur le Mississippi. Mais j'ai si faim !

– Tout ça, c'est dans ta tête. Tu devrais en parler à ta psy !

– Je devine déjà sa réponse : elle va m'expliquer que ma fascination pour la nourriture est directement liée à mon absence d'orgasme depuis des lustres.

– Tous les psys sont pareils ! Je suis sûre qu'elle a

même trouvé un nom à ça, du genre «régression orale». Un jour, elle écrira un bouquin là-dessus et toutes les chaînes de télé l'inviteront.

Georgia devint brusquement songeuse.

– Sais-tu si elle a un agent ?

– Oh ! Georgia ! se récria Sandra, qui savait heureusement que le cynisme de son amie cachait un cœur d'or. Sans le Dr Walters, je ne sais pas ce que je serais devenue ces six derniers mois.

Georgia la regarda d'un air attristé.

– Tu ne vas quand même pas me dire que ce bon à rien de David te manque ?

– Si, avoua Sandra avec un soupir. Pourtant, je ne l'aime plus. Mais c'est la sécurité qu'il m'apportait, qui me manque.

– *Sécurité* ? Tu as perdu la tête, Sandra ! David te stressait, au contraire. Tu avais beau te démener pour lui, ce n'était jamais assez.

Sandra hocha la tête.

– Je lui en ai beaucoup voulu de son antipathie pour Tessa, reconnut-elle. Ma meilleure amie se mourait d'anorexie et lui ne trouvait rien de mieux que de la traiter d'idiote.

Sentant qu'elle allait se mettre à pleurer, elle se mordit les lèvres et reprit :

– Malgré tout, David et moi avons quand même vécu trois ans ensemble. C'est dur de tirer un trait.

– Pfft ! Quand on a été élue «le plus beau visage de l'Amérique» par *Vanity Fair*, à mon avis, ce ne sont pas les prétendants qui manquent. Des centaines de beaux garçons seraient tout disposés à te faire oublier ce goujat.

Sandra regarda autour d'elle d'un air déconfit.

– Je n'en vois aucun.

– Tu veux que je t'aide à trouver un mec ?

– Non, merci !

Georgia s'éventa avec sa main.

– Dieu qu'il fait chaud ! Je me demande encore comment j'ai été assez folle pour abandonner mon bureau climatisé de Manhattan pour cette étuve tropicale.

– Personnellement, j'adore la Louisiane. Je suis fatiguée de l'agitation new-yorkaise. Ici, les gens prennent le temps de vivre.

– Et pour cause ! Il fait trop chaud pour courir.

– Dès l'instant où nous sommes descendues de l'avion, l'autre jour, j'ai ressenti quelque chose d'étrange. Comme si mon destin m'avait appelée ici. C'est difficile à expliquer...

Georgia pouffa bruyamment.

– Moi je l'explique facilement, au contraire. Tu es ici parce que je t'ai décroché un contrat en or pour présenter la nouvelle collection de Philippe Dubois. Mais il suffit que nous soyons dans le Sud pour que tu fasses une fixation sur *Autant en emporte le vent*.

– Pas du tout ! protesta Sandra, amusée. Sous prétexte que j'ai vu ce film deux ou trois fois, tu t'imagines que je fais une fixation !

– Deux ou trois fois ! s'exclama Georgia en manquant s'étrangler. Plus d'une trentaine de fois, oui !

– Peu importe. Ecoute, je suis navrée, Georgia, mais il faut que je te dise quelque chose qui va te déplaire. J'ai décidé de reprendre mes études. Je me suis inscrite à l'université de Columbia et je vais mettre un terme à ma carrière de mannequin. Je ne veux plus que tu acceptes d'engagement pour moi après celui-ci.

– *Quoi ?* Es-tu devenue folle ? Tu as vingt-huit ans, ma chérie, ne l'oublie pas !

– Et alors ? Il n'y a pas d'âge pour reprendre ses études. Je ne serai certainement pas la plus vieille étudiante de Columbia.

– En tout cas, je parie que tu seras la seule à y perdre ton temps alors que tu gagnes des montagnes d'argent en tant que mannequin. Quel genre d'études, au fait ?

– Psychologie.

– Bravo ! Ta psy t'a fait complètement perdre la tête, ma pauvre !

Sandra soupira.

– Mon choix n'a rien à voir avec le Dr Walters. Je suis fatiguée et le monde de la mode me semble vraiment trop superficiel. Tout se joue sur les apparences. Regarde ce qui est arrivé à Tessa, je ne veux pas en arriver là.

Six mois après, Sandra était toujours bouleversée par l'évocation de la mort tragique de son amie.

– Allons, Sandra, sois un peu réaliste ! Ton métier t'a rapporté six millions de dollars en moins de dix ans et tu peux espérer durer encore cinq à six ans. Ce serait de la folie d'abandonner maintenant !

– Georgia, tu ne comprends pas. Regarde-moi ! Je pèse cinquante kilos pour un mètre soixante-dix-sept. J'ai faim du matin au soir. Le régime que je dois m'imposer pour garder la ligne me tue à petit feu. Je devrais peser au moins dix kilos de plus.

– Pas pour les photographes, ma chérie.

– Comme si je ne le savais pas ! Et encore, je n'ai pas trop à me plaindre, quand je vois toutes ces gamines filiformes qui essaient de ressembler à Kate Moss. Quand on les regarde, on a l'impression qu'elles vont tomber d'inanition. Sans parler de tous ces artifices auxquels elles recourent. Et que tu as aussi voulu m'imposer, ajouta-t-elle d'un ton chargé de reproche.

– J'espère que tu ne vas pas me reparler de ces injections de collagène dans tes lèvres. Elles t'ont donné un

11

petit air de Kim Basinger qui a contribué à faire grimper ta cote.

— Et cette tignasse ! protesta Sandra en passant une main dans ses cheveux bruns qui lui arrivaient au milieu du dos.

— C'est très sexy.

— Facile à dire. Ce n'est pas toi qui passes deux heures par jour à les sécher et les brosser pour qu'ils ressemblent à quelque chose.

— Tu sais bien qu'il faut souffrir pour être belle, répliqua Georgia, sur la défensive.

— Et toutes ces séances d'U.V. pour paraître éternellement bronzée ! Je finirai par avoir un cancer de la peau ! Et je ne parle pas de ces lentilles de contact si foncées que même en plein hiver j'ai l'impression de porter des lunettes de soleil.

— Ne m'accuse pas de tous les maux. Ces lentilles assombrissent ton regard et le rendent plus mystérieux. Et puis je ne t'ai forcée à rien. D'ailleurs, tu as refusé de te faire réduire les seins, comme je te le conseillais.

— J'ai eu raison. Les seins plantureux redeviennent à la mode.

— Dans *Playboy*, peut-être. Mais *Vogue* préfère toujours les filles plates comme des limandes. As-tu envie de poser nue dans les magazines de charme ?

— Evidemment, non !

Georgia prit le bras de son amie pour l'obliger à se rasseoir à côté d'elle.

— Toute médaille a son revers, Sandra. N'oublie pas que ces menus sacrifices t'ont rapporté une véritable fortune.

— Je ne l'oublie pas et j'en suis très contente, bien sûr. Mais cette fois, j'ai ma dose. Ce contrat est vraiment le dernier.

Sandra n'éprouvait aucun regret à la perspective

d'abandonner sa carrière, juste un petit remords à l'idée de décevoir Georgia.

– Nous verrons bien, répondit celle-ci d'un air sceptique. Je parie que les études t'ennuieront au bout de six mois. Tu me reviendras. Mais n'attends pas trop longtemps, ma chérie. Tu sais combien le public est volage. Il oublie vite. Quoi qu'il en soit, évite de te gaver de beignets ou de sucreries du même genre.

Elle se releva et lui tendit la main.

– Allez, viens ! Philippe va nous attendre.

Toutes deux traversèrent Jackson Square, autrefois appelé la Place d'Armes. Quand les cloches de la cathédrale Saint-Louis sonnèrent pour appeler les fidèles à la messe, Sandra ferma les yeux. Ce carillon lui apparaissait comme un signe du ciel, marquant son entrée dans une nouvelle vie. Finalement, elle se décida à tout avouer à Georgia.

– J'ai un petit souci... commença-t-elle.

– Quel genre de souci ? J'espère que tu ne vas pas mettre ta carrière en jeu pour une idiotie ?

– Lilith m'a lancé un sortilège vaudou. Elle prétend descendre de Marie Laveau, une ancienne prêtresse vaudoue.

Georgia s'immobilisa, bouche bée, au milieu du trottoir, puis partit d'un grand éclat de rire.

– Ah, ah, ah, ah... J'hallucine... un sortilège vaudou ! Doux Jésus, c'est à se rouler par terre !

Sandra ne partageait pas son hilarité.

– Elle ne se sépare plus d'une petite poupée à mon effigie, précisa-t-elle.

Georgia écarquilla les yeux de stupeur.

– Pourquoi donc ?

– Va savoir ! Mais une fois, elle lui a tordu le bras et c'est moi qui ai eu mal.

– Allons bon ! Nous sommes en 1996, Sandra. Plus

personne ne pratique le vaudou depuis longtemps. Lilith ne peut avoir aucun pouvoir contre toi.

– Tu ne serais pas aussi affirmative si c'était toi qu'elle avait menacée avec ce sourire féroce...

– Sandra, cesse ces enfantillages ! Lilith a toujours eu un sourire un peu carnassier. C'est ce qui fait son charme, d'ailleurs, ironisa-t-elle en pouffant à nouveau.

– Ce n'est pas drôle !

– Oh, si ! répliqua Georgia en s'essuyant les yeux avec son mouchoir. Mais raconte-moi ça en détail. J'aimerais comprendre pourquoi tu prends cette histoire de sorcellerie tellement au sérieux.

– Le lendemain du jour où Lilith m'a parlé de son sortilège, quelqu'un a fouillé ma chambre d'hôtel. Le plus étrange, c'est qu'on ne m'a rien volé, sauf ma brosse à cheveux en argent.

– Quoi ! s'exclama Georgia, indignée. Celle que je t'ai offerte pour Noël et qui m'avait coûté une fortune chez Tiffany ?

Sandra hocha la tête.

– Le même jour, ma maquilleuse a trouvé un scorpion dans le vanity-case où je range mes cosmétiques.

– Un scorpion ! Dieu du ciel ! Tu as raison, ça n'a plus rien de drôle. As-tu prévenu la police ?

– Non. Apparemment, ce genre de petits scorpions abonde, par ici. Leurs piqûres ne sont pas plus venimeuses que celles d'une guêpe. Du reste, je pouvais difficilement raconter à la police que je m'estimais victime d'un sortilège vaudou. Mais ce n'est pas tout : hier soir, j'ai trouvé une boule de cire et de cheveux agglomérés sur mon oreiller. La femme de chambre était horrifiée. Elle m'a assuré qu'il s'agissait d'un gri-gri vaudou. Je suis convaincue que ces cheveux étaient les miens. Ils provenaient de la brosse qu'on m'a volée.

– Et tu crois que Lilith serait responsable de tout cela ?

– Oui. Depuis son arrivée dans l'agence, il y a deux ans, elle n'a cessé de me mettre des bâtons dans les roues.

– Je croyais qu'elle s'était calmée ?

– Non. Elle a été furieuse de voir que j'avais fait la couverture de *Vogue* deux fois en moins de six mois. Elle est folle de jalousie. On m'a également rapporté qu'elle fréquentait David.

Georgia fronça les sourcils, songeuse.

– Ça expliquerait beaucoup de choses. Il doit probablement attiser sa jalousie.

– Penses-tu qu'il puisse se montrer aussi rancunier ?

Georgia haussa les épaules.

– N'oublie pas que c'est toi qui l'as plaqué. Et qu'il l'a très mal pris.

– Tout cela n'est pas très réjouissant. Nous sommes ici encore trois jours. J'espère que Lilith ne tentera pas un mauvais coup.

Le surlendemain, Sandra se réveilla courbaturée, après une nuit passée à se retourner dans son lit. Dieu merci, c'était la dernière journée de prises de vues.

Une heure plus tard, elle fit son entrée dans la grande salle de bal où aurait lieu la séance, son vanity-case à la main. L'expérience lui avait appris à ne jamais se déplacer sans ses propres produits de beauté.

Elle portait une somptueuse robe bustier à volants, toute blanche, dessinée par Philippe Dubois pour sa nouvelle collection d'inspiration sudiste. Ainsi parée, dans cette salle construite au siècle dernier et éclairée, pour l'occasion, aux chandelles, Sandra se sentait aussi merveilleusement féminine que Scarlett O'Hara. *Jésus*, pensa-t-elle. *Georgia a raison. Je me laisse trop influencer par* Autant en emporte le vent.

Une dizaine de photographes, autant de journalistes de mode et d'assistants du couturier s'activaient déjà fiévreusement, tandis qu'un orchestre installé sur l'estrade accordait ses instruments. L'objectif était de recréer l'atmosphère d'un vrai bal du temps jadis, pour servir de cadre aux prises de vues.

Sandra huma le parfum des fleurs qui égayaient le décor. De pleines brassées de gardénias, d'azalées, de magnolias ou encore de bougainvillées dont les couleurs luxuriantes composaient un écrin enchanteur pour les robes de Philippe.

Souriante, Sandra se dirigea vers Georgia, qui conversait avec le couturier devant une fenêtre.

– Tu es ravissante, ma chérie ! s'exclama Philippe en l'embrassant. Que penses-tu de notre décor ?

– C'est splendide ! Je suis persuadée que cette collection aura un immense succès. Tu vas vendre des centaines de robes.

– C'est évident, répondit Philippe sur un ton parfaitement assuré.

Georgia inspectait sa robe sous toutes les coutures.

– Ne trouves-tu pas qu'elle est légèrement trop décolletée ? demanda Sandra en essayant de remonter un peu le bustier. Je me sens toute nue !

– C'est pourtant toi qui prétendais l'autre jour que les poitrines généreuses revenaient à la mode, fit remarquer Georgia, amusée.

Sandra tenta à nouveau de tirer sur son bustier, mais Philippe l'arrêta, horrifié.

– Non ! Cette robe est parfaite comme cela. J'ai précisément cherché à créer un contraste entre ces flots de dentelle blanche qui évoquent la virginité et ce décolleté qui... mon Dieu, qui raconte une autre histoire ! Je t'en prie : va finir de te maquiller, ma chérie. La séance débute dans dix minutes.

A l'heure dite, l'orchestre attaqua la première danse et les mannequins des deux sexes envahirent la piste sous les objectifs des photographes.

Sandra était restée à l'écart. En tant que mannequin-vedette, elle portait la plus belle robe de la collection. Son rôle était réduit à une seule valse, prévue à la fin de la séance.

La lumière des chandelles rehaussait le teint cuivré de Lilith. Ses longs cheveux noirs, ornés de fleurs, retombaient sur ses épaules. Tout en dansant, elle ne quittait pas Sandra des yeux. Son regard dur semblait dire : « Patience... ton heure sonnera bientôt. »

Sandra frissonna malgré elle. Refusant de céder à la peur, elle rejoignit Georgia.

– Cette salle semble avoir traversé l'Histoire, tu ne trouves pas ?

– Si, grimaça Georgia. Mais cette histoire-là n'est pas forcément très agréable. Ici même, une de mes ancêtres a jadis participé à un bal de quarteronnes.

Sandra écarquilla les yeux de stupeur.

– C'est vrai ?

– Elle s'appelait Fleur et elle était, paraît-il, très belle. Son teint était si clair qu'on aurait presque pu la prendre pour une Blanche.

– Pourquoi ne m'as-tu jamais parlé de cet épisode, Georgia ?

– Parce que je n'en suis pas particulièrement fière. Sais-tu au moins à quoi servaient ces bals ?

Sandra se rappelait avoir lu quelque part que les quarteronnes étaient victimes, du moins pour les plus belles d'entre elles, d'une véritable exploitation sexuelle de la part des riches Blancs qui dominaient alors la Louisiane.

– Je suis vaguement au courant, oui, répondit-elle.

– Les jeunes quarteronnes étaient amenées à ces bals par leurs mères dans le but de leur trouver un protecteur créole. Cette coutume sordide s'appelait le *plaçage*. Le protecteur installait sa *placée* dans une petite maison, pourvoyait à ses besoins, couchait avec elle et lui faisait des enfants. La *placée* devait lui obéir et satisfaire à tous ses caprices. Comme une véritable épouse, mais sans en avoir aucun des avantages. Le système était réputé honorable pour les *placées*. Honorable ! Alors qu'elles étaient tout bonnement *vendues* par leurs mères !

Emue, Sandra étreignit les mains de son amie.

– C'est horrible, Georgia. Toutes ces jeunes filles qu'on sacrifiait !

Refusant de se laisser attendrir, Georgia se dégagea.

– J'ai horreur d'avoir l'air larmoyant. Mais il m'est difficile d'oublier ce qu'ont vécu mes ancêtres. Tu comprends maintenant pourquoi je n'aime pas le Sud ?

– Qu'est devenue Fleur ?

– Il semblerait qu'elle ait été assassinée, alors qu'elle était enceinte. Son protecteur s'était lassé d'elle. Ne voulant plus dépenser d'argent pour l'entretenir, il aura jugé plus commode de la tuer ! Ce qui est bizarre, c'est que quelque temps après sa disparition de La Nouvelle-Orléans, des témoins auraient vu, dans l'Ouest, une jeune femme lui ressemblant, avec un petit bébé. C'était sans doute une coïncidence. En tout cas, Fleur n'a jamais réapparu.

– Son meurtrier a-t-il au moins été puni ?

– Je n'en sais rien, mais c'est peu probable. Après tout, Fleur n'était qu'une quarteronne, autrement dit à peine plus qu'une négresse. A cette époque-là, la moindre goutte de sang noir suffisait à vous enlever tous vos droits.

– Je commence à penser que ce contrat dans le Sud était une erreur pour nous deux, dit Sandra, mal à l'aise. Nous n'aurions pas dû venir ici.

Une heure plus tard, alors que l'orchestre attaquait une valse, Sandra s'élança au bras de Mark Hiatt, un top model masculin avec lequel elle avait souvent posé.

Ils dansaient seuls, tous les autres mannequins s'étant figés au bord de la piste pour les regarder. A mesure que le tempo de la valse s'accélérait, Sandra sentait la tête lui tourner : la chaleur, sans doute. Soudain, elle aperçut Lilith, un peu à l'écart, qui tenait à la main sa poupée vaudoue. La figurine était accoutrée d'une robe blanche identique à celle que portait Sandra. Avec un sourire machiavélique, Lilith tira une grande aiguille de sa poche et la planta sans la moindre hésitation dans la tête de la poupée.

L'effet fut immédiat : Sandra sentit une douleur fulgurante lui vriller le crâne. L'instant d'après, elle eut l'impression que son cavalier la faisait valser encore plus vite. Toujours plus vite... comme dans un tourbillon infernal. Sa dernière pensée fut que les photos seraient fabuleuses... ou complètement ratées !

Lorsqu'elle reprit conscience, une migraine atroce martelait ses tempes. Elle était assise près d'une fenêtre de la salle de bal, dans un fauteuil tendu de velours cramoisi. Encore étourdie, elle observait les danseurs qui exécutaient devant elle les figures gracieuses d'un quadrille.

Un quadrille ?

Sandra se frotta les yeux. Le décor n'avait pas changé. C'était bien la même salle, décorée des mêmes fleurs exotiques aux senteurs capiteuses. En revanche, les danseurs n'étaient plus les mêmes. Les hommes, tous habillés de noir, avaient l'air d'étrangers. Ou plutôt, non : à la réflexion, Sandra trouva qu'ils ressemblaient trait pour trait à ces anciens créoles dont elle avait vu des portraits accrochés dans le hall de son hôtel. Où Philippe avait-il pu dénicher de tels figurants qu'on aurait jurés sortis tout droit d'un manuel d'histoire ?

Quoique plus petits que les top models classiques, ils compensaient leurs centimètres manquants par un regard hautain et des costumes taillés sur mesure dans les plus riches étoffes. Tous étaient impeccablement coiffés. Jésus ! Certains portaient même des gants blancs !

Quant à leurs cavalières, c'était plus étrange encore. Sandra ne reconnaissait aucun visage de la profession. Toutes ces filles étaient ravissantes, mais très jeunes : seize ou dix-sept ans, tout au plus. Et leur couleur de peau s'étageait du café-au-lait au presque blanc.

Sandra se releva brusquement, portée par une angoisse qu'elle n'aurait pas su définir. Sentant un courant d'air sur sa poitrine, elle baissa les yeux et faillit pousser un cri d'horreur. Son décolleté s'était encore élargi depuis tout à l'heure, au point qu'il en était devenu franchement indécent. Elle tira sur le tissu... sans plus de succès que les fois précédentes.

– A quoi bon ? demanda une voix dans son dos.

Sandra se retourna. Un homme fumant un cigarillo se tenait dans l'embrasure de la fenêtre. Il la contemplait d'un regard vague – pas du tout le genre de regard que sa beauté provoquait ordinairement chez les hommes.

– Qu'avez-vous dit ?

Il haussa les épaules, d'un air ennuyé.

– A quoi bon vouloir remonter ton bustier, *chérie* ? Ton futur protecteur voudra examiner la marchandise de près, avant de l'acheter. A ce que je vois, ta poitrine est ton meilleur atout. A ton âge, il serait temps de capitaliser sur ce qui te reste.

Sandra fulminait. *A son âge ?* Même si on recrutait maintenant les mannequins à la sortie des collèges, à vingt-huit ans elle n'était quand même pas une femme finie ! Ce rustre avait dit aussi d'autres choses très bizarres. Pourquoi Sandra se ferait-elle *acheter* ? Ce devait être un de ces extrémistes qui assimilaient le métier de mannequin à une forme de prostitution.

– Vous êtes bien arrogant, monsieur, répliqua-t-elle. Qui êtes-vous donc pour me parler sur ce ton ?

Il parut surpris un bref instant, puis amusé. D'un geste nonchalant, il éteignit son cigarillo contre sa semelle et le jeta par la fenêtre. Sandra en profita pour l'examiner plus en détail.

Elle devait à l'honnêteté de reconnaître qu'il était diablement beau, avec ses cheveux noirs, ses yeux d'un bleu pur comme l'azur et son costume impeccablement coupé. A en juger par la largeur de ses épaules, il devait passer ses loisirs dans une salle de musculation. En tout cas, il ne manquait pas de toupet de lui avoir fait une réflexion sur son âge. Compte tenu des petites ridules au coin de ses yeux, lui-même devait bien accuser dans les trente-cinq ans – ce qui n'enlevait rien à son charme, d'ailleurs.

Soudain, Sandra se remémora un terme étrange qu'il avait employé.

– Protecteur ? Vous avez bien parlé de protecteur, n'est-ce pas ?

– Evidemment. A votre avis, pourquoi tous ces riches créoles sont-ils venus à ce bal de quarteronnes ?

21

Pour le plaisir de danser et de manger des glaces en compagnie des mères de ces jeunes filles, peut-être ?

– Quar... quarteronnes ? répéta Sandra, soudain alarmée. En quelle année sommes-nous ?

L'homme la dévisagea bizarrement, comme s'il s'interrogeait sur sa santé mentale.

– 1845, répondit-il du ton de la plus parfaite évidence.

Comme si cela allait de soi.

2

Sandra se cramponna aux bras de son fauteuil. Il n'était pas question de céder à l'irrationnel.

– C'est impossible ! Nous sommes en 1996. Il doit y avoir une erreur. Ou alors, c'est un cauchemar !

– 1996, tiens, tiens ?

Il la regarda sévèrement, comme si elle sortait tout droit d'un asile, puis se radoucit.

– Laissez-moi deviner : vous vous êtes perdue et vous cherchez quelqu'un pour vous aider à rentrer chez vous. Auriez-vous reçu un coup sur la tête qui vous aurait rendue amnésique ?

– Non, vous vous trompez. Je sais exactement qui je suis. Je m'appelle Sandra Selente et j'habite New York. Je suis venue à La Nouvelle-Orléans pour une séance de photos et...

– ... et vous voudriez aussi me faire croire que vous êtes blanche, peut-être ? Personne ne gobera ta petite histoire, chérie. Surtout avec des cheveux comme les tiens.

– C'est une permanente, expliqua Sandra. Ma coiffeuse m'a convaincue que ça irait très bien avec cette robe.

– Et ces lèvres ! ajouta-t-il en promenant effrontément son pouce sur les lèvres charnues de Sandra.

– Injections de collagène, se défendit-elle.

– Et ce regard noir...

– Lentilles de contact, expliqua encore Sandra.

Il ne chercha pas à savoir ce qu'elle entendait par là. Son regard s'attardait déjà ailleurs.

– Sans parler de la couleur de ta peau, reprit-il, en aventurant ses mains à la naissance de ses seins.

Sandra était trop stupéfaite par son audace pour lui expliquer qu'il s'agissait d'un bronzage artificiel. Elle sentit la panique la gagner. Que lui était-il arrivé ? Qui était cet homme ? Même au XXᵉ siècle – surtout au XXᵉ siècle –, aucun homme distingué n'oserait prendre de telles libertés avec une femme à qui il n'aurait pas été présenté. Sandra s'apprêtait à le remettre à sa place, lorsqu'il s'éloigna avec nonchalance.

– Où allez-vous ? Vous ne pouvez pas partir comme ça ! s'exclama-t-elle en le retenant par la manche.

Il regarda sa main en fronçant les sourcils. Sandra le lâcha aussitôt.

– Qui va m'en empêcher ?

– Eh bien, euh... Je ne connais même pas votre nom ?

– James, répondit-il sans chaleur excessive. James Baptiste.

Joli nom, pensa Sandra.

– Vous ne restez pas à ce bal ?

– Non. Je préfère jouer aux cartes à l'étage en dessous. Je n'ai pas besoin d'une *placée*. Du reste, je déteste ces pratiques. Ce n'est pas votre problème, bien sûr.

– Mais... vous n'allez pas me laisser ici !

– Chère mademoiselle, votre impertinence m'a beaucoup amusé, mais les meilleures choses ont une fin. Prenez garde à ne pas dépasser les bornes.

Sandra allait lui répondre que sa goujaterie était sans limites, quand une voix haut perchée la fit sursauter.

– Sandra ! Te voilà enfin, ma chérie ! Je t'ai cherchée partout. Ce monsieur était très impatient de te rencontrer.

Sandra et James se retournèrent en même temps. Une femme noire, corpulente, s'approchait en tirant par le bras un créole chétif. Elle s'arrêta devant Sandra et leva les yeux au ciel.

– Tu finiras par me rendre folle, ma fille ! Où étais-tu passée ?

– Qui êtes-vous ? demanda Sandra.

– Qui suis-je ? Comment oses-tu poser une telle question à moi, Roberta, ta matrone ?

– Ma... matrone ?

– Ecoute, Sandra, cesse ce petit jeu, sinon tout le monde va croire que tu es devenue folle. Dis-moi plutôt ce que tu as fait de ton couvre-chef ?

– Mon couvre-chef ? répéta Sandra, éberluée.

– Ça ! répliqua la grosse femme en désignant du doigt l'espèce de turban qu'elle portait sur le crâne. As-tu déjà oublié qu'aucune femme de couleur n'est autorisée à paraître nu-tête en public ?

Sandra parcourut la salle du regard. Elle constata que toutes les danseuses portaient, en effet, soit un foulard, soit un turban semblable à celui de Roberta. Certains étaient même ornés de pierreries.

– Voilà des semaines que je me démène pour te trouver un protecteur, chuchota Roberta à son oreille. Apprécies-tu seulement mes efforts ? Même pas ! Tu es désespérante, Sandra !

– Mais...

– Ne proteste pas ! J'ai déjà assez de mal avec ton
âge, ta maigreur et ta taille. Ton insolence achèvera de
rebuter tous ces messieurs.

James la contempla, une lueur moqueuse dans le
regard, comme s'il approuvait Roberta.

– Sandra, reprit cette dernière en haussant le ton,
permets-moi de te présenter M. Henri Gaspar.

Sandra dévisagea le créole. Il était plus petit qu'elle
d'une bonne tête, portait une grosse moustache horrible et avait probablement dépassé la cinquantaine.
Décidément, quelle que soit l'époque, les hommes s'in-
géniaient toujours à désirer des femmes de plus en plus
jeunes à mesure qu'eux-mêmes s'enfonçaient dans la
vieillesse...

James ne semblait plus décidé à partir. Il tira de sa
poche un second cigarillo qu'il alluma devant Sandra,
comme s'il avait l'intention d'assister à son humiliation
jusqu'au bout. Elle lui décocha un regard méprisant,
dont il eut le culot de s'amuser !

– Monsieur Gaspar, permettez-moi de vous présenter ma nièce, Sandra, qui est arrivée récemment de
New York.

– Enchanté, mademoiselle, répondit Henri Gaspar
en s'inclinant poliment. Elle a l'air un peu... vieille.
Etes-vous bien sûre qu'elle soit encore vierge ? demanda-t-il, en aparté, à Roberta.

– Absolument !

Gaspar parut sceptique.

– Pourriez-vous me jurer que son hymen est intact ?

Roberta porta une main à son cœur, comme si elle
était choquée qu'on puisse mettre sa parole en doute.
Sandra, elle, n'en croyait pas ses oreilles. De quel droit
ce mufle osait-il poser une telle question ? Est-ce qu'on
lui demandait, à lui, s'il était toujours puceau ?

– Mon hymen, il y a dix ans que je l'ai perdu ! répliqua-t-elle avec colère. De toute façon, cela ne vous regarde pas.

James faillit s'étrangler de stupeur et Roberta, au bord de l'apoplexie, devint cramoisie. Henri Gaspar resta un instant bouche bée, avant de tourner les talons en murmurant quelque insulte que Sandra ne put entendre. Bientôt, des visages curieux se tournèrent dans sa direction. La nouvelle de sa « souillure » devait se répandre comme une traînée de poudre.

– C'en est fini de ta réputation, jeta Roberta, dont la colère grandissait à mesure qu'elle retrouvait ses esprits. Désormais, je n'ai plus aucune chance de te trouver un protecteur. Tu quitteras ma maison dès ce soir. Retourne chez ton beau-père ou va au diable. Je m'en moque éperdument.

Et sur ces mots elle redressa son double menton et partit la tête haute, comme une altesse offensée.

Sandra la regarda s'éloigner en s'interrogeant sur son propre sort. Etait-ce un mauvais rêve, ou avait-elle vraiment perdu l'esprit ? Après tout, ce n'aurait pas été surprenant, avec tout le stress qu'elle avait accumulé ces derniers mois, depuis la mort de Tessa jusqu'à ce contrat épuisant à La Nouvelle-Orléans. Sans oublier sa rupture avec David...

Il restait d'autres hypothèses, cependant. Peut-être était-elle morte et venait-elle de se réveiller dans l'autre monde ? Elle se sentait bien vivante, pourtant. Mais comment savoir ?

Dernière solution : le sortilège de Lilith l'avait purement et simplement réexpédiée dans le passé. Sandra se refusait encore à y croire, même si les apparences la faisaient pencher en faveur de ce scénario.

Que faire maintenant ? Cette migraine ne l'aidait pas

à avoir les idées claires. Constatant avec soulagement que son vanity-case était resté à ses pieds, elle l'ouvrit et en tira deux comprimés d'aspirine qu'elle avala sans prendre la peine de les diluer dans l'eau.

James se tenait toujours près de la fenêtre, à fumer son cigarillo. Il avait observé son manège avec amusement. Sandra le dévisagea un court instant, avant de prendre subitement une décision.

– Eh bien, il ne me reste plus qu'à partir avec vous, lança-t-elle sans enthousiasme excessif.

En fait, elle n'avait pas vraiment le choix.

– C'est hors de question !

Ce refus catégorique la vexa. Préférant ne pas le montrer, elle revint à la charge.

– Je peux m'occuper de jeunes enfants et leur servir de préceptrice, proposa-t-elle avec assurance. Vous n'avez pas d'enfants ?

– Si. Etienne. Un garçon de cinq ans.

– Présentez-moi à votre épouse. Quand elle me connaîtra, je suis persuadée qu'elle voudra m'embaucher.

– Je n'ai pas d'épouse.

– Oh, excusez-moi !

Elle n'aurait pas su dire pourquoi cette information la soulageait. Soudain, une idée lui traversa l'esprit :

– Vous ne connaîtriez pas un endroit où on peut acheter des beignets, dans le coin ?

Après tout, quoi qu'il lui arrivât – rêve fantastique ou voyage dans le temps –, Sandra n'avait plus aucune envie de s'astreindre à un régime.

James recula sa chaise contre le mur du *Restaurant d'Orléans* et étira ses jambes devant lui pour mieux savourer son absinthe – la quatrième de la soirée, soit deux de plus qu'il ne s'en autorisait habituellement. Sentant la tête lui tourner, il contempla d'un œil distrait le liquide verdâtre à l'arôme anisé.

Il se demandait comment se débarrasser élégamment de la créature qui s'était jetée à son cou à ce bal de quarteronnes. Dans un moment de faiblesse, il avait accepté de la conduire de l'autre côté de la rue, dans l'établissement raffiné de Gabriel Julian. Elle avait dévoré son dîner avec un appétit surprenant, mais rien ne semblait lui avoir procuré autant de plaisir que les beignets qu'elle avait commandés au dessert.

Toutefois, James n'était nullement disposé à perdre davantage de temps – et d'argent – avec cette inconnue. Trois ans plus tôt, lors du krach bancaire, il avait dû hypothéquer sa plantation. Encore devait-il s'estimer heureux de n'avoir pas tout perdu, contrairement à une centaine d'autres planteurs moins chanceux que lui. En attendant d'avoir reconstitué sa fortune, James était toujours obligé d'employer des esclaves dans ses champs de canne à sucre, alors qu'il aurait préféré leur accorder leur liberté.

Mais c'était surtout pour Etienne que James s'inquiétait. Le gamin se montrait de plus en plus turbulent, au point que les domestiques ne parvenaient plus à le juguler. Et ce n'était pas non plus la mère de James qui pourrait avoir quelque autorité sur lui. Cette femme qui avait pendant si longtemps administré sa maisonnée d'une poigne de fer sombrait dans la démence. Depuis un an, elle ne quittait pratiquement plus sa chambre, où elle ressassait inlassablement ses idées noires et fantasques.

Avec un soupir de lassitude, James tira sa montre de gousset en or de sa poche. Sapristi, il était déjà minuit dix ! Il avait proposé à Maureen de le rejoindre dans sa chambre de l'*Hôtel Saint-Louis* à minuit et demi.

29

Le murmure de satisfaction de Sandra le tira de ses pensées.

– Je me suis régalée, dit-elle avec un sourire extatique. Tout était dé-li-cieux.

– Vous ne voulez vraiment pas reprendre un beignet ? Vous n'en avez mangé que cinq.

– Non, merci. Savez-vous qu'il est très mal élevé de faire remarquer à quelqu'un ce qu'il a mangé ? En revanche, je reprendrais volontiers une tasse de café.

James héla le serveur, sans la quitter des yeux. Elle avait entrepris de lécher consciencieusement les cristaux de sucre restés collés à ses doigts. Une vision aussi sensuelle ne pouvait le laisser de marbre. Sandra poussa même la perversité – ou l'innocence ? – jusqu'à tremper son doigt humide dans l'assiette pour ramasser d'autres cristaux de sucre et les lécher avec la même gourmandise enfantine.

Sauf que Sandra n'était plus une enfant. En dépit de sa minceur, elle était ravissante. Et ses seins... ses seins étaient tout bonnement bouleversants.

– Pourquoi me regardez-vous ainsi ?

James sursauta, comme un gamin pris en faute. Elle prenait trop de libertés avec lui. Il décida de la remettre à sa place :

– Vous léchiez vos doigts avec un art si consommé de la provocation que je me demandais si vous n'étiez pas une fille de joie.

Sandra, rouge comme une pivoine, lui décocha un regard assassin.

– Primo, je ne provoquais rien du tout. Secundo, je n'apprécie pas la tournure que prend notre conversation, répliqua-t-elle sèchement.

Elle était si délicieusement excitante, dans le rôle de la vierge offensée, que James ne put résister à l'envie de poursuivre ce petit jeu.

– Il n'y a rien de plus appétissant que la vue de vos seins débordant de cette robe trop serrée, dit-il avec un sourire gourmand. J'imagine que tous les hommes présents dans ce restaurant aimeraient y goûter.

Sandra était devenue cramoisie, mais lui-même, à sa propre stupeur, se sentit également rougir. Et pas de confusion !

C'était si étonnant ! A croire qu'il était resté trop longtemps à Bayou Noir, sa plantation, pour en arriver à se laisser émoustiller par une fille trop grande et trop maigre. Une quarteronne, par-dessus le marché ! Il s'était toujours interdit d'avoir une liaison avec une femme de couleur, pour ne pas abuser de leur statut inférieur.

Ignorant sa provocation, Sandra toussa discrètement, pour l'avertir du retour du serveur avec les deux cafés.

James la regarda verser d'une main gracieuse une pleine cuillère de sucre dans sa tasse.

– J'aime le sucre, expliqua-t-elle. Dorénavant, je ne me sens plus tenue de suivre un régime. Doux Jésus ! Quand je pense à tout ce dont je me suis privée pendant dix ans !

– Un régime ? Mais vous êtes maigre comme un clou !

– En tant que mannequin, je ne pouvais pas me permettre de grossir. Et je n'apprécie pas vos critiques sur mon physique. Sachez que *Vanity Fair* m'a élue « Le plus beau visage de l'Amérique ».

– Cessez tous ces mensonges absurdes ! J'ignore à quoi vous jouez, mais...

James s'interrompit en voyant son père et son demi-frère entrer dans le restaurant. Il baissa la tête, espérant ne pas être reconnu, mais comprit qu'il avait échoué en les voyant approcher.

– James ! s'exclama son père d'une voix faussement chaleureuse. Tes visites se font trop rares. Nous aimerions bien te voir plus souvent. Comment va ta mère ?

Sale hypocrite ! pesta James entre ses dents. *Tu ne t'es jamais soucié d'elle. Ni de moi. Sauf en public, bien sûr. Si tu savais comme je te hais !*

Il contint pourtant sa colère. Provoquer un esclandre dans ce restaurant n'aurait servi à rien. Il se contenta de saluer froidement son père et son demi-frère d'un hochement de tête, sans les inviter à sa table. Victor sembla s'en offenser, mais son attention fut attirée par Sandra. Ou, plus précisément, par son décolleté.

James sentit son sang s'échauffer. Pareille jalousie était pourtant ridicule : il ne connaissait cette fille que depuis deux heures !

– A force de fuir le monde, tu as perdu tes bonnes manières, lui reprocha son père. Tu ne nous as même pas encore présentés à ta compagne.

James savait pertinemment qu'aux yeux de son père, Sandra n'était qu'une quarteronne. Autrement dit, une personne sans importance dont on pouvait se débarrasser à son gré – comme il s'était débarrassé de sa mère, autrefois.

– Sandra, je vous présente mon père, Jean-Paul Baptiste, et mon demi-frère, Victor.

Elle inclina poliment la tête, mais la dureté de son regard surprit James. Apparemment, Jean-Paul et Victor inspiraient la même répulsion à tout le monde. Il continua les présentations :

– Et voici...

James s'interrompit, offensé par l'expression de mépris pour Sandra qu'il lisait sur le visage des deux hommes.

– ... et voici ma fiancée, Sandra Selente, termina-t-il sur une note triomphale.

Tout le monde faillit s'étrangler : son père, Victor et plus encore Sandra. James n'aurait pas su dire ce qui l'avait poussé à proférer un tel mensonge mais il ne regrettait rien.

L'indignation de son père à l'idée qu'il puisse épouser une quarteronne valait bien tous les ennuis que ne manquerait pas d'entraîner cette déclaration.

– Non ! explosa Jean-Paul Baptiste. Tu ne parles pas sérieusement ? Même pour me faire enrager, tu n'oserais pas te mésallier à ce point. Le désastre de ton premier mariage ne t'a donc pas suffi ?

L'évocation de la défunte épouse de James éveilla une lueur étrange dans le regard de Victor – qui disparut aussi vite qu'elle était apparue. Leur père secouait la tête, dépité.

– Décidément, tu me décevras toujours, mon pauvre James.

Sandra bondit de sa chaise, folle de rage. Elle se moquait bien que ces deux mufles soient parents de James. Elle avait compris qu'il les méprisait souverainement. Elle-même était bien placée pour savoir que la famille était parfois source de chagrin et de rancœur. Son père avait abandonné sa mère alors qu'elle était enceinte et n'avait plus jamais donné signe de vie. Et sa mère avait passé le restant de ses jours – jusqu'à sa mort d'un cancer, six ans plus tôt – à rabaisser sa fille unique, qui ne trouvait jamais grâce à ses yeux.

– Messieurs, commença-t-elle sur un ton exagérément poli qui laissait augurer du pire, j'apprécierais vraiment que vous quittiez notre table. Vous avez apporté dans l'air que je respirais comme une puanteur qui... ma foi... qui pourrait me donner des vapeurs.

– Insolente catin ! s'étrangla le père de James. Comment osez-vous me parler sur ce ton ? Savez-vous au moins qui je suis ?

– Croyez bien que je m'en moque ! Je tiens également à vous préciser que je ne suis pas une quarteronne. Quand bien même le serais-je, cela ne vous donnerait nullement le droit de me mépriser, ni celui d'insulter votre fils. *(Doux Jésus, voilà que je défends un homme que je connais à peine !)* Déguerpissez, avant que j'appelle le patron ! Ou que je me charge moi-même de vous mettre à la porte !

Elle fit un pas vers eux et les deux hommes reculèrent d'autant, vraisemblablement plus surpris que réellement effrayés par ses menaces.

– Nous reparlerons de tout cela, James, dit son père en s'éloignant. Tu peux en être sûr.

Sandra se rassit sur sa chaise, en feignant d'ignorer les curieux qui regardaient leur table.

James ne semblait pas se soucier du scandale. Au contraire, il lui sourit gentiment. C'était la première fois depuis qu'ils s'étaient rencontrés, et Sandra le trouva encore plus séduisant. Diablement séduisant ! Elle mourait d'envie de lui tendre la main pour lui caresser la joue, voire même de tracer le contour de sa bouche avec le bout de son doigt. Il devait embrasser divinement...

– Merci, lui dit-il. Je n'avais pas besoin que quelqu'un me défende contre mon père, mais votre intervention fut... charmante.

Sandra songeait à la mère de son fils. Pourquoi n'en parlait-il jamais ?

– Je n'en reviens pas que vous ayez dit à votre père que nous étions fiancés. J'ai cru qu'il allait avoir une attaque. Et Victor aussi.

– Vous-même n'avez pas votre langue dans votre poche. C'est assez inhabituel, par ici. Vous m'avez dit venir de New York, n'est-ce pas ?

– Oui.

– Eh bien, puisque votre séjour chez Roberta a tourné court, vous devriez repartir par le premier bateau. Avez-vous de quoi payer la traversée ?

– Je crois, dit-elle en fouillant dans son porte-monnaie. Trois cents dollars, ça suffira ?

– Qu'est-ce que c'est ? demanda James en lui prenant un des billets.

– Un billet de vingt dollars, ça ne se voit pas ?

Il prit dans sa poche quelques coupures qu'il posa sur la table. Elles ressemblaient à ces anciens billets de banque que Sandra avait vus une fois dans un musée.

James examina son billet plus en détail.

– Pourquoi y a-t-il écrit 1996 ? Vous moquez-vous encore de moi ?

– Non. J'ai déjà essayé de vous expliquer...

Sandra dut s'interrompre. Un serveur avait entrepris de secouer à toute volée la nappe de la table d'à côté et elle avait reçu une miette dans l'œil. Pour s'en débarrasser, il fallait d'abord qu'elle ôte ses lentilles de contact. Elle sortit un petit étui de son vanity-case et y déposa les deux lentilles avant de se frotter l'œil.

– Ah ! soupira-t-elle. C'est mieux comme ça.

James la regardait, pétrifié.

– Qui êtes-vous donc ? Et quel est ce tour de sorcellerie ? Vos yeux ne sont plus noirs !

– Leur vraie couleur est noisette, expliqua Sandra. Mais le couturier qui a dessiné cette robe préférait que tous les mannequins aient le regard sombre.

James pointa l'étui du doigt, comme s'il s'agissait d'un objet diabolique.

– Ces... ces choses... ne font pas partie de vos yeux ?

– Oh, ne faites pas l'idiot !

– Je dois être sacrément idiot, en effet.

Il se leva brusquement, jeta quelques-uns de ses vieux billets sur la table et quitta la salle sans se retourner.

Sandra le regarda partir, médusée, en se demandant ce qui se passait. Ou plutôt, non, elle savait : « Le plus beau visage de l'Amérique » venait tout simplement de se faire « larguer » par un goujat sans scrupules, auquel elle n'aurait même pas prêté attention en 1996. Mais l'idée de se retrouver seule dans ce cauchemar vaudou qui l'avait ramenée plus d'un siècle en arrière la paniqua. Sans qu'elle pût dire pourquoi, la présence de James lui était soudain devenue indispensable.

Empoignant son vanity-case, elle s'élança à sa poursuite.

– Attendez-moi ! Avec mes hauts talons, je ne peux pas marcher aussi vite que vous !

Il marmonna quelque chose, comme quoi il s'en moquait éperdument.

– Ecoutez-moi, insista Sandra en essayant de le rattraper. Je vous propose un marché. Vous m'aidez à sortir de cette situation et, en échange, je...

– En échange, quoi ? Vous enlevez un autre morceau de votre anatomie ?

– Ne soyez pas vulgaire. Je n'ai rien fait pour mériter que vous me traitiez de la sorte.

Il attendit qu'elle l'ait rejoint et se mit à la secouer comme un prunier.

– Ecoutez, mademoiselle, j'ignore qui vous êtes, mais sachez que je n'ai pas apprécié votre petite démonstration de magie, au restaurant. On en a brûlé pour moins que ça.

– N'exagérez pas. Je ne suis pas une sorcière, si c'est ce que vous voulez dire.

– Alors qui êtes-vous ? Une prêtresse vaudoue ? Merci bien. J'ai déjà donné.

Sandra voulut protester mais il l'interrompit :

– Gisèle... ma défunte femme... prétendait aussi être une prêtresse vaudoue. Je ne tiens pas à retrouver un poulet mort dans mon lit, ni des œufs de serpent dans mon potage. Encore moins des yeux sur la table de mon dîner.

– Je vous répète que c'étaient seulement mes lentilles de contact !

James soupira d'un air exaspéré et se remit à marcher.

– James, écoutez-moi, s'il vous plaît. Je ne comprends pas ce qui m'arrive, mais vous êtes la seule personne sur qui je puisse compter. Si vous pouviez m'aider à retourner au XXe siècle, je trouverais bien un moyen ou un autre de vous récompenser.

Il se retourna et son regard s'attarda sur ses seins.

– Non, merci. Je ne suis pas intéressé.

– Je ne parlais pas de ça !

– Alors quoi, à la place ? Vos dollars fantaisistes ? Un gri-gri vaudou ? La recette pour s'arracher les yeux sans dommages ?

– Vos sarcasmes sont injustes, James. Songez au parti que vous pourriez tirer de ma situation. Venant du futur, je peux vous aider à changer le cours des choses. Peut-être même à réaliser votre vœu le plus cher.

Il la regarda bizarrement.

– Parlez-vous sérieusement ?

Sandra hocha la tête.

– Alors, c'est que vous êtes folle.

– Je vous jure que non.

– Reprenons tout depuis le début, proposa-t-il d'une voix patiente, comme s'il la prenait en pitié et qu'il excusait sa démence. Où logez-vous ?

– A l'*Hôtel Bourbon*.

– L'*Hôtel Bourbon*, parfait, répondit-il en l'entraînant par le bras.

3

Un quart d'heure plus tard, ils ressortaient de l'*Hôtel Bourbon*, où le réceptionniste avait assuré à James que l'établissement ne comptait aucune cliente répondant au nom de Sandra Selente. D'une certaine manière, elle n'avait pas été surprise de cette réponse.

– Que faisons-nous, maintenant ? demanda-t-elle.

James se passa distraitement une main dans les cheveux.

– Je suis descendu à l'*Hôtel Saint-Louis*. Vous allez dormir dans ma chambre, et demain matin vous prendrez le premier bateau pour New York.

– Il n'est pas question que je couche avec vous, décréta Sandra d'une voix impérieuse.

Il la regarda d'un air amusé.

– Ça n'a jamais été dans mes intentions.

– Je suis désolée, balbutia-t-elle en rougissant. Je pensais que...

– J'ai une suite. Vous dormirez dans le salon. Je doute qu'il y ait une seule chambre de libre dans tout le Vieux Carré. A cette saison, les planteurs de toute la région affluent vers La Nouvelle-Orléans pour négocier les cours de la prochaine récolte. La plupart se déplacent en famille.

– J'en déduis que je n'ai pas le choix.

– Vous êtes trop aimable d'accepter mon hospitalité !

– Vous m'avez mal comprise...

– Disons plutôt que vous êtes difficile à comprendre.

Sandra renonça à protester. Il aurait été trop heureux d'en profiter pour la planter sur le trottoir.

Après quelques minutes de marche, ils arrivèrent à son hôtel, une ravissante construction en plein cœur du quartier français. Sandra, épuisée, n'avait plus qu'une idée en tête : dormir. Avec un peu de chance, la situation dans laquelle elle se débattait n'était qu'un cauchemar, et le lendemain elle se réveillerait normalement en 1996.

La suite de James se trouvait au deuxième étage. Alors qu'il arrivait devant sa porte, celle-ci s'ouvrit à toute volée et une ravissante blonde en robe rouge, très décolletée, se jeta à son cou.

– Où étais-tu passé, mon chéri ? Je t'attends depuis une éternité !

James parut un instant décontenancé.

– Excuse-moi, Maureen. J'ai été retardé, mais...

– Une soirée à trois, James ? coupa la blonde en regardant Sandra. Je ne me souvenais pas que tes goûts étaient aussi exotiques.

James secoua la tête.

– Non, Maureen, ce n'est pas ce que tu penses. Je te présente Sandra. Elle est... perdue. Demain matin, elle prendra le premier bateau pour New York. Sandra, je vous présente Maureen... Maureen comment, déjà ?

– Rivieux.

– Merci, chérie. Maureen Rivieux.

Sandra eut beaucoup de mal à garder son sérieux. Il ne se rappelait même pas le nom de cette femme !

– Elle passe la nuit ici ? demanda Maureen, amusée. Ça promet d'être intéressant.

– Elle dormira dans le salon, répondit James en invitant Sandra à entrer.

Une fois la porte refermée, il ôta sa veste, se servit un verre de whisky et s'approcha de Maureen, comme s'il avait déjà oublié la présence de son autre invitée. La blonde entreprit aussitôt de lui déboutonner sa chemise d'une main experte.

Les joues en feu, Sandra se précipita dans le salon.

– Il n'y a pas de lit ! se récria-t-elle. Le sofa est trop petit pour qu'on puisse s'y allonger.

– Vous préférez peut-être une autre solution ? lui répondit James, sans prendre la peine de venir voir.

Sandra savait à quelles solutions il faisait allusion : soit se retrouver à la rue, soit dormir dans le même lit que lui et la blonde – encore qu'on ne lui eût pas proposé cette dernière alternative, que de toute façon elle aurait refusée. Comme elle ne se voyait pas davantage coucher sur le trottoir, le choix s'imposait de lui-même. Elle referma la porte en la claquant violemment.

Incapable d'enlever sans aide sa robe boutonnée dans le dos, elle fut obligée de se coucher tout habillée par terre. Et faute d'une cuvette à sa disposition, de garder aussi son maquillage. Sachant ce qui devait se passer dans la chambre d'à côté, il était exclu de tenter une incursion jusqu'au cabinet de toilette.

En moins d'un quart d'heure, Sandra transpirait déjà abondamment et sa robe lui collait à la peau. Pour ajouter à son inconfort, elle ne perdait rien des murmures et autres gémissements provenant de la pièce voisine. Sans parler des grincements du lit où ils devaient se vautrer dans les bras l'un de l'autre.

Malgré toute sa bonne volonté, Sandra ne pouvait pas s'empêcher de se représenter James entièrement nu. Etait-il bon amant ? Et cette catin de Maureen, prenait-elle du plaisir dans ses bras ?

Finalement, le silence revint et Sandra put s'endormir.

Au petit matin, elle fut réveillée par un rayon de soleil qui s'infiltrait à travers les rideaux. Elle se leva aussitôt, emprunta une des chemises de James pour s'éponger le front et les avant-bras, puis elle ouvrit doucement la porte pour inspecter la chambre d'à côté.

James dormait toujours. Mais il était seul. Maureen avait dû partir en pleine nuit, vraisemblablement pour rejoindre un autre client...

A pas de loup, Sandra se dirigea vers le cabinet de toilette, versa l'eau du pichet dans la cuvette et entreprit de se laver sommairement. Puis elle retraversa la chambre et s'approcha du grand lit à baldaquin où James dormait encore.

Il était couché sur le ventre, entièrement nu, enroulé dans un drap qui le couvrait à partir de la taille.

– James... murmura-t-elle en essayant de ne pas se laisser émouvoir par ce spectacle. Il est l'heure de vous lever.

Il grommela quelque chose dans son sommeil et se tourna vers Sandra avec un mouvement d'abandon qui lui donna la chair de poule. Elle mourait d'envie de se pencher pour le caresser, sentir ses muscles sous ses doigts...

Du calme ! se morigéna-t-elle.

– James, debout !

Cette fois, elle avait presque crié. Mais, au lieu de se redresser en sursaut, il tendit le bras pour l'attirer contre lui. Toujours sans rouvrir les yeux.

– Maureen, qu'est-ce que tu fais debout ? bafouilla-t-il d'une voix endormie. Il est trop tôt pour se lever.

Maureen ! Il m'a confondue avec la blonde !

Elle voulut le repousser, mais sa résistance parut exciter James. Il tira plus fort. Sandra s'écroula sur le lit et James s'allongea sur elle, la tête enfouie entre ses seins.

– Tu aimes ça, chérie !

A sa grande confusion, Sandra devait admettre qu'il disait vrai. Dans la bagarre, ses seins s'étaient complètement libérés du bustier trop étroit. James entreprit de les caresser du bout de la langue. Un frisson parcourut la jeune femme, qui dut se mordre la lèvre pour ne pas crier de plaisir.

Les yeux toujours hermétiquement clos, James laissa ses mains courir sur le corps de Sandra. Le petit jeu dura quelques secondes puis, surpris par le contact du tissu, il ouvrit brusquement les yeux.

– Vous n'êtes pas Maureen !

– Bien joué, Sherlock Holmes !

– Bon Dieu ! Que faites-vous dans mon lit ? grommela-t-il en se frottant les paupières. Vous ne m'aurez pas à la séduction. Mettez-vous bien ça dans la tête.

Séduction ? Sandra faillit s'étrangler de colère. Pour qui la prenait-il ?

Maladroitement, elle tenta de se relever mais il l'agrippa par la taille et l'immobilisa sous lui.

– Ah, non ! Maintenant que vous m'avez excité, vous ne bougez plus d'ici.

Brusquement, Sandra fondit en larmes.

– Pourquoi pleurez-vous ? s'étonna James.

– C'est... c'est à cause de tout ce qui m'arrive, balbutia-t-elle entre deux sanglots. Je... je me retrouve perdue dans votre époque et... je ne sais même pas comment revenir chez moi. Et aussi... et aussi parce que vous m'avez troublée, mais que vous me prenez pour une autre et que vous avez cent cinquante ans de plus que moi.

– Alors, comme ça, je vous ai troublée ?

– Non ! Je me suis mal exprimée ! protesta Sandra en réussissant enfin à s'extraire du lit.

Il la regardait avec incrédulité.

– Je n'avais encore jamais rencontré de femme comme vous, dit-il avant de se lever à son tour.

Il traversa la chambre, nu comme un ver, pour aller dans le cabinet de toilette dont il ne prit même pas la peine de refermer la porte. Décidément, quelle que soit l'époque, les hommes manquaient de la plus élémentaire pudeur.

Quand il revint dans la chambre, il semblait de nouveau très en colère contre elle.

– Qu'est-ce que c'est que ça ? grogna-t-il en brandissant deux petites franges noires.

– Ce sont mes faux cils.

– Vos *quoi* ?

– Mes faux cils, répéta-t-elle. J'en mets toujours lors des séances de photos. Ils rendent le regard plus profond.

Il prit un air menaçant.

– Je croyais pourtant vous avoir avertie de ne plus jouer à cela avec moi !

Sandra retint à grand-peine un éclat de rire. D'abord ses lentilles de contact, ensuite ses faux cils... il suffisait de se mettre à la place de James pour comprendre son désarroi.

– Ecoutez, cette conversation ne nous mènera à rien. Un peu de patience, vous serez bientôt débarrassé de moi. Accepteriez-vous au moins de m'accompagner jusqu'au port ?

Il attarda un instant son regard sur son décolleté.

– Vous ne croyez pas que vous devriez commencer par vous changer ?

– Je n'ai que cette robe, répondit Sandra.

Regardant autour d'elle, elle remarqua les lourdes tentures de velours vert qui encadraient les fenêtres.

– A moins que je ne réussisse à me draper dans ces rideaux ?

– Je vous interdis de les décrocher ! La direction de l'hôtel me les ferait payer une fortune. Vous êtes vraiment folle. Avez-vous l'habitude de fabriquer vos robes dans les rideaux des hôtels ? Expliquez-moi donc...

Il fut interrompu par une série de coups violents frappés à la porte.

– James, ouvrez vite ! Les gardes seront bientôt ici !

La police ? Il ne manquait plus que ça ! songea Sandra, effondrée. Se pouvait-il qu'elle se soit naïvement jetée dans les griffes d'un hors-la-loi ?

– Qui est-ce ? demanda-t-elle.

– Mon contremaître, Fergus Cameron.

James ouvrit la porte et un grand gaillard aux cheveux roux se rua dans la pièce. En apercevant Sandra, il adressa à son patron un regard réprobateur.

– Le caporal Atwood avait raison. Vous vous êtes mis dans de beaux draps, cette fois.

– Pourquoi Atwood viendrait-il ici ? maugréa James, agacé.

– A cause d'elle, expliqua Cameron en désignant Sandra.

– De moi ?

Ignorant la jeune femme, le contremaître poursuivit à l'intention de James :

– Votre frère vous a dénoncé aux autorités. Il prétend que vous hébergez une esclave en fuite répondant au nom de Sandra. Je suppose que c'est elle ?

James hocha la tête.

– Avez-vous vraiment dit à votre père que vous souhaitiez l'épouser ?

James haussa les épaules.

– Je ne parlais pas sérieusement.

– Et moi, je ne suis pas noire, intervint Sandra.

Les deux hommes la contemplèrent d'un air dubitatif.

– Ecoutez-moi, tous les deux, reprit-elle. Je ne suis pas raciste et être noire ne me gênerait nullement. Mais il se trouve que ce n'est pas le cas !

– Elles disent toutes ça, commenta Cameron d'un air amusé.

Tournant le dos au contremaître, Sandra vint se planter devant James.

– Je peux vous prouver que je suis blanche.

Il haussa les sourcils, ironique.

– J'ai vu vos seins et aussi une partie de vos jambes. Votre peau est plutôt foncée.

Sandra se sentit piquer un fard. Elle ne l'aurait pas cru capable d'une telle indiscrétion devant un autre homme.

– Je vous ai déjà expliqué que c'était un bronzage aux U.V. !

– De quoi parle-t-elle ? s'enquit Cameron.

James leva les yeux au ciel.

– Je n'en sais rien.

– C'est la même chose que de s'exposer toute nue aux rayons du soleil, expliqua Sandra.

Les deux hommes la dévisagèrent avec stupéfaction.

– Pourquoi s'exposer volontairement au soleil ? demanda James.

– Parce que les magazines de mode préfèrent les mannequins bronzés, lâcha-t-elle, à bout de patience.

Cameron semblait le plus éberlué.

– Elle aurait attrapé cette couleur-là en s'exposant au soleil ?

– En tout cas, c'est ce qu'elle prétend, confirma James.

– Mais c'est ridicule !

– Pourriez-vous arrêter de parler comme si je n'étais pas là ? s'insurgea Sandra.

James ouvrit une grande armoire en acajou, dont un antiquaire aurait donné une fortune. Il en sortit une de ses chemises qu'il tendit à Sandra.

– Enfilez ça ! Je vais voir si je peux faire patienter les gardes pendant que Fergus essaie de vous trouver de faux papiers.

– Bon sang, allez-vous m'écouter, à la fin ? Je peux vous prouver que je suis blanche !

– Comment cela, je vous prie ? demanda-t-il d'un ton ironique.

Sandra désigna du regard le contremaître, qui observait la scène, amusé.

– Demandez-lui de sortir.

James parut hésiter.

– Attendez dans le couloir, Fergus, dit-il finalement. Et frappez à la porte si vous voyez les gardes arriver.

Dès que le contremaître fut sorti, James croisa tranquillement les bras.

– Eh bien ?

– Je suppose que ma parole d'honneur ne vous suffira pas ?

– J'ai peur que non.

D'un geste, Sandra releva sa jupe et ses jupons pour dénuder ses hanches.

– Regardez, c'est la marque du maillot que je portais. Vous voyez bien qu'en dessous la peau est restée blanche.

James se pencha vers elle, comme s'il distinguait mal ce qu'elle lui montrait. Puis, avant que Sandra ait eu le temps de réagir, il la souleva et la porta jusqu'au lit.

– Immonde goujat ! se récria-t-elle en se débattant.

Loin de se laisser attendrir, il la maintint couchée

d'une main ferme, tandis que de l'autre il dégageait ses jupons pour inspecter en détail le haut de ses cuisses.

– Pas de doute, vous êtes blanche !

– Vous êtes trop aimable de me croire enfin ! Maintenant, laissez-moi me relever.

Une lueur s'alluma dans le regard de James.

– Peut-être devrais-je examiner la totalité de votre corps ? Juste pour vérifier...

Sandra se sentit rougir d'humiliation.

– S'il vous plaît, ne...

Il soutint son regard un moment, avant de se détourner. Dès qu'elle fut rhabillée, il ouvrit la porte.

– Elle est blanche, confirma-t-il froidement au contremaître. Je vais me rendre au poste de police et je leur expliquerai qu'elle a vécu dans les Caraïbes. Là-bas, les femmes blanches ont coutume de s'exposer au soleil.

Cameron ne semblait pas totalement convaincu.

– Si Atwood exige des preuves, je lui proposerai de la faire examiner par sa femme, précisa James.

– En attendant, vous feriez quand même mieux de la cacher. Si Victor la trouve ici, je ne donne pas cher de sa peau, qu'elle soit blanche, noire ou rouge.

– Peut-on la cacher dans votre chambre ?

Fergus hocha la tête.

– Ma femme lui trouvera une petite place dans la penderie. Mais... êtes-vous sûr de vouloir vous donner tout ce mal pour elle ? Ce n'est qu'une étrangère.

James eut un sourire carnassier.

– Pas question de la laisser à Victor ! Cela lui ferait trop plaisir !

– Si j'ai bien compris, je vais rater mon bateau ? demanda Sandra.

– Oui, répondit James, que cette perspective ne semblait pas particulièrement réjouir.

– Pourrai-je au moins prendre le suivant ?

– J'y compte bien.

Résignée, Sandra emboîta le pas au contremaître, mais au moment de quitter la chambre elle se retourna :

– James ?

– Quoi ?

– Quand vous reviendrez me chercher, pourriez-vous penser à m'apporter des beignets ?

Pour toute réponse, il proféra un affreux juron.

– Eh bien, êtes-vous satisfait, à présent ? demanda Sandra au policier sur un ton hautain.

Le caporal Atwood lui rappelait ces inquisiteurs du Ku Klux Klan qu'elle avait vus au cinéma.

Quand les gardes avaient investi l'hôtel, elle n'avait eu d'autre choix que de les suivre avec James jusqu'à leur quartier général.

L'interrogatoire avait duré plus d'une heure. Comble de l'humiliation, Atwood avait fait appeler sa femme pour examiner Sandra. Si elle avait pu prouver sa blancheur, en revanche elle n'avait pu produire aucun papier d'identité. James avait donc dû signer un document dans lequel il attestait que Sandra était sa fiancée et qu'il s'engageait à l'emmener chez lui quand il repartirait vers sa plantation.

– Allons-nous-en d'ici, maintenant, dit-il, sans un regard pour Atwood.

– Je ne saurais trop vous suggérer de vous tenir tranquille, mademoiselle, crut bon de préciser le caporal. J'ai l'intention de vous surveiller, car votre attitude me paraît louche. Je me demande si vous n'êtes pas une de ces abolitionnistes venus du Nord pour aider les esclaves à s'échapper.

– Vous me donnez une idée, répliqua Sandra du tac

au tac. Savez-vous qui je pourrais contacter pour entrer dans un tel réseau ?

Le caporal s'empourpra violemment et Sandra comprit qu'il valait mieux déguerpir avant qu'il ne succombe à une crise d'apoplexie, ou qu'il ne décide de l'emprisonner, sous le motif le plus futile.

James la suivit dans la rue sans piper mot. Il marchait le visage fermé, perdu dans ses pensées. Sapristi ! Cet homme prenait la vie trop au sérieux. Lui arrivait-il parfois de rire aux éclats ?

Tout compte fait, maintenant qu'elle avait échappé à la prison, Sandra trouvait que sa situation ne manquait pas de piquant. Egarée dans le XIXᵉ siècle et prise pour une quarteronne ! Mais il y avait encore mieux : alors que toute sa carrière s'était construite sur sa beauté, ici aucun homme ne se montrait sensible à ses charmes. Georgia s'en serait étranglée de rire.

James s'arrêta brusquement au milieu du trottoir. Il semblait furieux.

— On dirait que je vous amuse ?

— Pardon ?

— Je vous ai vue sourire en me regardant.

— Vraiment ? En fait, je riais de moi-même. Vous manquez d'humour, James.

Il secoua la tête, abasourdi.

— Avez-vous seulement réalisé ce à quoi vous avez échappé ? Si Atwood ne nous avait pas crus, il aurait pu vous jeter dans un cachot. La situation d'esclave n'a franchement rien d'amusant.

— Je suis désolée. Je ne m'étais encore jamais trouvée dans une telle situation et...

— Et moi, à votre avis ? Sacrebleu, vous n'avez donc aucun bon sens !

— Je pense que j'ai pris le danger à la légère parce que je vous savais à mes côtés, confessa-t-elle. Quelque chose me dit que vous n'auriez laissé personne me faire du mal.

— Ne comptez pas trop là-dessus, dit-il froidement.

— James, ne pourrions-nous pas...

— Non ! Nous n'allons pas manger pour l'instant.

— Ce n'est pas ce que je voulais dire.

— Ah bon ? Laissez-moi vous avertir d'une chose, mademoiselle Sandra : il y a trois ans, un krach bancaire a mis sur la paille la plupart des planteurs du Sud, dont je faisais partie. Comme si cela ne suffisait pas, l'an dernier une tempête a ravagé la moitié de ma récolte. Tous mes biens sont hypothéqués. Alors, sachez que j'ai autre chose à faire de mon argent que de remplir votre estomac sans fond.

Sandra était si fascinée par la beauté de ses yeux – un mélange subtil de bleu et de gris – qu'elle ne releva pas l'insulte.

— Je voulais simplement savoir si je serais encore obligée de me cacher ?

— Non, ce ne sera plus nécessaire. A moins que Victor n'invente une autre plainte contre vous. Ou que vous n'ameutiez la population de La Nouvelle-Orléans.

— En faisant quoi ?

— Tout simplement en continuant vos tours de magie. Hier, vous perdiez vos yeux et vos cils. Ce matin, c'était la couleur de vos ongles. J'en viens à me demander si demain vous n'aurez pas les cheveux bleus.

Il ne semblait plus du tout en colère. On aurait même pu croire qu'il souriait. Après tout, peut-être n'était-il pas complètement dénué d'humour ?

4

Ils reprirent la direction de leur hôtel.

Sandra se laissait bercer par les bruits de la ville. Tout autour d'eux, des femmes noires déambulaient avec de grands paniers posés sur leur tête, en vantant leurs marchandises d'une voix chantante :

– Pralines, pralines ! Croquantes et sucrées... pralines, pralines !

– Jolies fraises toutes fraîches...

– Confitures, mesdames ! Confitures !

Sandra s'émerveillait également d'entendre l'air résonner des cloches des églises, du gros bourdon de la cathédrale Saint-Louis aux carillons plus modestes des paroisses de quartier. James paraissait s'amuser de la voir jouer les touristes. Quand ils passèrent devant l'échoppe d'une couturière, il la retint par la manche.

– Vous avez besoin d'une nouvelle robe.

– Je croyais que vous n'aviez pas d'argent à perdre en frivolités ?

– C'est exact. Mais avec ce décolleté, vous finirez par provoquer un scandale.

Sandra s'aperçut avec horreur qu'en marchant, ses seins avaient pratiquement jailli de son bustier.

– Pourquoi ne m'avez-vous pas prévenue ?

– Je vous préviens.

Sandra s'apprêtait à lui répondre ce qu'elle pensait de ses manières, quand une ravissante blonde surgit de la boutique.

– James ! s'exclama-t-elle joyeusement en se jetant à son cou pour l'embrasser sur les deux joues.

– Lizette ! Tu as encore embelli, depuis notre dernière rencontre !

La jeune femme portait une robe de soie citron brodée de roses et ornée, sur le devant, de boutons du même bleu turquoise que son collier et ses boucles d'oreilles. Sa tenue était complétée par un chapeau et une ombrelle également jaune citron. Pour un peu, on aurait pu la confondre avec un canari.

– Mon pauvre James, dit-elle en prenant une pose de tragédienne, je n'avais pas encore eu l'occasion de vous présenter mes condoléances pour la mort de Gisèle. Quelle triste fin pour votre épouse ! Je pense aussi à ce petit garçon qu'elle a laissé... Etienne, c'est bien cela ?

James hocha la tête, les mâchoires serrées.

– Mon Dieu... c'est la vie ! reprit Lizette en tapotant le bras de James du bout de son éventail. Mais cela n'excuse pas votre négligence à mon égard. Il y a une éternité que vous n'êtes pas venu me rendre visite, mon cher !

Sandra sentit l'aiguillon de la jalousie la transpercer en voyant James poser affectueusement la main sur l'épaule de Lizette. Elle qui était habituée à se trouver au centre de tous les regards avait brutalement l'impression d'être devenue invisible.

Cependant, il fallait reconnaître que Lizette, même sous ce déluge de jaune, était une ravissante jeune femme. Elle formait avec James un très beau couple.

Lizette s'aperçut enfin de sa présence.

– Qui est cette femme ?

Sandra se sentait mal coiffée, mal habillée et trop grande devant cette charmante poupée tirée à quatre épingles. C'était bien la première fois qu'elle se sentait mal à l'aise en public. Et c'était très désagréable.

Ce balourd de James ne s'était même pas aperçu de son trouble. Il n'avait d'yeux que pour le canari.

– Voici Sandra Selente, dit-il. La nouvelle institutrice d'Etienne. Elle me servira aussi de gouvernante. Et d'infirmière, pour ma mère.

Infirmière ? Grands dieux ! Moi qui sais à peine poser un sparadrap !

– Et voici ma cousine, Mme Lizette Baptiste, fit James pour conclure les présentations.

Sandra avait retrouvé le sourire. S'il donnait du « madame » au canari, c'est qu'elle était mariée. Et en plus, sa cousine. Mais Lizette s'empressa de rectifier :

– Nous ne sommes pas réellement cousins. En fait, je suis la veuve de René, un des cousins de James, mort de maladie, il y a deux ans. Enfin, mon cher, ne faites pas croire que nous sommes du même sang ! s'exclama-t-elle en donnant un nouveau coup d'éventail sur le bras de James.

Sandra comprit parfaitement ce que Lizette avait voulu préciser par là. Elle eut soudain envie d'acheter le même éventail – pour le seul plaisir d'en frapper James chaque fois qu'il le mériterait.

– Il y a un gala à l'opéra, ce soir, ajouta Lizette à l'intention de son « cousin ». Y assisterez-vous ?

James parut embarrassé.

– Je n'ai pas pensé à acheter des billets.

– Eh bien, vous m'accompagnerez, mon cher, décréta Lizette d'un ton sans appel. Ma loge est assez grande pour plusieurs. J'imagine que vous n'avez pas oublié mon adresse ?

– Bien sûr que non.

– Alors, venez me chercher à neuf heures.

Lizette jeta un regard indulgent à Sandra, comme si elle la jugeait parfaitement incapable de séduire James, avant d'ajouter :

– Désirez-vous emmener votre gouvernante ?

– Non, répondit James sans la moindre hésitation.

Il embrassa Lizette sur les deux joues. Dès qu'elle fut partie, il se tourna vers Sandra, l'air excédé.

– Comptez-vous rester plantée là pendant longtemps ? J'ai mieux à faire que de perdre ma journée avec vous !

Sandra décida qu'à la première occasion, elle achèterait un éventail.

Une heure plus tard, Sandra ressortait de chez la couturière dans une robe de satin vert qui lui tombait jusqu'aux chevilles, avec des fleurs brodées sur le devant et des rubans aux manches. Elle avait l'impression d'être une poupée Barbie habillée pour le bal. Encore avait-elle exigé de ne porter qu'une crinoline. Apparemment, les femmes de cette ville en glissaient au moins cinq ou six sous leur jupe. Compte tenu du climat, cela relevait du masochisme. La mode du XIXe siècle n'était guère fonctionnelle !

– Cette robe me tient horriblement chaud, se plaignit-elle en suivant James sur le trottoir.

– Taisez-vous. Au moins, elle est décente, répliqua-t-il sans se retourner.

– James, marchez moins vite, s'il vous plaît !

Même avec ses nouvelles chaussures à talons plats, elle avait du mal à suivre ses grandes enjambées.

– Vous n'aviez qu'à moins vous goinfrer au petit déjeuner. Vous vous sentiriez plus légère.

Cette fois, c'en était trop. Sandra aurait volontiers lancé un caillou à la tête de ce mufle. Avisant un banc de pierre, dans un petit square en bordure de la rue, elle s'y laissa choir sans plus se soucier d'aggraver son retard sur James. Il faisait si chaud qu'elle avait l'impression de se liquéfier.

Au bout de quelques minutes, James s'aperçut qu'elle ne le suivait plus. Il rebroussa chemin.

– Alors ? Que vous arrive-t-il encore ?

– Je suis fatiguée et j'ai chaud. Seriez-vous assez aimable pour m'offrir un verre de limonade ?

James marmonna entre ses dents qu'il n'avait jamais rencontré quelqu'un d'aussi assommant, mais il consentit à héler un vendeur ambulant et à lui acheter deux verres de limonade fraîche. Puis il s'assit à côté de Sandra pour boire la sienne. Leurs regards se croisèrent un court instant, mais cela suffit à mettre la jeune femme mal à l'aise.

En l'espace de vingt-quatre heures, sa vie avait basculé : un mur infranchissable semblait la séparer de son passé et le futur lui paraissait plus qu'incertain.

Elle regarda James boire sa limonade. Il avait de belles mains, qui devaient caresser... *Nom d'un chien ! Je perds la tête !* Elle détourna les yeux de ses mains, mais son attention fut captivée par son visage. L'arrivée des policiers, ce matin, l'avait empêché de se raser et sa barbe naissante le rendait encore plus séduisant. A ce point de son examen, Sandra conclut qu'elle avait besoin d'une bonne douche froide pour se remettre les idées en place.

Détendu, James contemplait le spectacle de la rue : ménagères se rendant au marché, ouvriers, commerçants, ladies accompagnées de leurs servantes et même un groupe de religieuses sorties sans doute du couvent des Ursulines de Charles Street.

Sandra s'aperçut que son regard s'était soudain focalisé sur une ravissante blonde qui marchait en balançant les hanches sur le trottoir d'en face.

– Vous aimez les blondes, n'est-ce pas ? ne put-elle se retenir de lancer, d'un ton sarcastique.

– Hmmm ? lâcha-t-il distraitement, en se tournant vers elle.

– Votre compagne de la nuit dernière – Maureen – était blonde. A en juger par les bruits que j'ai entendus, elle vous plaisait beaucoup.

– Vous avez entendu quelque chose ? demanda-t-il, un peu gêné.

– La moitié de l'hôtel a entendu. Mais revenons aux blondes. D'abord, Maureen. Ensuite, Lizette. Elle aussi, est blonde. Elle aussi, vous plaît. Ça sautait aux yeux. Et pour finir, cette blonde sur le trottoir d'en face. Ne niez pas qu'elle vous a tapé dans l'œil.

– *Tapé dans l'œil* ? Seigneur, votre langage est un peu vert, pour une lady. A supposer que vous en soyez une.

Cette remarque vexa Sandra. Par fierté, elle refusa de le montrer.

– Tiens donc, vous me trouvez trop vulgaire pour vous ? Vous seriez probablement moins critique si j'étais blonde.

– Mes goûts ne vous regardent pas.

N'avait-il donc vraiment aucun sens de l'humour ? Sandra l'avait à peine vu sourire depuis qu'ils s'étaient rencontrés. Elle décida de le dérider.

– Savez-vous comment on réussit à faire rire une blonde le dimanche ?

Il haussa les sourcils. Visiblement, il ne comprenait pas où elle voulait en venir avec cette question idiote.

– Racontez-lui une plaisanterie le vendredi !

Il demeura de marbre.

– Bon, essayons autre chose. Que dit une blonde quand elle s'aperçoit qu'elle est enceinte ?

Il reposa son verre vide sur le banc. Aussitôt, un jeune Noir s'empressa de le ramasser pour le rendre au vendeur.

– La blonde dit : « Etes-vous bien sûr qu'il est de moi ? »

– Accuseriez-vous les blondes de manquer d'intelligence ? demanda James froidement.

– Tout juste.

– Si je comprends bien, je serais moi-même stupide d'apprécier leur beauté ?

– Vous brûlez.

– Votre humour est très particulier.

– Vous, vous en manquez totalement, s'insurgea Sandra, avant de lancer une dernière plaisanterie : Pourquoi les blondes escaladent-elles les murs de verre ?

– Pour voir ce qu'il y a de l'autre côté ? répondit-il, ravi de l'avoir prise à son propre jeu. Je suppose que vous essayez à tout prix de vous rendre drôle pour faire oublier votre physique.

– Vous savez, James, je commence à en avoir par-dessus la tête, de votre grossièreté. Vous ne me trouvez peut-être pas séduisante, mais je peux vous assurer qu'à *mon* époque j'étais considérée comme une très belle femme.

– Vous me l'avez déjà dit.

Décidément, il avait le don de la vexer !

– A votre avis, combien d'argent devais-je toucher pour ce contrat à La Nouvelle-Orléans ?

Il ne répondit pas mais la curiosité se lisait sur son visage.

– Cent mille dollars !

– Vous mentez.

– Non, je ne mens pas. C'est un travail difficile. J'ai consenti beaucoup de sacrifices pour établir ma réputation. Et je suis très belle.

Il semblait toujours sceptique.

– Savez-vous au moins en quoi consiste le travail d'un mannequin ? Eh bien, il est pratiquement aussi difficile que celui d'une actrice. Tenez, regardez !

Sandra se leva pour s'approcher d'un arbre et réfléchit quelques secondes aux poses qu'elle allait prendre.

– Commençons par l'innocence, dit-elle.

Adossée contre l'arbre, elle le regarda par en dessous, d'un air très sage.

James ne broncha pas, mais elle devina avoir éveillé sa curiosité.

– Plus agressif, à présent.

Sandra étreignit le tronc à bras-le-corps et regarda James avec des yeux de lionne.

– Arrêtez tout de suite ! lui intima James, scandalisé par son comportement. Nous sommes dans un lieu public !

– Et pour finir, plus sensuel, annonça Sandra, sans tenir compte de ses protestations.

Elle s'arc-bouta, dos au tronc, les reins cambrés, les seins outrageusement bombés en avant et la tête renversée, dans une attitude d'abandon absolu.

– Bon Dieu ! tonna James.

Il semblait près de s'étrangler et, en même temps, Sandra aurait juré qu'une lueur de désir avait furtivement brillé dans ses yeux.

– Bien sûr, il n'y a pas que les poses statiques. Il m'arrive souvent de défiler pour les couturiers.

Joignant le geste à la parole, elle alla et vint devant James en se déhanchant, sans prêter la moindre attention aux passants qui la dévisageaient avec curiosité.

– Imaginez un fond musical très fort et très rythmé,

précisa-t-elle en continuant son manège, avec des œillades provocantes à chaque demi-tour.

Au début, James la regardait les lèvres pincées, l'œil réprobateur. Puis ses traits s'adoucirent imperceptiblement. A la fin, il souriait presque.

– C'est bon, vous avez gagné.

Sandra lui rendit son sourire, bien qu'elle s'interrogeât sur le sens de sa phrase. Admettait-il qu'elle avait été mannequin... ou qu'elle était belle ? Elle n'osa pas lui demander de préciser.

– Il faut rentrer à l'hôtel, à présent, ajouta-t-il.

Sandra réalisa qu'ils n'avaient pas encore parlé de son avenir.

– James, vous avez dit à Lizette que j'étais votre nouvelle gouvernante. C'est ce que vous voulez que je sois ?

Il se passa une main dans les cheveux, d'un air ahuri, comme s'il s'interrogeait sur sa propre santé mentale.

– Ma foi, oui ! Il semblerait que je n'aie pas le choix. Mon frère est très rancunier. Je ne serais pas surpris qu'il vous fasse surveiller. Si je vous avais laissée reprendre le bateau toute seule, il vous aurait certainement kidnappée.

– Pour quel motif ?

– Il n'a pas besoin de motif. Il aurait pu vous enlever pour faire de vous sa maîtresse, par exemple. Encore que cela me paraisse peu probable. Il a déjà une *placée* et vous ne correspondez pas à ses goûts.

Sandra fronça les sourcils.

– Vous cherchez encore à être désagréable ?

– Non, ce n'est pas du tout cela. Victor préfère les jeunes filles. *Vraiment très jeunes*. Et de couleur. Les rapports maître-esclave l'excitent. C'est quelqu'un qui aime humilier et voir souffrir les autres.

– Vous ne dressez pas un portrait très flatteur de votre frère.

60

– Victor n'a rien de séduisant, mettez-vous bien ça dans la tête. Je ne vous souhaite pas de tomber entre ses griffes, croyez-moi.

Sandra soupira avec lassitude.

– Je suis vraiment désolée pour tout ce qui arrive, James. Vous êtes très gentil de vous sentir responsable de moi.

– Bah ! Ça ne sera jamais qu'une responsabilité de plus, dit-il sur un ton qui intrigua Sandra.

Ils reprirent leur marche, mais au bout de quelques minutes Sandra revint à la charge :

– Comment allez-vous expliquer que nous ne sommes plus fiancés ?

Il haussa les épaules.

– Vous n'aurez qu'à annoncer que vous rompez votre engagement à votre arrivée à Bayou Noir.

– Pour quelle raison ?

– Vous posez toujours des questions ! Je ne sais pas, moi... Vous n'aurez qu'à prétendre que j'ai abusé bestialement de vous.

Sandra sursauta.

– Oseriez-vous ?

– Quoi ? demanda-t-il, exaspéré. Abuser de vous ? Ou me montrer bestial ?

– Bon, n'en parlons plus !

– Le mieux, en tout cas, serait que vous n'attiriez pas l'attention sur vous.

– C'est promis. Mais...

Sandra s'interrompit en remarquant une petite maison entourée de chats. Des dizaines de chats ! Il y en avait partout : dans le jardinet, aux rebords des fenêtres et même sur le toit ! Cet endroit semblait exercer un magnétisme étrange. Elle força James à s'arrêter.

– A qui appartient cette maison ?

– A Marie Laveau. Mais on pourrait tout aussi bien dire que c'est le repaire du diable.

Surprise par cette brusque véhémence, Sandra se rappela que Lilith prétendait descendre de cette femme.

– Marie Laveau... n'est-ce pas une prêtresse vaudoue ?

– C'est en effet ainsi qu'elle se présente.

– Et vous, qu'en pensez-vous ?

– C'est une femme rusée. Diabolique. Elle manipule les gens pour son seul bénéfice.

– Pourrais-je aller lui parler ?

– Quoi ?

– Ne vous mettez pas en colère. Je vous ai déjà expliqué que je ne croyais pas au vaudou. Mais... il y a eu ce sortilège lancé contre moi. Cette femme pourrait peut-être m'aider à... enfin, si elle est vraiment ce qu'elle prétend être... je pourrais...

– Repartir dans le futur, c'est ça ? Pourquoi persistez-vous dans cette fable à dormir debout ?

– Je vous en prie, c'est ma dernière chance. J'ai peur de perdre tout moyen de retourner au XXe siècle, une fois sur votre plantation.

– Je dois admettre que la perspective d'être enfin débarrassé de vous est tentante. Mais je refuse de mettre un pied dans cette maison.

A nouveau, Sandra se sentit vexée. Aucune femme n'aimait être rejetée, de quelque manière que ce soit. D'un autre côté, l'idée de ne pouvoir revenir en 1996 la terrifiait.

– Pourquoi n'iriez-vous pas m'attendre dans ce restaurant, en face ? suggéra-t-elle. Accordez-moi juste un quart d'heure, James. S'il vous plaît !

– Si vous n'êtes pas revenue dans un quart d'heure,

je suppose que je devrai en conclure que Marie Laveau vous a réexpédiée au XXᵉ siècle sur un balai ?

– Ou quelque chose de ce genre, ironisa Sandra en se dirigeant résolument vers la maison.

Au bout de quelques pas, cependant, elle se retourna. James n'avait pas bougé. Sandra eut l'impression que son regard était triste.

– Avez-vous oublié quelque chose ? demanda-t-il.

– Oui. De vous dire... merci.

Il ne répondit rien.

– Si je ne devais pas revenir, je voudrais que vous sachiez que j'ai beaucoup apprécié votre aide. Sans vous, j'aurais vraiment été perdue.

Mue par une soudaine impulsion, elle revint vers lui pour l'embrasser sur le bout des lèvres. Dans son esprit, c'était autant un baiser de remerciement qu'un baiser d'adieu. Mais James ne l'entendait pas de cette oreille. Il la serra brusquement dans ses bras.

– Votre gratitude ne me suffit pas, dit-il, l'air soudain amusé.

Et, sur ces mots, il l'embrassa à pleine bouche.

Sandra se sentit chanceler. Il embrassait divinement bien. Au point qu'elle se demanda si sa vie pourrait jamais être la même après ce baiser, qui ne dura que quelques secondes – James la relâcha aussi vite qu'il l'avait enlacée.

– C'était un adieu, dit-il simplement, avant de tourner les talons en direction du restaurant.

Sandra le suivit des yeux jusqu'à ce qu'il ait disparu à l'intérieur. Pour la première fois depuis qu'elle avait quitté le XXᵉ siècle, elle se demanda si elle souhaitait vraiment y retourner.

5

A peine eut-elle poussé la porte de la maison de Marie Laveau que Sandra fut assaillie par des senteurs d'herbes et de plantes aromatiques. Elle en reconnut certaines, comme la lavande, la verveine ou le basilic. D'autres, plus exotiques, exhalaient des fragrances suspectes ou évoquaient quelque menace confuse.

La pièce était basse de plafond. La poussière dansait dans les rayons de soleil qui s'infiltraient par les fenêtres. Deux dames, assises dans un coin, chuchotaient en se montrant des amulettes.

– Ah, vous voici enfin ! s'exclama une femme noire, plutôt petite, qui apparut soudain devant Sandra. Je vous attendais depuis des semaines !

Sandra sursauta.

– *Moi ?*

– Oui, vous ! Vous vous appelez Sandra. Voilà plus de deux mois que Lilith, ma lointaine descendante, a lancé un charme contre vous. Vous devez être très forte, pour avoir résisté aussi longtemps.

Sandra étudia la femme plus en détail. Elle devait avoir la cinquantaine, bien que ses traits semblent sans âge. Quoique plus menue et plus noire de peau que Lilith, la ressemblance était frappante. Malgré sa petite taille, Marie Laveau ne manquait ni de beauté ni de prestance.

– Pourquoi êtes-vous entrée ici ?

Troublée de constater que cette femme connaissait son histoire, Sandra bégaya :

– Je me demandais... si vous pourriez m'aider à...

– Non. Lilith a lancé un charme très puissant contre vous. Je n'ai pas le pouvoir de le briser.

– Ecoutez, je ne crois pas réellement à toute cette magie vaudoue et...

– Vous devriez, pourtant. Sinon, comment expliquez-vous votre présence ici ?

– Un rêve ? suggéra Sandra, cherchant à se raccrocher à cet espoir.

– Ma chère, autant regarder la réalité en face. Vous avez voyagé dans le temps. Maintenant, que vous mettiez cela sur le compte du bon Dieu, d'un rêve quelconque ou d'un sortilège vaudou, ça n'a pas grande importance. Le résultat est le même.

– Que puis-je faire, alors ? soupira Sandra.

– Attendre. Du moins pour l'instant.

– Et plus tard ?

– Plus tard, oui, les choses peuvent changer. Les esprits diront quand votre heure sera venue. Mais sachez qu'une seule personne à la fois est autorisée à franchir la porte du temps. Et vous devrez porter la même robe que le jour de votre arrivée.

Sandra se promit de récupérer la robe de Philippe chez la couturière et de ne plus s'en séparer.

– En dernier ressort, poursuivit Marie Laveau, c'est vous qui fixerez votre destin : repartir, ou rester ici.

– Pourquoi resterais-je ? demanda Sandra, intriguée.

Marie Laveau eut un sourire énigmatique.

– Comme si je pouvais répondre à votre place !

– Comment saurai-je que mon heure est venue ?

– Je vous préviendrai.

– De quelle manière ?

Marie Laveau secoua la tête, amusée par toutes ces questions.

– Je vous enverrai un message avec les instructions nécessaires.

– Serai-je obligée de retourner dans la salle de bal ?

– Non. Le lieu n'a pas d'importance. Vous pouvez partir sans crainte pour la plantation de M. Baptiste.

Au point où elle en était, Sandra ne fut même pas surprise d'apprendre que Marie Laveau connaissait déjà ses projets.

– Il est même préférable que vous quittiez cette ville, ajouta la prêtresse vaudoue. Trop de dangers vous menacent, ici.

Faisait-elle allusion à Victor ?

Marie Laveau s'empara de deux grands bocaux posés sur une étagère. Le premier bocal contenait de petites graines noires et le second des graines blanches. Elle prit une grosse poignée de chaque et les glissa dans deux petits sacs de toile, qu'elle remit à Sandra.

– Je vous ferai parvenir une figurine de cire semblable à celle utilisée par Lilith, expliqua-t-elle. Au moment de franchir la porte du temps, vous devrez revêtir votre robe de bal et tenir cette figurine dans votre main gauche, avec autant de graines enfoncées dans la cire que vous souhaitez traverser d'années. Les noires pour le futur, les blanches pour le passé. Vous m'avez bien comprise ? insista-t-elle en regardant Sandra droit dans les yeux.

– Vous voulez dire que je pourrai voyager à ma guise dans le temps ? Revenir en 1996 ou remonter au Moyen Âge, si ça me chante ?

– Oui.

– Mais c'est extraordinaire ! Avez-vous déjà rencontré des gens venus d'une autre époque ?

Marie Laveau sourit encore, mais ne répondit pas.

Sandra la quitta, bizarrement convaincue que tout ce que cette femme avait dit était vrai. Maintenant qu'elle était rassurée sur ses possibilités de retourner au XXe siècle, elle n'avait plus aucune raison de ne pas suivre James sur sa plantation.

Assis devant une petite table à l'écart, James sirotait un verre d'absinthe, alors qu'il était à peine midi. Sandra s'assit en face de lui, le regard réprobateur.

– Vous buvez trop, remarqua-t-elle d'un ton sentencieux.

– Et vous, vous parlez trop.

– Vous ne voulez pas savoir ce qui s'est passé chez Mme Laveau ?

Il haussa les épaules.

– Vous êtes revenue. Etait-elle à court de balais volants ?

Sandra préféra ignorer le ton ironique de James et lui raconta son entrevue avec Marie Laveau, en insistant sur l'importance de récupérer sa robe de bal.

– Alors, m'emmenez-vous toujours ? demanda-t-elle en guise de conclusion.

– Je ne devrais pas.

– Je vous promets de veiller sur votre fils. Ainsi que sur votre mère.

Il parut sceptique.

– Si Marie Laveau a dit vrai, je n'ai pas besoin de rester à La Nouvelle-Orléans, insista Sandra. De toute façon, votre plantation est près d'ici ?

Cette fois, il sourit, amusé.

– J'ai dû oublier de vous préciser que Bayou Noir se trouve à quatre jours de bateau.

Sandra écarquilla les yeux.

– Si loin ?

– Oh, à vol d'oiseau, la distance n'est pas considérable... Mais les routes sont mauvaises – quand il y en a. Et les courants imprévisibles. Une fois là-bas, vous n'aurez plus l'occasion de bouger.

– Quand reviendrez-vous à La Nouvelle-Orléans ?

– J'y viens une fois par an.

– *Une fois par an ?*

L'après-midi de ce même jour, Sandra accompagna Rebecca Cameron au marché. Munie d'une liste rédigée par James, la femme du contremaître complétait ses emplettes avant leur retour à Bayou Noir.

– Les hommes sont vraiment d'affreux machos ! s'exclama Sandra, alors qu'elles rentraient vers l'hôtel.

Rebecca la regarda, interloquée. C'était une créature diaphane : blonde, avec un teint très pâle et d'une maigreur transparente. Avec cela, d'une timidité maladive. Elle gardait toujours les yeux baissés, même lorsqu'elle s'adressait à quelqu'un. Mais le plus désespérant était encore son accoutrement. Elle portait une robe à rayures marron et bleues, des gants couleur abricot et un petit chapeau ridicule, surchargé de rubans roses. Un tel mélange de couleurs avait de quoi rendre n'importe qui daltonien. Pourtant, Sandra était convaincue que Rebecca aurait pu être ravissante. Il aurait suffi de peu de chose : un léger maquillage, des cheveux plus courts, une robe taillée sur mesure, et bien sûr des coloris mieux assortis. C'était drôle ! Deux jours plus tôt, Sandra ne supportait plus un monde où tout n'était

68

qu'apparences, et voici qu'elle songeait déjà à changer celle de cette femme !

– Les hommes sont quoi ? demanda Rebecca, comme si Sandra avait parlé un dialecte inconnu.

– Les hommes sont insupportables, rectifia celle-ci, se souvenant que « macho » était une expression du XXᵉ siècle. James passe son temps à me trouver toutes sortes de défauts et je constate que votre mari agit de la même manière avec vous : « Tiens-toi droite, Rebecca », « Rebecca, ne bégaie pas »... Il est toujours en train de vous reprendre.

– Fergus fait cela pour mon bien, répliqua Rebecca avec une agressivité dont Sandra ne l'aurait pas crue capable. Comme il sait que je suis timide, il me force à m'extérioriser. Parfois, il est un peu brusque, mais il a un bon fond.

Sandra faillit répondre que les femmes devaient combattre toute forme d'oppression masculine, même venant de leur mari, mais elle se rappela à temps que James lui avait interdit de faire référence à son époque devant quiconque.

Les Cameron étaient persuadés que Sandra arrivait tout droit des Caraïbes. C'était la « version officielle » que Sandra devait débiter à toute nouvelle personne qu'elle rencontrerait – en supposant qu'elle n'oublie pas de s'en souvenir.

– J'ai peut-être mal jugé Fergus, s'excusa-t-elle. J'ai tendance à mettre tous les hommes dans le même panier. Du reste, je suis mal placée pour critiquer quiconque. Moi-même, j'ai bien supporté les humeurs de David pendant trois ans...

– David ? demanda Rebecca, dont la curiosité l'emportait sur la timidité.

– Mon ancien amant. Nous nous sommes séparés il y a six mois.

Rebecca la regarda, éberluée.

– *Ancien amant ?* Vous étiez donc une courtisane ?
Sainte Mère de Dieu ! Je n'avais encore jamais rencontré de femme comme vous. Excepté chez les esclaves,
bien entendu. Mais alors, vous pourriez me...

Rebecca s'arrêta net, horrifiée à l'idée de ce qu'elle
avait failli demander.

Sandra n'était même pas fâchée. Depuis qu'elle avait
remonté le temps, on l'avait déjà prise pour une Noire.
Maintenant, pour une femme de petite vertu. Quelle
serait la prochaine méprise ?

– Allez-y, ma chère. Que vouliez-vous savoir ?

Rebecca rougit jusqu'aux oreilles.

– Eh bien, euh... j'imagine que vous avez beaucoup
de... euh... d'expérience. Alors, je me demandais si...
eh bien, si vous pourriez m'apprendre des choses ?

– Quelles choses ?

Rebecca était devenue cramoisie. Elle trouva tout de
même le courage d'aller jusqu'au bout. Ces « choses »
devaient avoir plus d'importance que sa gêne passagère.

– A propos des relations entre mari et femme, murmura-t-elle, mortifiée. Vous savez... les relations dans
un lit.

Sandra en resta bouche bée.

– J'ai épousé Fergus il y a cinq ans, expliqua
Rebecca. Je venais tout juste d'en avoir quatorze...

– Quatorze ans ? Vous vous êtes mariée à quatorze
ans ?

– Oui. Mes parents sont morts sur le bateau qui nous
amenait en Amérique. Fergus se trouvait sur ce même
bateau. Il revenait d'enterrer sa mère, en Ecosse. Et il
était si beau !

Dès que Rebecca parlait de son mari, son visage
s'illuminait. Sandra était de plus en plus convaincue

qu'elle pourrait, au prix de quelques efforts, devenir beaucoup plus séduisante.

– Je sais que je ne suis pas très belle, poursuivit Rebecca. Mais je voudrais tellement lui plaire ! Pourriez-vous faire quelque chose pour moi ?

Sandra se souvint des paroles de David la raillant sur ses piètres compétences sexuelles. A l'en croire, elle était une très « mauvaise affaire » au lit.

– Contrairement à ce que vous pensez, Rebecca, je ne suis pas la personne la plus indiquée pour vous conseiller dans votre relation... conjugale. En revanche, je peux vous rendre plus jolie. Automatiquement, vous vous sentirez plus à l'aise face à votre mari.

– Vous pourriez me rendre plus jolie ? répéta Rebecca, incrédule.

– Mais oui !

– Oh, je suis si contente que vous veniez à Bayou Noir ! Je suis sûre que nous allons devenir de bonnes amies.

Quand elles arrivèrent à l'hôtel, Sandra remarqua une foule amassée dans le grand salon du rez-de-chaussée, que surplombait une splendide verrière.

– Que se passe-t-il ?

– C'est une vente aux enchères, expliqua Rebecca. Regardez, Fergus et Monsieur James sont dans le coin, là-bas.

Sandra avait déjà assisté à des ventes aux enchères chez Sotheby's. Mais celle-ci était différente. Bien qu'on y proposât des marchandises et divers objets – vins de France, soie de Chine ou meubles d'Angleterre –, la plupart des enchérisseurs étaient là pour acheter des esclaves.

Et James faisait partie de cette foule.

Le scélérat !

Eprouvant tout à coup le besoin de boire quelque chose, James laissa Fergus signer les papiers pour le dernier garçon qu'il venait d'acheter. En tout, il ramènerait douze nouveaux esclaves à Bayou Noir – tous mâles et âgés de moins de vingt ans – pour travailler dans ses champs de canne à sucre. Le plus jeune d'entre eux pleurait à chaudes larmes dans un coin. James détourna le regard. Il ne comprenait que trop bien la détresse de ce gamin, humilié d'avoir été vendu aux enchères comme une vulgaire bête de trait. En quittant la salle, James avait l'intention de monter s'enfermer dans sa chambre avec une bouteille de whisky. Voire deux bouteilles...

Il vit avec dégoût un gros planteur reluquer une gamine d'à peine douze ans. Mais à quoi bon intervenir ? Le sort de cette fillette serait probablement plus enviable que celui de ses congénères, vendues directement comme prostituées et qui finissaient leurs jours dans la misère la plus atroce. Ce planteur n'avait pas l'air sadique. C'était tout le contraire de l'odieux Jack Colbert, le contremaître de son père, que James apercevait un peu plus loin, sa main caressant la poignée du fouet qui ne le quittait jamais. Colbert achetait uniquement des jeunes garçons qu'il obligeait à travailler quinze à vingt heures par jour dans les champs de coton. En moins d'un an, les malheureux n'avaient plus que la peau sur les os. Tous mouraient avant d'atteindre vingt-cinq ans.

Enfer et damnation ! James avait l'esclavage en horreur. Ses années d'apprentissage dans une plantation de Saint-Domingue lui avaient fait comprendre à quoi ressemblait une vie de servitude.

Encore ses esclaves n'étaient-ils pas les plus malheureux. Au grand dam des autres planteurs de la région, James acceptait de les affranchir au bout de cinq ans, à condition qu'ils s'engagent à rester sur sa plantation cinq années supplémentaires. Moyennant quoi, James avait constaté que ses esclaves travaillaient mieux que ceux de ses voisins.

Malgré tout, l'esclavage restait un système abominable que James espérait voir disparaître de son vivant.

Perdu dans ses pensées, il ne s'aperçut pas tout de suite que Sandra et Rebecca étaient entrées dans la salle. En voyant Fergus décharger sa femme d'un panier rempli de provisions, James se félicita une fois de plus d'avoir embauché Cameron cinq ans plus tôt. C'était devenu presque un ami. Honnête et infatigable, Fergus connaissait la culture de la canne à sucre comme personne. Une qualité inestimable, que James récompensait en lui offrant chaque année un pourcentage sur ses bénéfices.

Sandra se dirigeait droit vers lui. Elle semblait furieuse et James se demanda ce qui, cette fois, avait provoqué son ire. Comment cette femme, surgie de nulle part, avait-elle fait pour prendre tant de place dans sa vie en moins de vingt-quatre heures ?

Aucun des hommes présents dans la salle ne lui prêtait la moindre attention. Elle était trop grande et trop maigre. Cependant, depuis le numéro qu'elle avait fait dans le square, James la considérait d'un autre œil. Il n'aurait pas été jusqu'à la trouver belle, malgré ses prétentions sur ce sujet. Et il ne comprenait pas pourquoi elle s'entêtait à clamer qu'elle venait du futur. Mais, très honnêtement, il n'aurait pas détesté qu'elle lui rejoue la petite comédie du square. En privé. Et avec moins de vêtements.

A la réflexion, James se demanda même s'il n'allait pas renoncer au whisky pour conduire Sandra dans sa chambre. Ses seins compensaient amplement la maigreur du reste. Et elle embrassait divinement bien. Pour l'amadouer, il était même prêt à lui acheter autant de beignets qu'elle voudrait.

Le hic, c'est qu'elle ne semblait pas très bien disposée à son égard pour l'instant...

– Vous n'avez pas honte ! lança-t-elle en le rejoignant.

Plusieurs têtes se tournèrent dans leur direction.

– Que se passe-t-il, encore ? Vous m'aviez pourtant promis de ne plus vous faire remarquer !

Avant que Sandra ait pu protester, il l'entraîna vers le patio. Une petite fontaine coulait au milieu d'un parterre de plantes exotiques. L'endroit était désert. James obligea Sandra à s'asseoir sur un banc et s'installa à côté d'elle.

– Maintenant, dites-moi ce qui vous a mise dans cet état.

– Vous avez acheté des esclaves !

– En effet, répondit-il, les traits soudain durcis.

– C'est tout ce que vous trouvez à me dire ? explosa Sandra après un silence stupéfait. Vous ne cherchez même pas à vous justifier ? Franchement, James, vous me décevez beaucoup.

– Que vous étiez-vous imaginé ? Je possède cinq cents hectares de terre, plantés pour la plupart de canne à sucre. Il faut une centaine d'esclaves pour s'en occuper. Vous pensiez peut-être que ça poussait tout seul ? Ou que je m'en remettais aux sortilèges vaudous pour la récolte ?

– Non, mais...

– ... mais vous allez me répondre qu'il n'y a pas d'esclaves, là d'où vous venez.

– Précisément. Pourtant, il s'agit bien du même

pays, les Etats-Unis d'Amérique. Simplement, l'époque est différente.

– Oh, assez avec cette farce ! Laissez-moi vous donner un bon conseil, ma chère : si vous vous risquez à tenir des propos abolitionnistes en public, vous avez toutes les chances de finir au bout d'une corde.

Pourquoi donc se montrait-il aussi buté ? C'était désolant.

– Je vous avais pris pour quelqu'un d'autre, James. Je pensais que vous et moi...

– Quoi ?

Voyant qu'elle s'empourprait, il lui rit au nez.

– Les femmes sont toutes pareilles. On leur donne un petit baiser et elles commencent à coudre leur trousseau !

– Allons donc ! Ai-je seulement parlé de vous épouser ?

– Vous n'avez pas intérêt. En ce qui me concerne, je ne commettrai pas une telle erreur une deuxième fois.

Sandra bondit sur ses pieds, hors d'elle.

– Je constate que vous avez réussi à faire dévier la conversation ! Nous parlions de l'esclavage. Comment pouvez-vous vous accommoder d'une telle barbarie ?

Il se crispa à nouveau.

– Je n'ai pas à me justifier devant vous.

Pour un peu, Sandra en aurait pleuré. Elle s'était forgé de James une vision romantique très éloignée de celle d'un propriétaire d'esclaves. C'était atrocement décevant.

– Ne gaspillez pas votre énergie à combattre un système que vous ne pouvez pas changer, lui conseilla-t-il. L'esclavage et le Sud vont de pair.

– Ça changera un jour, murmura-t-elle, le regard

perdu dans le vague. Après la guerre de Sécession, tous les esclaves seront affranchis.

– La guerre de quoi ? Oh, et puis non : oubliez ma question. Et surtout, épargnez-moi vos prédictions, ajouta-t-il avec hargne.

Puis il se leva et lui fit signe de le suivre.

Sandra aurait voulu continuer à polémiquer sur ce sujet. Dans l'immédiat, cependant, elle n'avait pas d'autre choix que de lui emboîter le pas. Elle se promit de remettre la question sur le tapis dès que l'occasion se présenterait.

– Où allons-nous, maintenant ?

– *Nous*, nulle part. *Moi*, je remonte dans ma chambre boire une bouteille de whisky. La journée a été assez pénible comme ça.

– Vous buvez vraiment trop.

– Et vous, vous parlez vraiment trop.

Sandra lui tira la langue. Evidemment, elle regretta aussitôt de s'être montrée aussi puérile mais il n'était pas question de s'excuser.

– Ne vous imaginez pas que je vais moisir dans le salon pendant que vous vous soûlerez.

– Vous avez le don de décréter des choses comme si vous étiez en position de le faire ! Figurez-vous que je vous avais trouvé une chambre dans l'hôtel. Un planteur malade est rentré chez lui plus tôt que prévu. Mais... tout compte fait, vous préférez peut-être boire en ma compagnie et partager mon lit ?

Sandra se demanda s'il parlait sérieusement ou s'il se moquait encore d'elle. Elle avait fini par se persuader qu'elle ne l'intéressait pas physiquement. Mais, tout à coup, son regard prouvait le contraire.

– Je croyais que j'étais trop grande et trop maigre pour vous ?

– C'est exact. Mais vos seins compensent largement

ces défauts. Et ce que j'ai pu voir de vos jambes en valait aussi la peine.

Loin de se sentir outragée, Sandra reçut ses paroles comme un compliment. Son plaisir fut de courte durée.

– Le problème, c'est que vous avez la langue trop bien pendue, ajouta James en lui prenant le bras pour la reconduire dans le grand salon où les attendaient Fergus et Rebecca. Heureusement, ça peut s'arranger avec un oreiller sur la tête.

Sandra tenta de se dégager, mais il la serrait si fort qu'elle fut bien obligée de le suivre.

– Et pour votre représentation ? demanda-t-elle.

– Quelle représentation ?

– A l'opéra. Avec Lizette.

– J'avais oublié, grommela-t-il. J'imagine que ça ne vous intéresse pas de prendre ma place ?

– Moi ? Pas du tout. Et je suppose que Lizette encore moins.

– Que voulez-vous dire ?

– Tout simplement que cette ravissante blonde a des vues sur vous, mon cher. Je ne serais pas autrement étonnée qu'elle songe à se remarier.

Il la dévisagea, stupéfait.

– Vous vous trompez. Lizette n'a aucune vue sur moi.

– C'est incroyable comme les hommes peuvent être aveugles ! Surtout en ce qui concerne les blondes.

– Epargnez-moi vos sarcasmes.

– Vous n'avez décidément aucun...

Sandra s'interrompit brutalement. Elle venait d'apercevoir une jeune Noire qui ressemblait trait pour trait à Georgia.

– Ô mon Dieu, c'est Fleur ! Et elle est avec Victor !

– Fleur ? Comment se fait-il que vous la connaissiez ? demanda James, intrigué.

Sandra était trop bouleversée pour lui répondre. Elle devait à tout prix prévenir l'aïeule de Georgia du danger qui la menaçait. Elle avait deviné que Victor était l'homme qui tuerait – ou tenterait de tuer – la jeune *placée* ancêtre de son agent.

Âgée de seize ans tout au plus, Fleur ressemblait trait pour trait à Georgia – en plus jeune, bien sûr. Elle portait une robe d'organza rose très décolletée et ajustée à la taille, qu'elle avait très fine. Sandra en conclut qu'elle n'était pas encore enceinte – ou alors depuis peu. Il n'était donc pas trop tard.

Voyant que Victor s'éloignait pour converser avec un homme moustachu, Sandra voulut profiter de l'occasion. Mais James refusa de lâcher son bras.

– Où voulez-vous courir comme ça ?

Sandra lui désigna Fleur du regard.

– Je dois la sauver. Elle est en danger.

– Cette fille est la propriété de Victor. Si vous vous en mêlez, je me désintéresserai complètement de votre sort.

– *Sa propriété ?*

– Oui, sa propriété, insista James. Mettez-vous ça une fois pour toutes dans la tête : ici, les esclaves et les *placées* sont monnaie courante. Que ça vous plaise ou non, vous ne pourrez rien y changer.

– Mais...

– Il n'y a pas de mais. Je vous interdis de provoquer un autre scandale.

– Ecoutez, implora Sandra, accordez-moi seulement cinq minutes pour lui parler. Je n'en demande pas plus. Pourriez-vous occuper Victor pendant ce temps-là ? S'il vous plaît, James. Il va la tuer, vous savez. Elle et son bébé. Georgia me l'a dit.

James parut ébranlé par ces révélations. Malgré lui, il regarda la jeune fille qui attendait patiemment son maître, les yeux baissés. Finalement, il accepta de lâcher Sandra.

– Cinq minutes, mais pas une de plus ! concéda-t-il, avant d'aller trouver son frère.

Sandra se précipita vers Fleur et la poussa dans un coin.

– N'ayez pas peur, je ne vous veux pas de mal. Je suis envoyée par une de vos parentes.

– Qui ?

– Peu importe, répliqua Sandra. J'ai d'abord besoin de savoir si vous êtes enceinte.

La jeune fille en resta bouche bée.

– Comment le savez-vous ? Je n'en ai encore parlé à personne. Même pas à Victor.

– Dieu soit loué ! Surtout, ne lui dites rien !

– Pourquoi ? C'est lui le père !

– Parce qu'il va essayer de vous tuer.

Fleur ne put retenir un cri d'effroi. Victor l'entendit et tourna la tête dans leur direction. Sandra comprit qu'elle devait faire vite.

– Ecoutez-moi attentivement, Fleur. Je suis votre amie et je ferai tout mon possible pour vous aider. Vous me croyez ?

La jeune fille, terrorisée, hocha mécaniquement la tête.

– Je m'appelle Sandra. Pour l'instant, j'habite cet hôtel avec James, le frère de Victor. D'ici deux ou trois jours, nous partirons pour Bayou Noir, sa plantation. En cas de besoin, n'hésitez pas à m'appeler. A toute heure du jour ou de la nuit.

Fleur hocha de nouveau la tête. Sandra se retourna juste au moment où Victor les rejoignait.

– Quelle joie de vous revoir, Victor ! s'exclama-t-elle avec une feinte exubérance.

Victor marmonna une obscénité en tirant brutalement Fleur par le bras. La malheureuse grimaça de douleur mais ne tenta pas de se défendre.

– Que faisiez-vous avec ma *placée* ? tonna Victor.

Sandra lui offrit son sourire le plus hypocrite.

– Je m'étais permis de me présenter à Fleur et de l'inviter, avec vous, bien sûr, à venir nous rendre visite à Bayou Noir.

Sandra n'eut pas le temps d'en dire plus. James l'entraîna prestement à l'écart en grommelant quelque chose à propos de « toutes ces femmes qui mettent la pagaille partout et des hommes qui sont assez bêtes pour les écouter ».

6

De retour dans la petite maison de Rempart Street qu'il avait louée pour sa *placée*, Victor laissa éclater sa colère.

– Que te voulait la fiancée de James ?

– Rien... rien du tout.

Victor s'avança d'un pas, l'air menaçant.

– Menteuse !

– Elle m'a confondue avec quelqu'un d'autre. Une parente d'une amie à elle. Je vous jure que c'est vrai !

– Raconte-moi tout. *Tout*, je te dis.

– Elle n'a pas voulu croire que je ne connaissais pas son amie. C'est la pure vérité, Victor. Pourquoi vous mentirais-je ?

– Tu sais bien que tu n'as pas intérêt, ma catin. J'ai des moyens de te faire parler, ne l'oublie pas.

Fleur se blottit dans un coin, comme un chaton effrayé. Sa peur n'excitait plus Victor autant qu'avant. Au bout de deux ans, il commençait à se lasser de cette gamine. Dieu merci, elle n'était pas tombée enceinte. Ce serait plus facile de s'en débarrasser. Désormais, il avait envie de jeux plus corsés. Avec une femme qui se défendrait contre ses assauts.

Une femme comme la nouvelle catin de James, son-

81

gea-t-il. Cette maudite Sandra s'était permis de l'insulter le soir de leur rencontre. Et tout à l'heure, elle s'était ouvertement moquée de lui, avec sa politesse outrancière. Aucune femme n'avait le droit de manquer de respect à Victor Baptiste !

Il se promit de lui faire bientôt payer son insolence. En attendant, Fleur lui servirait d'exutoire. Il se rua sur elle et la gifla à toute volée. Malgré la douleur, la malheureuse se retint de crier. Il taperait encore plus fort, si elle se plaignait.

— Monte dans ta chambre et mets-toi en tenue pour me recevoir, ordonna-t-il.

Fleur hocha la tête en tremblant de tous ses membres.

— Et prépare les cordes.

— Oh, non, s'il vous plaît, Victor... Je ferai tout ce que vous me demanderez. Je vous le promets !

Victor aimait la voir le supplier ainsi. D'un geste du menton, il désigna l'arrière de la maison.

— Comment va-t-elle, aujourd'hui ?

— Elle est très agitée. Elle n'a pas eu ses... médicaments depuis hier.

— Parfait. Il est temps de la sevrer de laudanum. Nous n'avons toujours pas trouvé les documents et maintenant James sort avec une nouvelle femme. Le temps presse. Il ne faut pas qu'il puisse se remarier et engendrer d'autres héritiers. J'ai besoin d'elle. Et pour cela, elle doit avoir l'esprit clair.

— Vous voulez l'utiliser contre James ?

Victor sentit sa colère revenir. De quel droit cette garce osait-elle le questionner sur ses projets ?

Fleur réalisa aussitôt son erreur.

— Pardonnez-moi. Je ne voulais pas...

— Et le fouet, chérie. Surtout, n'oublie pas le fouet.

Fleur écarquilla les yeux de terreur et se tint coite.

Satisfait, Victor se dirigea vers l'arrière de la maison en se promettant une nuit de plaisir.

Il entra dans une petite pièce sombre où une femme, qui avait dû être belle autrefois, était étendue sur un grabat. Il s'approcha d'elle, défit ses liens et lui ôta son bâillon.

– C'était pour ton bien, ma chérie.

– Vous voilà enfin ! soupira-t-elle. Où sont mes médicaments ?

– Ah... tes médicaments...

Il tira une petite fiole de sa poche et l'agita sous le nez de la femme.

– Je crois que tu ne les mérites plus, ma chère. Au bout d'un an, tu n'as toujours pas atteint notre objectif.

– Pourtant, ce n'est pas faute d'avoir essayé, Victor, plaida la femme. Je vous assure, mon cœur. James résiste à tous mes sortilèges vaudous.

Victor jeta la fiole par terre et l'écrasa sous sa chaussure. En voyant cela, la femme roula des yeux exorbités.

– Je vous aime, Victor. Dieu m'est témoin que je vous aime ! Est-ce là ma récompense ?

Pour toute réponse, Victor la frappa violemment. Sans relâche. Quand les hurlements de douleur de sa victime se muèrent en sanglots, il consentit à arrêter.

– Je te préviens, chérie : ma patience est à bout. Prépare-toi à retourner à Bayou Noir pour achever ce que tu avais commencé. Je te donne six semaines. Dans six semaines, tu devras avoir retrouvé ta beauté d'antan.

– Pour vous, Victor, je redeviendrai la plus belle, murmura-t-elle, les yeux pleins d'adoration.

Victor sentit sa colère refluer. Cette femme était la seule à l'aimer inconditionnellement, malgré ses... imperfections. Il lui caressa la joue.

– Tu sais combien je t'aime, chérie. Pourquoi m'obliges-tu à te traiter ainsi ?

Elle sourit et lui ouvrit les bras, prête à le recevoir. Comme d'habitude.

Quatre jours plus tard, Sandra et Rebecca, debout sur un quai de Baton Rouge, assistaient au chargement des marchandises destinées à Bayou Noir sur quatre grands bateaux à fond plat qui remonteraient le fleuve.

Jusqu'à leur départ de La Nouvelle-Orléans, Fleur n'avait pas reparu à l'hôtel et James avait interdit à Sandra de se rendre dans la petite maison que la *placée* habitait sur Rempart Street. Sandra lui avait obéi, à regret, mais elle avait adressé un mot à la jeune fille pour lui renouveler son soutien. Elle espérait que Fleur aurait le réflexe de la prévenir en cas de danger.

Préférant ne pas s'inquiéter davantage pour l'instant, Sandra reporta son attention sur le spectacle du port. La chaleur était accablante et, bien qu'il ne fût pas encore midi, elle transpirait déjà abondamment. Lorsqu'ils étaient retournés chez la couturière pour récupérer la robe de bal, James lui avait acheté quatre autres toilettes. Heureusement ! Car Sandra pressentait qu'elle serait obligée d'en changer chaque jour.

– Comment les gens peuvent-ils résister à cette température ? demanda-t-elle à Rebecca.

– Vous finirez par vous y habituer.

– J'ai bien peur que non. Quand mon déodorant sera épuisé, je sentirai aussi mauvais que les autres.

Cette perspective l'effrayait. Sa mère l'ayant obligée à mettre du déodorant dès l'âge de neuf ans, Sandra ne se rappelait pas sa propre odeur.

– Vous trouvez que je sens mauvais ? demanda Rebecca, visiblement vexée.

– Non, pas vous, ma chère. Je parlais des gens en général. Fera-t-il plus frais, à Bayou Noir ?

– Seulement à l'ombre !

– Comment allons-nous dormir sur ces bateaux ? On dirait des radeaux améliorés.

– Les hommes camperont sur la rive. Nous, nous resterons à bord et dormirons sous le vélum, expliqua Rebecca en montrant du doigt l'abri rudimentaire érigé au centre de chaque embarcation. A la tombée du jour, nous tirerons les moustiquaires.

– Pourquoi n'avons-nous pas continué sur le bateau à vapeur qui nous a amenés de La Nouvelle-Orléans ?

Rebecca leva les yeux au ciel.

– Ma chère, vous n'avez pas l'air d'avoir réalisé où nous nous rendons. Aucun bateau à vapeur ne serait capable de remonter les bayous.

– Oh !

– Il n'y a pas d'autre moyen de locomotion que ces bateaux à fond plat. A certains endroits, l'eau est très peu profonde.

Sandra s'était représenté Bayou Noir comme une plantation dans le style d'*Autant en emporte le vent*, avec une grande pelouse entre la maison et la rivière. Elle commençait à redouter de s'être laissé emporter par son imagination. Confondre James Baptiste avec Rhett Butler relevait sans doute de la même erreur.

Cependant, elle devait reconnaître, à sa décharge, qu'il travaillait aussi dur que ses esclaves. Lui et Fergus, tous deux torse nu, aidaient leurs hommes à charger les bateaux. La sueur ruisselait sur leurs corps et James ressemblait davantage à un ouvrier qu'à un propriétaire terrien. En ce sens, il n'avait décidément aucun point commun avec Rhett Butler. Et il ne la regardait pas non plus comme si elle était Scarlett

O'Hara : il ne cessait de répéter qu'elle n'avait aucun atout pour lui plaire.

Mais il était encore plus beau et plus viril que Clark Gable. Et bien qu'il s'en défendît, elle avait senti plusieurs fois, dans son regard, qu'elle ne lui était pas totalement indifférente.

– Comptez-vous me regarder toute la journée ? demanda-t-il brusquement, en venant se planter devant elle.

Sandra mourait d'envie d'essuyer avec son mouchoir la sueur qui ruisselait sur son visage et son torse musclé. Se sentant rougir, elle espéra qu'il mettrait son trouble sur le compte de la chaleur.

Hélas, c'était peine perdue.

– Il fallait vous décider avant, pour la bagatelle. Maintenant, je n'ai plus le temps de m'amuser.

– Je ne pensais pas à... Votre allusion est parfaitement déplacée ! répliqua-t-elle, consciente que sa malheureuse hésitation lui avait enlevé toute crédibilité.

– Vous mentez très mal, mais puisque nous évoquons ce sujet, je tenais à vous préciser une chose : je ne cherche pas de maîtresse.

Sandra faillit s'étrangler.

– Je n'ai jamais rencontré un homme aussi mufle que vous !

James ignora ses protestations.

– Nous aurions pu coucher ensemble à La Nouvelle-Orléans. Mais j'ai trop de soucis à Bayou Noir pour m'encombrer d'une maîtresse. Donc, vous serez gentille de m'épargner votre numéro de séduction.

L'impudence de ce goujat semblait sans limites.

– Pauvre bâtard arrogant ! Sachez que vous ne m'intéressez même pas... Pas sur ce plan, en tout cas.

Il ne paraissait pas convaincu.

– Je vous prierais de ne pas chercher, vous, à me séduire, contre-attaqua Sandra. A la première occasion, je rentrerai chez moi. Je déteste cette époque. Je déteste cette chaleur. Et par-dessus tout, je vous déteste !

– Sachez que je m'en contrefiche !

Sandra sentit sa gorge se nouer.

– Quoi ? Qu'avez-vous dit ?

– *Rien*, répliqua-t-il froidement, avant de rejoindre ses hommes.

Sandra le suivit des yeux, plus troublée que jamais. Le mieux serait sans doute de tout reprendre de zéro : James *n'était pas* Rhett Butler et elle *n'était pas* Scarlett O'Hara. Définitivement.

Quelques heures plus tard, assise sur une caisse en bois posée à l'arrière d'un des bateaux, Sandra admirait le paysage qui défilait lentement devant ses yeux. Les bayous de Louisiane étaient une curiosité naturelle. L'eau, la terre et le ciel semblaient s'y confondre, au point que les repères traditionnels n'avaient plus cours. Par endroits, les chenaux étaient si étroits que les grands chênes poussant sur chaque bord joignaient leurs branches pour former une voûte de verdure.

Il régnait sur ce décor lacustre un étrange silence, à peine troublé par le chant des oiseaux ou le clapotis de l'eau contre les berges. On se sentait hors du temps.

Soudain, le bruit d'un plongeon fit sursauter Sandra. Elle aperçut un alligator long comme une Buick qui nageait vers leur bateau. Une demi-douzaine de ses congénères, restés sur la terre ferme, regardaient passer le convoi d'un œil intéressé. L'un d'eux ouvrit grande sa mâchoire, découvrant deux rangées de dents acérées.

Sandra semblait être la seule à s'être aperçue du danger : Rebecca somnolait sous le vélum, James et

Fergus apprenaient aux nouveaux esclaves la manière de plonger leurs perches dans l'eau pour faire avancer les bateaux.

Voulant donner l'alerte, Sandra ne vit pas de meilleure solution que de pousser un grand cri.

Aussitôt, des dizaines d'oiseaux, effrayés, s'enfuirent des frondaisons. Même une grosse tortue, qui devait peser dans les cent kilos, s'immobilisa sur la berge et tourna la tête, intriguée. Seul l'alligator, qui nageait maintenant à côté du bateau, ne parut pas impressionné.

– Que s'est-il passé ? demanda James en accourant.

Une main pressée sur le cœur, comme si elle voulait le retenir d'exploser, elle désigna en frissonnant l'alligator, qui continuait de les escorter.

James jeta un coup d'œil au reptile.

– Vous a-t-il mordue ?

– Non. Mais il en avait l'intention.

Il soupira, exaspéré.

– Je vous demande si vous êtes ou non blessée ?

– Non, non. Mais regardez tous les autres, qui nous observent depuis le bord !

– Nous traversons des marais ! Qu'espériez-vous rencontrer ? Des cygnes ?

– Ils veulent nous dévorer !

Il la regarda froidement, les mains sur les hanches.

– Et alors ?

– Que comptez-vous faire ?

– Oh, c'est très simple ! Si vous criez encore une seule fois comme tout à l'heure, je vous jette à l'eau. Vous aurez intérêt à nager vite, parce que je n'irai pas vous chercher.

Sandra lui répondit par un gros mot, mais il ne l'écoutait déjà plus : il était retourné aider les esclaves à pagayer.

Quand Sandra fut revenue de sa frayeur, elle se reprocha son attitude. Après tout, elle avait lu tant d'articles sur les bayous de Louisiane qu'elle aurait dû savoir à quoi s'attendre.

Toujours assise sur sa caisse, elle reprit son observation, en sachant désormais que la quiétude du décor n'était qu'une apparence trompeuse. Le danger rôdait partout.

– Ça va mieux ? demanda Rebecca en la rejoignant.

– Je crois que je me suis ridiculisée, avoua Sandra.

– Si vous n'aviez jamais vu d'alligator de votre vie, votre réaction est compréhensible, concéda Rebecca, rassurante.

– Mais James y est quand même allé un peu fort, vous ne trouvez pas ?

– Franchement, non. En criant ainsi, vous auriez pu surprendre un des nouveaux esclaves et le faire tomber à l'eau. Ils ne sont pas encore habitués au maniement de ces bateaux.

– Mon Dieu ! Je n'avais pas réalisé que j'aurais pu mettre quelqu'un en danger, murmura Sandra, qui se promit de se montrer plus courageuse à l'avenir.

Sa bravoure dura moins d'un quart d'heure.

Rebecca s'était de nouveau assoupie et Sandra sentait elle aussi ses yeux se fermer quand elle remarqua une sorte de long bâton noir en travers du pont. Elle crut d'abord qu'un esclave avait oublié de ramasser sa perche. Mais le « bâton » remuait. Sandra faillit crier, mais elle se rappela l'interdiction de James. *Seigneur, que dois-je faire ?*

Les hommes, massés à l'avant du bateau, ne s'étaient aperçus de rien. Le serpent, énorme, avançait maintenant droit sur elles. Sandra secoua Rebecca pour la réveiller et les deux femmes, terrorisées, reculèrent. Parvenues à l'arrière du bateau, elles furent bien obligées de s'arrêter. L'immonde reptile continuait sa progression, en sortant sa langue fourchue, comme s'il semblait déjà assuré de la victoire.

Sandra se rua vers la seule arme à sa disposition : un grand sac de toile rempli de pommes. Elle en lança une première, mais manqua le monstre d'un bon mètre. La seconde, en revanche, le toucha pile entre les deux yeux.

— Vous avez vu, un peu ? dit-elle à Rebecca qui fixait le serpent, bouche bée, comme hypnotisée.

Bien sûr, la pomme ne l'avait pas tué – juste rendu un peu moins sûr de lui. Sandra lui lança encore une bonne demi-douzaine de pommes. Une seule atteignit sa cible, mais elle suffit à décourager l'animal. Abandonnant ses proies, il entreprit de se glisser hors du bateau.

— A quoi jouez-vous ? s'écria James en découvrant soudain le manège de Sandra.

Les deux femmes, trop effrayées pour répondre, montrèrent du doigt l'énorme reptile juste au moment où il plongeait dans le fleuve.

— Sacrebleu ! siffla James, éberlué. Un anaconda !

Sandra, fascinée, vit le serpent nager sous l'eau jusqu'à sa nouvelle proie : une jeune tortue insouciante dont il ne fit qu'une bouchée.

Je veux rentrer chez moi, songea-t-elle. *Retourner dans mon appartement new-yorkais climatisé et oublier ce cauchemar peuplé de monstres.*

Fergus s'était précipité pour prendre sa femme dans ses bras. Sandra resta seule à l'arrière du bateau, une pomme encore serrée dans la main, de grosses larmes ruisselant sur sa joue.

— Approchez, Sandra... lui dit gentiment James.

– Je... je ne peux pas, balbutia-t-elle, soulagée pourtant de voir que ses nerfs avaient attendu que le danger soit passé pour lâcher.

James n'était pas encore revenu de sa stupeur. Un anaconda ! *Pourquoi diantre n'avait-elle pas crié ?* Puis il se rappela sa menace de la jeter à l'eau si elle criait.

Sacrebleu ! Elle avait essayé de tuer un anaconda avec des pommes. *Des pommes !* Il aurait dû en rire, mais c'était impossible, sachant qu'elle était passée tout près d'une mort atroce. Tout à coup, il l'admirait. Cette femme faisait son possible pour survivre dans un monde qu'elle n'avait pas choisi. Exactement comme lui.

Il la rejoignit pour lui prendre la main et la forcer à s'asseoir à côté de lui. Elle avait beau être grande et osseuse, c'était quand même fort agréable de la serrer dans ses bras. James alla même jusqu'à fermer les yeux pour mieux savourer cet instant.

Bon Dieu ! Que lui arrivait-il ?

Deux jours plus tard, le convoi mouilla devant une masure délabrée construite au bord de l'eau.

– Nous nous arrêtons *là* ? s'étonna Sandra.

– Oui, lui répondit James. Les Gastonneau nous offrent généreusement la possibilité de nous laver et d'avoir un repas chaud. Si je vous entends encore vous plaindre, je vous donne en pâture aux alligators.

Sandra préféra ne rien répondre et laissa James lui prendre la main pour l'aider à quitter le bateau.

Construite sur des pilotis profondément enfoncés dans la berge marécageuse, la demeure des Gastonneau ressemblait davantage à un amas de planches qu'à une vraie maison. Une ribambelle d'enfants – Sandra en dénombra une dizaine – couraient et s'amu-saient tout autour en poussant des cris joyeux.

Après deux jours sur ce bateau inconfortable, à transpirer sous le soleil, Sandra aurait donné une fortune en échange d'un bain et d'un bon lit. Même sans miroir, elle se doutait qu'elle était devenue repoussante. Son maquillage avait coulé, ses cheveux étaient sales et le manque de sommeil lui tirait les traits. Mais comment se risquer à fermer l'œil, quand les serpents et les alligators attendent patiemment de vous dévorer ?

Le pire, c'était que James ne lui témoignait plus aucune indulgence. Sa gentillesse, juste après l'épisode de l'anaconda, n'était plus qu'un lointain souvenir. Soit il l'ignorait délibérément, soit il la critiquait à propos de tout et de rien. Sandra en devenait folle.

Profitant de ce qu'il la prenait dans ses bras pour sauter sur la berge, elle noua ses bras à son cou et pressa ses seins contre son torse. Il la rembarra vertement :

– Cessez ce petit jeu. Je vous ai déjà dit que ça ne m'intéressait pas.

Sandra ravala les sanglots qu'elle sentait monter dans sa gorge. Elle aurait dû se douter de sa réaction : chaque fois qu'elle faisait un pas vers lui, il la rejetait sans ménagement. Exactement comme David.

– Je crois que je me suis trompée sur votre compte, murmura-t-elle. Vous n'êtes pas un gentleman.

– Aucune femme ne m'avait encore demandé de me conduire en gentleman, ricana-t-il.

Il manifesta pourtant, pour la reposer, une douceur qui tranchait avec la rudesse de ses précédents propos.

– Ma pauvre chérie, j'ai peur que ces deux jours n'aient été bien pénibles pour vous.

S'il change d'humeur toutes les cinq minutes, je vais devenir folle, songea Sandra.

James était cynique et phallocrate au dernier degré. Sans mentionner la vulgarité dont il était parfois capable. Il incarnait tout ce que Sandra détestait chez un homme. Mais il était aussi incroyablement beau et viril. Elle commençait sérieusement à redouter de tomber amoureuse de lui. *Exactement comme Scarlett O'Hara*, songea-t-elle. *Plus Rhett la rejetait, et plus elle se sentait attirée par lui.*

– Vous me regardez comme si j'étais un beignet, railla James.

Elle revint brutalement à la réalité.

– Vous êtes décidément impossible ! Je meurs seulement de fatigue, dit-elle d'un ton désinvolte.

Il la poussa vers la maison.

– Tant mieux, parce que je ne vous toucherais pas, même avec une perche. Vous sentez le marécage et vous êtes à peu près aussi séduisante qu'un sanglier.

Cette fois, c'était plus que Sandra ne pouvait en supporter. Elle s'était retrouvée projetée cent cinquante ans en arrière, avait été attaquée – enfin, presque – par des alligators et des serpents, dévorée par des moustiques, et maintenant, elle se faisait insulter par le pire goujat que la terre ait jamais porté !

D'une poussée, elle réussit à le faire tomber à la renverse sur la berge détrempée. Et elle s'assit à califourchon sur ses hanches, pour qu'il s'enfonce encore plus dans la vase.

– Voilà ! Maintenant, vous sentez autant le marécage que moi et vous n'êtes pas plus séduisant qu'un sanglier !

Contre toute attente, James éclata de rire. Il riait à gorge déployée et Sandra le regardait, fascinée. Depuis qu'elle le connaissait, c'était la première fois qu'elle le voyait rire ainsi, aussi naturellement. Soudain, il avait rajeuni. Sandra le trouva plus beau que jamais.

Il riait encore quand elle se releva pour gagner la maison, sans prêter attention aux regards éberlués des Cameron et de leurs hôtes, Pierre et Amélie Gastonneau.

Même les enfants s'étaient arrêtés de jouer pour assister à ce spectacle insolite de deux adultes se roulant dans la boue.

7

Un peu plus tard ce soir-là, assis devant la maison, James savourait une tasse de café corsé. Après s'être rasé, lavé et habillé de frais, il se sentait un autre homme. Ayant remisé sans regret le costume de lin qu'il était obligé de porter à La Nouvelle-Orléans, il avait retrouvé avec plaisir ses bonnes vieilles chemises en coton et ses pantalons en denim. Ceux-là mêmes dans lesquels son père lui trouvait un air de « paysan ».

James n'en avait cure. Il était un homme de la terre. La société raffinée l'ennuyait. C'était d'ailleurs ce qui avait tant déçu Gisèle, sa femme. Dès le début, elle avait détesté la plantation, à laquelle elle reprochait d'être trop rustique et trop éloignée de la ville. Elle n'avait pas aimé non plus voir James travailler dans les champs aux côtés de ses esclaves. A la fin, elle haïssait tellement la vie à Bayou Noir qu'elle ne supportait plus que son mari la touche. Et elle n'avait jamais témoigné la moindre affection au fils qu'elle lui avait donné. Pauvre Etienne !

Mais James avait conscience de ses propres torts. Il n'aurait jamais dû enlever l'innocente Gisèle à son milieu et à sa famille. Il était prévisible qu'elle ne s'habituerait jamais à Bayou Noir. Il aurait dû également deviner les prémices de cette crise de démence qui l'avait conduite à s'enfuir dans les marais pour y disparaître.

La leçon lui avait au moins profité sur un point : il ne se remarierait jamais. Et il ne se laisserait plus entraîner dans cette folie qu'on appelait l'amour.

Il avait déjà assez de soucis comme cela pour ne pas s'encombrer d'un fardeau supplémentaire. Une femme, ou même une maîtresse, l'empêcherait de se concentrer sur le seul objectif qui lui tenait à cœur : la réussite de son exploitation.

Autant de raisons pour lesquelles James devinait qu'il lui fallait se méfier de Sandra. Cette femme représentait un mystère, à ses yeux. Elle ne pouvait venir du futur, bien sûr. En revanche, il s'interrogeait sur son passé. Pourquoi avait-elle inventé cette fable d'un voyage dans le temps ? Que fuyait-elle ? Un mari ? Un amant ? Un crime ?

Juste à cet instant, elle sortit de la maison. James la regarda, sans parvenir à comprendre pourquoi, malgré tous ses défauts – son bavardage incessant, par exemple, – elle exerçait une telle attraction sur lui.

Elle s'était lavée, elle aussi, et portait maintenant une robe jaune pâle. En la voyant, James ressentit une brusque bouffée de désir. Sandra s'en aperçut.

– Je croyais que j'étais aussi séduisante qu'un sanglier ? ironisa-t-elle en s'asseyant à côté de lui.

Il haussa les épaules.

– Je suppose que certains hommes sont attirés par les sangliers.

– Bien sûr ! Vous préférez raconter n'importe quoi plutôt que d'avouer que vous me trouvez belle.

– Sandra, *vous n'êtes pas belle*. Mon intention n'est pas d'être cruel avec vous. Simplement de vous ouvrir les yeux. Vous ne piégerez aucun homme avec votre physique.

– Qu'est-ce qui vous fait penser que je cherche à « piéger » un homme ?

– Toutes les femmes sont ainsi.

Ce type faisait décidément preuve d'une goujaterie sans bornes.

– Ecoutez-moi bien, James. Je gagne ma vie depuis l'âge de seize ans et j'ai amassé plus d'argent que la plupart des hommes de mon entourage. Mon appartement de Manhattan vaut à lui seul plus d'un demi-million de dollars. Alors dites-moi pourquoi j'aurais besoin d'un homme ?

– Chérie, cessez donc de fabuler. Hier, vous prétendiez arriver du futur. Aujourd'hui, vous vous vantez d'être riche. Qu'allez-vous inventer demain ?

– Non seulement je ne mens pas, mais je peux le prouver.

Il haussa les sourcils, intrigué.

– J'ai retrouvé un magazine, dans le fond de mon vanity. *Un magazine de 1996.* Avec moi en couverture.

Devant son insistance, James accepta d'envoyer Rufus, un de ses nouveaux esclaves, chercher sur le bateau la précieuse mallette.

Sandra devait reconnaître que James traitait très bien ses esclaves. Depuis la vente aux enchères, elle l'avait vu s'enquérir gentiment de la santé et des compétences de chacun, et veiller à ce qu'ils soient correctement nourris et logés. Il leur avait même promis de les affranchir au bout de cinq ans, à condition qu'ils s'engagent à travailler pour lui cinq années supplémentaires.

– Pourquoi êtes-vous tellement obsédée par votre

apparence ? demanda-t-il brusquement. La beauté a donc tant d'importance, à vos yeux ?

Sandra eut l'impression de recevoir une gifle.

– Moi ? Non, pas du tout. En tout cas, j'espère bien ne pas être aussi superficielle que vous le dites. Dans la société d'où je viens, la beauté est très importante, c'est vrai. Mais personnellement, je pense que c'est une erreur. D'ailleurs, j'ai l'intention de changer.

– Ah oui ? Comment cela ? En renonçant aux faux cils et à tous ces artifices dont vous m'avez donné la démonstration ?

Sandra secoua la tête, amusée.

– Vous avez raison. J'ai accordé trop d'importance aux apparences. Mais j'avais des excuses. Dès mon plus jeune âge, ma mère m'a répété que les femmes devaient capitaliser sur leur physique. Et les gens qui travaillent avec moi sont du même avis. Mais je compte... enfin, *je comptais*, reprendre des études.

– Des études ? A votre âge ?

– Je ne suis pas si vieille que cela ! protesta Sandra qui l'aurait volontiers frappé si Rufus n'était pas revenu sur ces entrefaites, avec son vanity-case.

Elle récupéra l'exemplaire de *Vogue* et le tendit à James d'un air triomphant.

Il contempla longuement la couverture, éberlué. Une femme qui ressemblait à Sandra couvrait toute la page portant la date du 5 janvier 1996.

– Vous avez dû trafiquer cela.

– Pourquoi l'aurais-je fait ?

– Je ne sais pas... Vous travaillez peut-être pour Victor. Il vous a peut-être demandé de me séduire pour m'espionner.

– Serait-ce possible ? se moqua-t-elle. Qu'une créature aussi chétive que moi réussisse à faire fondre le morceau de glace qui vous sert de cœur ?

– Vous avez raison, rétorqua-t-il avec le même cynisme. Faire fondre mon cœur n'est pas à la portée d'une créature comme vous.

Sandra le regarda se plonger dans la lecture du magazine. Il s'extasiait de la qualité des illustrations et de la finesse du papier en répétant inlassablement : « Incroyable... c'est incroyable ! » Tout à coup, un article éveilla sa curiosité.

– Bon Dieu, Sandra, vous avez lu les élucubrations de ce Dr Ruth Westheimer sur la sexualité féminine ?

– Que... quoi ?

Sandra voulut récupérer son magazine, mais James s'écarta.

– Ça alors ! s'exclama-t-il. Est-ce possible que des femmes qui ne sont pas des catins fassent toutes ces choses dont parle l'auteur ?

Sandra se sentit mortifiée.

– Rendez-moi mon magazine ! Ce n'est pas pour les hommes.

Sans l'écouter, il poursuivit sa lecture, de plus en plus abasourdi.

– Des orgasmes à répétition ! C'est donc ça que...

Sandra lui plaqua sa main sur la bouche pour le faire taire.

– Ça suffit, maintenant ! Je voulais juste vous montrer la couverture. Pas que vous le lisiez.

Sentant le bout de sa langue chatouiller sa main, elle la retira prestement.

– Dois-je vous croire, chérie ? Ou était-ce une de vos ruses de séductrice ?

– Moi, séductrice ? Allons donc ! Il y a cinq minutes, vous prétendiez le contraire.

Il secoua la tête, amusé.

– En tout cas, vous me surprenez constamment,

Sandra. Félicitations ! Une femme qui étonne les hommes n'a pas besoin d'être belle.

Furieuse de cette insulte détournée, Sandra voulut le frapper. Mais il se pencha vers elle pour l'embrasser sur le front. Ce simple baiser, tendre et furtif, la laissa sans voix. Elle sentit son cœur s'emballer dans sa poitrine et elle aurait sans doute commis quelque folie – comme se lover dans ses bras – s'il n'avait pas repris la lecture de *Vogue*.

– Qu'est-ce que c'est que ça ?

– Une automobile.

Il la regarda, attendant une explication.

– Une voiture qui avance sans cheval.

Il ricana.

– Et je suppose que cette chose vole à travers les nuages ? ajouta-t-il en pointant du doigt une publicité pour American Airlines.

– En effet. C'est un avion. J'en avais pris un, pour venir à La Nouvelle-Orléans. Le trajet depuis New York dure trois heures.

Il écarquilla les yeux.

– C'est impossible ! se récria-t-il, avant de tomber en arrêt sur la réclame suivante.

– Qu'est-ce qu'un Tampax ?

Sandra se sentit rougir jusqu'aux oreilles. James répéta sa question.

– Un article typiquement féminin, répondit-elle enfin.

Comme il ne comprenait pas, elle dut lui expliquer et, cette fois, ce fut lui qui rougit.

– Et ça ? demanda-t-il en montrant une autre publicité.

– Des pilules contraceptives.

– Hein ?

– Les femmes prennent ces pilules pour ne pas avoir d'enfants.

– Et ça marche ?

Sandra hocha la tête.

Cette information parut le plonger dans un abîme de perplexité.

– Une telle découverte a dû beaucoup modifier la sexualité des hommes et des femmes ?

– Sans aucun doute !

Il referma brusquement le magazine et la regarda droit dans les yeux.

– Sacrebleu ! Alors, vous arriveriez vraiment du futur ?

– Je me tue à vous le répéter.

– Comment cela est-il possible ?

– Je l'ignore, avoua Sandra. Tout s'est passé en quelques secondes, pendant que je valsais dans la salle de bal où nous nous sommes rencontrés. J'ai perdu connaissance et, quand je me suis réveillée, le temps avait reculé d'un siècle et demi. La seule explication possible est ce sortilège vaudou lancé par une de mes concurrentes.

– Ne parlez de cela à personne. Et ne montrez pas non plus cette revue. (Il la roula dans la poche arrière de son pantalon.) Imaginez que Victor tombe en possession de ces informations ! On ne brûle plus les sorcières, de nos jours, mais la pratique du vaudou a été déclarée illégale.

– Au moins, vous me croyez, à présent ?

– Oui, admit-il, à regret.

– Qu'allez-vous faire... maintenant que vous savez ?

Sandra attendait sa réponse avec anxiété, mais Amélie Gastonneau vint les interrompre.

– Le dîner est prêt, annonça-t-elle joyeusement.

Sandra et James rejoignirent Fergus, Rebecca, les

époux Gastonneau et leurs enfants autour d'une grande table en bois dressée en plein air.

– Silence ! tonna Pierre Gastonneau à l'intention des enfants.

Puis il se tourna vers James :

– C'est ta nouvelle maîtresse ?

– Absolument pas, répliqua Sandra.

Pierre Gastonneau ne sembla pas convaincu par cette dénégation et adressa à James un clin d'œil de connivence masculine.

– Comment va la chasse, cette année ? demanda celui-ci, pour changer de sujet.

– Très bien. Le bon Dieu nous a bénis, fit Pierre avec satisfaction, en désignant les peaux de castor, de rat musqué et d'alligator qui séchaient tout autour de la maison.

Une conversation s'engagea alors entre James, Pierre et Fergus sur l'évolution des prix des denrées. Pendant ce temps, James ne quittait pas Sandra des yeux. Elle comprit qu'il continuait de ressasser leur conversation de tout à l'heure.

Jolie, l'aînée des filles Gastonneau – qui devait avoir treize ou quatorze ans – apporta une marmite remplie de soupe qu'elle servit aux convives. Les seins déjà formés et la démarche sûre de l'adolescente consciente de ses charmes, Jolie avait des allures de Sharon Stone en herbe.

Rebecca et Sandra échangèrent un regard réprobateur en la voyant servir James et Fergus avec un sourire un peu trop suggestif. Au point que Sandra se demanda si les Gastonneau n'offraient pas leur fille à leurs invités, en échange de quelques pièces.

La nourriture était excellente. Sandra – affamée comme à son habitude – se régala de soupe, de poisson et de « poulet des marais » accompagnés d'un pain maison. Après le dessert, composé d'un assortiment de fruits, Jolie servit le café et recommença son manège avec James.

– Il y a une fête au village, demain, annonça-t-elle. Viendrez-vous danser ?

– Non, répondit James en lui souriant. Je dois rentrer chez moi.

Jolie fit la moue.

– Vous n'aimez pas danser avec les jeunes filles ?

Sans lui donner le temps de répondre, elle ajouta :

– Moi, j'adore danser.

Pour sûr, songea Sandra. *Je parie que tu aimes aussi beaucoup d'autres choses, ma petite.*

Jolie s'était tournée vers Fergus :

– Et vous, monsieur ? Aimez-vous danser ?

Fergus n'eut pas le loisir de donner son avis : Rebecca lui décocha un coup de coude dans les flancs qui lui coupa net la respiration.

Nullement découragée, Jolie revint à la charge avec James. Elle lui resservit du café en secouant devant lui ses longues mèches blondes avec un art consommé de la séduction.

Encore une blonde ! songea Sandra. *Il n'a donc pas compris !*

Voulant attirer son attention, elle l'appela carrément :

– James !

Empruntant l'éventail de Rebecca, elle le tint droit devant elle et tourna son visage de droite et de gauche sans bouger l'éventail.

– Devinez qui j'imite, James ?

Il la regarda avec stupeur.

– Qui ?

– Une blonde qui s'évente.

James regarda la Lolita assise à côté de lui et secoua la tête, amusé.

– Pourquoi vous a-t-elle raconté cela ? demanda Fergus.

– Parce qu'elle s'imagine que je préfère les blondes.

– C'est la vérité.

James la fusilla du regard et Fergus éclata de rire.

– Pourquoi les blondes attachent-elles plus d'importance à la beauté qu'à l'intelligence ? demanda encore Sandra.

James but une gorgée de café en faisant semblant de ne pas avoir entendu.

– Parce que la plupart des hommes sont stupides, mais très peu sont aveugles.

Les Cameron et les Gastonneau éclatèrent de rire, et James se sentit obligé de les imiter. Mais il fourbissait déjà sa vengeance. Quand les rires se furent apaisés, il demanda à Sandra avec le plus grand sérieux :

– Dites-moi, avez-vous apprécié ce dîner ?

Elle parut un peu déroutée par cette question.

– Délicieux. Surtout le poulet. J'ai toujours adoré le poulet.

– Ah oui, le poulet... le « poulet des marais », comme on l'appelle ici. En fait, son nom est trompeur. Il ne s'agit pas vraiment d'un poulet.

– Ah... non ?

– C'est du crotale. Un serpent à sonnettes si vous préférez, expliqua-t-il avec un sourire innocent.

Sandra se sentit devenir verte. Une main devant la bouche, elle quitta précipitamment la table et eut tout juste le temps d'atteindre les toilettes avant de régurgiter son repas.

Etrangement, James n'éprouvait aucune satisfaction particulière d'avoir eu le dernier mot.

Il commençait même à se demander s'il ne serait pas préférable de ramener Sandra à La Nouvelle-Orléans avant qu'il ne soit trop tard.

8

Le lendemain, en début d'après-midi, ils arrivèrent enfin en vue de Bayou Noir.

Au premier coup d'œil, Sandra jugea que « Bayou Morne » aurait mieux convenu pour décrire les lieux.

Les bateaux accostèrent à un embarcadère d'où partait une longue allée qui montait vers la maison. Les chênes séculaires bordant l'allée avaient dû autrefois être taillés pour former une voûte de verdure, mais à présent leurs branches poussaient dans toutes les directions, donnant une impression de désordre et d'abandon, qui se retrouvait dans les pelouses qu'envahissaient les mauvaises herbes et les fleurs sauvages.

La maison elle-même avait sans doute connu un passé plus glorieux. C'était une imposante construction à deux étages entourée d'une colonnade soutenant les débords du toit. Mais la peinture blanche s'écaillait par endroits – quand elle n'avait pas complètement disparu – et quelques planches de la façade s'étaient même disjointes.

– On dirait la Plantation de la Dernière Chance, murmura Sandra en posant le pied sur l'embarcadère.

Réalisant que James l'avait entendue, elle voulut s'excuser, mais il ne lui en laissa pas le temps :

– Vous ne croyez pas si bien dire. Le bon Dieu semble avoir oublié Bayou Noir. Et moi, par la même occasion. Il ne me reste plus qu'une chance, en effet. Si je ne parviens pas à redresser cette exploitation, il faudra l'abandonner, et avec elle la centaine d'esclaves qui en dépendent.

Son amertume avait troublé Sandra. En le suivant à terre, elle ne remarqua pas une flaque de boue et mit les deux pieds dedans. James se retourna.

– Vous semblez y prendre goût, se moqua-t-il. J'imagine que, de retour chez vous, vous écrirez un livre avec le Dr Ruth Quelque-chose sur le bonheur de sentir la vase et de ressembler à un sanglier.

– Je vais le tuer... marmonna Sandra entre ses dents. Je vais le tuer !

– Chut ! fit Rebecca, qui l'avait rejointe. C'est votre faute, aussi. Vous n'auriez pas dû critiquer la maison de Monsieur James.

Sandra dévisagea Rebecca avec stupeur. Depuis qu'elle la connaissait, c'était étonnant comme elle avait perdu de sa timidité.

– Monsieur James a travaillé sans compter pour redresser Bayou Noir.

– Je ne vois rien de prospère ici, répliqua Sandra, bien qu'elle aperçût pourtant des champs de canne à sucre parfaitement entretenus.

Le quartier des esclaves – deux rangées de petites maisons, un peu à l'écart – semblait presque plus pimpant que la maison de maître.

Rebecca secoua la tête.

– C'est vrai qu'il a laissé sa demeure un peu à l'abandon depuis la mort de Gisèle, sa diablesse de femme, mais...

Elle baissa la voix et piqua un fard, comme si elle

se trouvait soudain trop audacieuse de parler de la vie privée de son employeur.

– Soyez prudente, Sandra. Monsieur James a l'air de tenir à vous. Vous allez finir par le fâcher, avec toutes vos remarques.

– Vous avez tort de penser qu'il s'intéresse à moi. Je ne lui plais pas. Il a été jusqu'à me dire que même avec un bâton, il ne voudrait pas me toucher.

Rebecca se retint d'éclater de rire.

– Oh, moi je suis sûre qu'il vous toucherait bien avec un bâton ! Mais pas en bois...

– Rebecca ! Je n'en reviens pas d'entendre une horreur pareille dans votre bouche !

Rebecca était devenue rouge comme une pivoine. Elle fixait le bout de ses souliers.

– Euh... c'est un peu votre faute.

– Ma faute ?

– Oui. Je vous observe pour essayer d'être, moi aussi, plus... directe. Fergus prétend que vous avez une très mauvaise influence sur moi.

– Tiens ! J'avais bien besoin qu'un deuxième homme se mêle de...

La fin de sa phrase fut couverte par les cris d'un petit garçon qui dévalait l'allée en courant.

– Papa ! Papa !

Sa tenue laissait à désirer. Son pantalon était déchiré aux genoux, sa chemise avait perdu plusieurs boutons et ses cheveux – du même brun que ceux de James – étaient couverts de poussière. Ses yeux brillants de joie étaient également du même bleu que ceux de son père.

James voulut le prendre dans ses bras, mais le garçon le repoussa.

– Tu avais promis de rentrer il y a deux jours, lui reprocha-t-il. J'ai attendu et attendu !

James lui caressa les cheveux.

– Chut, Etienne ! Calme-toi. Je suis là, maintenant.

Eclatant en sanglots, le garçon se réfugia dans les bras de son père.

Sandra était elle-même émue aux larmes par ces retrouvailles. A cet instant, elle comprit qu'elle était perdue. Passe encore que James fût bel homme, qu'il témoignât de l'humanité à ses esclaves et qu'elle eût été touchée par cette fêlure intérieure qu'elle devinait en lui. Mais là, c'était plus qu'elle ne pouvait en supporter. L'affection qu'il portait à son fils la bouleversait.

Elle aimait cet homme. *Elle l'aimait vraiment*. Sans l'ombre d'un doute. Et elle réalisait brusquement que James incarnait à la perfection cet amour qu'elle avait cherché toute sa vie et qu'elle avait fini par croire impossible. Un accident extraordinaire de son destin venait de lui apporter la preuve du contraire. Quoique son avenir lui parût toujours des plus incertains, cette certitude d'aimer James lui redonnait assez de forces pour affronter son destin.

Rebecca avait filé vers le cottage qu'elle habitait avec Fergus, derrière la maison de maître. Etienne et James remontèrent l'allée en bavardant joyeusement. Soudain, le garçon remarqua la présence de Sandra, qui suivait. James lui fit signe d'approcher.

– Etienne, je te présente Mlle Sandra. Elle sera ta préceptrice.

– Je n'ai pas besoin d'une préceptrice. Toi et grand-mère pouvez me donner mes leçons.

– Non, c'est impossible, répondit James d'une voix ferme. Je suis trop occupé avec la canne à sucre, et ta grand-mère est... fatiguée. Il faut que tu étudies tous les jours, Etienne.

– *Tous les jours ?* Mais je vais mourir !

James ne put s'empêcher de rire.

– On ne meurt pas pour si peu.

Le garçon regarda Sandra comme si elle était la cause de tous ses ennuis.

– Veux-tu rester ignorant toute ta vie ? demanda James.

– Oui !

– Il se trouve que je ne suis pas d'accord. Montre à Mlle Sandra ta salle d'étude.

– On y a mis des peaux de rat musqué à sécher, avec Jacob.

James haussa les sourcils.

– Quoi ? Vous faites sécher des peaux dans ta salle d'étude ?

– Bah, elle ne servait plus !

– Etienne !

– D'accord. Je les remporterai dans l'appentis. L'ennui, c'est qu'il pleut à travers le toit. Elles sécheront moins bien et elles perdront vachement de leur valeur.

– Etienne, je croyais t'avoir répété cent fois de ne pas dire de gros mots !

– Toi aussi, tu dis des gros mots, comme...

– Etienne... le menaça James.

– « Sacrebleu », « bon Dieu », « merde » et...

– Etienne !

– ... aussi cet autre mot qui commence par un P, je crois.

– Etienne, si jamais tu oses...

– Ça y est, je m'en souviens ! Put...

James bâillonna son fils d'une main, et de l'autre voulut le soulever par sa chemise. Mais le tissu se déchira et le garçon réussit à lui échapper.

Sandra et James échangèrent un regard incrédule,

avant d'éclater de rire. James se reprit le premier et menaça Etienne du doigt.

– Nous reparlerons de cela plus tard. Pour l'instant, je dois aider les hommes à décharger les bateaux. Conduis Sandra à la maison.

Il redescendit vers l'embarcadère où les esclaves avaient déjà commencé à empiler les marchandises, sous les ordres de Fergus.

– Tu m'as acheté un cadeau ? cria Etienne.

– Je ne m'en souviens plus, répondit James sans même se retourner.

Furieux de voir que son père ne lui prêtait plus attention, le garnement s'en prit à Sandra :

– Je parie que vous êtes une sorcière ! Où papa vous a trouvée ? Dans un tonneau ?

Bien qu'elle manquât cruellement d'expérience avec les enfants, Sandra n'avait aucunement l'intention de s'en laisser compter par un gamin de cinq ans.

– Nous commencerons les leçons demain par deux heures d'arithmétique, annonça-t-elle.

– De l'arithmétique ? Je déteste les chiffres. Ils me donnent mal à la tête.

– Dans ce cas, nous lirons de la poésie.

Etienne la dévisagea pour chercher à savoir si elle parlait sérieusement, puis il se retourna tout d'un coup et baissa sa culotte.

Sandra en resta bouche bée.

Il me montre son derrière ! Ce chenapan me montre son derrière !

Elle n'avait encore jamais giflé quelqu'un, et encore moins un enfant, mais cette fois elle décida que l'injure était trop grave.

Sentant venir la riposte, Etienne remonta prestement sa culotte et s'enfuit à toutes jambes vers la maison.

111

Il fut arrêté dans son élan par une grosse mamma, noire comme l'ébène, qui sortait au même instant sur la terrasse. Elle l'attrapa par l'oreille et le secoua comme un prunier.

– Lâche-moi, Poupie. Je montrais la maison à ma nouvelle préceptrice.

La femme refusa d'abandonner sa proie.

– Ne te moque pas de moi, mon garçon. Depuis ce matin, tu es insupportable. Si ton père ne te flanque pas une bonne correction, tu peux être sûr que je m'en chargerai à sa place. Oui, môssieur ! Et tu n'as pas encore pris ton bain, vilain malpropre ! Ah, tu me feras mourir !

Sans lâcher l'oreille d'Etienne, la femme se tourna vers Sandra. Sa peau était lisse comme celle d'une jeune fille, mais ses cheveux étaient teintés de gris. Sandra supposa qu'elle était âgée d'une soixantaine d'années.

– Bonjour, dit-elle en s'approchant. Je m'appelle Sandra. M. Baptiste m'a engagée comme préceptrice d'Etienne.

La femme leva les yeux au ciel.

– Et aussi comme dame de compagnie de sa mère.

– Seigneur !

– Je crois également que je serai chargée de remettre un peu d'ordre dans cette maison.

– Mon Dieu !

Sandra ignora ces lamentations théâtrales.

– J'ai entendu Etienne vous appeler Poupie. James m'a expliqué que vous travailliez déjà ici avant qu'il n'achète la plantation. Vous êtes la cuisinière, c'est bien cela ?

Sandra lui tendit la main. La femme la regarda comme si elle avait perdu la raison. Profitant de la diversion, Etienne réussit à s'échapper. Du coup, Sandra s'empara de la main de la cuisinière et la serra chaleureusement.

– Je suis ravie de vous rencontrer, Poupie.

Visiblement troublée par tant de considération, la cuisinière finit par sourire en découvrant deux rangées de dents parfaitement blanches.

– Venez avec moi, ma chère. J'ai l'impression que vous avez besoin d'un bon bain et de goûter à la cuisine de Poupie.

– Sauriez-vous préparer les beignets, par hasard ?

Le sourire de Poupie s'élargit encore.

– J'ai appris à faire les beignets au berceau.

– Finalement, je crois que je vais beaucoup me plaire, ici.

Quelques heures plus tard, James regagna la maison. Après avoir terminé de décharger les bateaux, il avait montré leurs logements aux nouveaux esclaves et inspecté en compagnie de Fergus les champs de canne à sucre. Puis ils avaient commencé à réparer le moulin.

Il était fourbu, mais ravi de se retrouver chez lui.

Il se savonna les mains dans une bassine posée sur un petit banc près de la porte de la cuisine. Entendant un bruit de conversation, il regarda discrètement par la fenêtre.

Sandra, fraîchement baignée – ses cheveux étaient encore mouillés –, conversait amicalement avec Poupie. Assises devant la table, les deux femmes buvaient du café et mangeaient des beignets.

James ne put s'empêcher de sourire. L'appétit de Sandra faisait plaisir à voir. Tout d'un coup, James se prit à espérer pouvoir lui offrir tout ce dont elle avait manqué dans sa vie.

Si elle avait dit vrai, elle n'avait pas connu l'amour

d'un père, ses parents s'étant séparés avant sa naissance. Elle n'avait pas eu beaucoup plus de chance avec sa mère, puisque celle-ci l'avait obligée à jouer les mannequins dès son plus jeune âge, sans lui témoigner la moindre affection.

Lui-même s'était trouvé dans le même cas. Son père ne s'était jamais soucié de lui et sa mère, ayant donné tout son amour à cet homme qui ne l'aimait pas, n'avait témoigné aucune tendresse à son fils.

James préférait oublier son enfance solitaire, ballottée entre ce père qui l'ignorait et cette mère qui le négligeait. Le cas de Sandra l'intéressait davantage. D'après ce que Fergus lui avait rapporté des confidences de Rebecca, Sandra avait longtemps été la maîtresse d'un homme qui ne l'avait guère aimée. Bizarrement, le simple fait de l'imaginer dans les bras d'un autre homme avait suffi à le rendre jaloux. S'il commençait à se sentir possessif avec cette femme, cela devenait franchement dangereux...

Il devait avant tout se consacrer à sa plantation. Et s'occuper davantage d'Etienne. Ce garçon prenait de mauvaises habitudes et devenait incontrôlable. James devait aussi prendre soin de sa mère, veiller au confort de ses esclaves... toutes ces responsabilités l'écrasaient. Une amourette ne lui amènerait que des complications dont il n'avait pas besoin.

Après s'être passé de l'eau sur le visage, il rejoignit les deux femmes dans la cuisine.

Poupie se leva aussitôt pour l'accueillir. Malgré ses protestations, James l'embrassa sur les deux joues.

– Je t'ai déjà dit, mon garçon, qu'un maître ne devait pas embrasser ses esclaves. Même s'ils sont aussi vieux que moi.

James savait pertinemment qu'elle était ravie de ce témoignage d'affection.

– Et moi je t'ai déjà dit, Poupie, de ne plus te considérer comme une esclave. Je t'ai donné tes papiers. Tu es une affranchie, désormais. Reste-t-il de quoi manger ? demanda-t-il en s'asseyant à côté de Sandra. J'imagine que tu as déjà découvert que l'estomac de Sandra était un gouffre sans fond.

Poupie jugea encore bon de le réprimander :

– Surveille ta langue devant une lady, mon garçon. Tu devrais savoir que je prépare toujours tes plats préférés quand tu rentres de voyage : soupe de tortue, poisson frit, biscuits et beignets.

– Beignets ? s'écria Sandra en dardant sur James un regard accusateur. Vous ne m'aviez pas dit que vous aimiez aussi les beignets. Quel mufle ! Vous vous amusiez de me faire passer pour une gloutonne !

James ne put s'empêcher de sourire. Sandra était si susceptible que c'était un plaisir de la provoquer. Elle prenait la mouche pour un rien.

Poupie servit une assiette de soupe à son maître et posa un plat rempli de beignets au milieu de la table.

– C'est ma part, précisa James en voyant Sandra les regarder d'un œil concupiscent.

– Egoïste !

– Non. Prudent.

– Vous pourriez partager.

– Vous allez grossir.

– Je recommence mon aérobic demain.

– Aé... quoi ?

– Aérobic. Ce sont des exercices de gymnastique.

James leva les yeux au ciel, mais finalement il prit pitié d'elle et lui offrit un beignet.

– Vous auriez pu m'en donner deux.

– C'est ainsi que vous me remerciez de ma générosité ?

– Tout se paie, avec vous !

– Chérie, je vous laisse deviner quel serait mon mode de paiement préféré.

Ils échangèrent un regard lourd de sous-entendus qui n'échappa pas à Poupie.

– Le Seigneur soit loué ! s'exclama-t-elle. Il nous a envoyé une femme pour réchauffer le cœur de notre maître.

– De quoi parles-tu, Poupie ?

– Tsst, tsst ! Vous croyez que je n'ai pas vu la façon dont vous la couvez du regard ?

– Où est ma mère ? demanda James pour changer de sujet.

– Enfermée dans sa chambre.

– Depuis combien de temps ?

– Deux semaines. Dès le lendemain de votre départ, en fait. Elle a recommencé à avoir des hallucinations.

James hocha la tête d'un air entendu, comme s'il s'attendait à cette mauvaise nouvelle. Dans le passé, sa mère avait tenu cette maison d'une poigne de fer. A présent, elle en était parfaitement incapable, et Poupie était trop âgée pour prendre le relais. Du coup, la maison s'était lentement dégradée. Sandra servirait peut-être à quelque chose mais, compte tenu de son passé, James doutait de ses qualités domestiques.

Elle lui serra tendrement le bras, comme si elle avait deviné ses pensées.

– Je ferai mon possible pour vous aider, promit-elle. Voulez-vous que je monte la voir dès ce soir ?

James ne voulut pas montrer qu'il était touché par sa sollicitude. Il secoua la tête.

– Non. Je suppose qu'elle dort déjà. Attendons demain. Vous ne devriez pas me toucher, je rentre des champs et je suis sale, ajouta-t-il en regardant la main de Sandra.

– Un homme qui revient du travail n'est jamais répugnant, James.

Il ferma les yeux et crut qu'il allait sombrer. Gisèle était dégoûtée de le voir transpirer dans les champs et il avait craint que Sandra ne réagisse de même. Sa réponse l'émerveillait et le déroutait à la fois.

– Votre baignoire en marbre est un luxe auquel je ne m'attendais pas ici, ajouta-t-elle. Il ne lui manque que l'eau courante. Voulez-vous que je m'occupe de vous la remplir ? Poupie s'est déjà donné cette peine pour moi. Je voudrais lui épargner de recommencer ce soir.

James n'en croyait décidément pas ses oreilles. Non seulement elle se proposait de lui préparer son bain, mais elle ne voulait pas fatiguer Poupie ! *Qu'elle se dépêche de proférer une quelconque ânerie, sinon je vais avoir envie de l'embrasser. Voire de partager mon bain avec elle.*

Sandra perçut son trouble.

– Pourquoi me regardez-vous ainsi ? demanda-t-elle.

Poupie éclata de rire, comme si elle connaissait mieux la réponse que lui. James la fusilla du regard.

– Où est passé Etienne ?

Poupie soupira avec accablement.

– Ce garnement me tuera. Je suppose qu'il mijote encore un mauvais coup avec l'Affreux et Bob.

L'Affreux ?

– Je croyais que l'Affreux avait disparu ? s'étonna James.

– Moi aussi. Hélas, ce maudit cabot a réapparu pendant votre absence.

Ce n'était qu'un chien !

– Et ne t'avais-je pas demandé de tuer Bob ?

Seigneur Jésus ! Il voulait que Poupie tue quelqu'un !

– Il n'en est pas question, répondit la cuisinière d'un

ton sans appel. Je refuse de tuer un poulet vaudou, et personne ici n'osera s'y risquer. Si vous voulez tordre le cou à ce fichu coq, il faudra vous en charger vous-même.

Bob était un poulet ! Quelle était cette maison où on donnait des noms de baptême à des poulets ?

Juste à cet instant, des aboiements provenant du dehors incitèrent James à aller voir ce qui se passait. Sandra et Poupie l'imitèrent.

Un gros chien pataud ne ressemblant à aucune espèce connue – et qui portait bien son nom d'Affreux – courait après un coq plus laid que le plus laid de ses congénères, sans parvenir à l'attraper. Brusquement, le gallinacé vira sur ses ergots et se mit en devoir de poursuivre le chien. Etienne, ravi de ce manège, se tordait de rire.

James ordonna à des esclaves d'éloigner les deux animaux, tandis qu'il attrapait son fils par l'oreille. Comprenant qu'il se trouvait en mauvaise posture, Etienne essaya de faire porter le chapeau à la cuisinière.

– Poupie m'avait demandé de les cacher avant que tu les voies. Ils m'ont échappé.

Poupie le fusilla du regard.

– C'est une honte de mentir comme ça, mon garçon ! Méfie-toi ! Tu ne perds rien pour attendre !

James envoya son fils prendre un bain et Poupie retourna dans sa cuisine en maugréant quelque ana-thème contre ce gredin qui, décidément, la tuerait.

– On dirait que cela vous amuse, dit James en se tournant vers Sandra.

– Oui ! C'est hilarant !

– Je n'aime pas qu'on se moque de moi.

– Désolée. C'est plus fort que moi.

Il s'approcha d'elle.

118

– Je pourrais vous en empêcher.

Sandra se sentit frissonner.

– Comment ? souffla-t-elle.

– Vous savez très bien, répondit-il sur le même ton.

Il s'approcha encore. Sandra comprit qu'il allait l'embrasser. C'était inévitable. Elle ferma les yeux.

D'abord, ce ne fut qu'une légère caresse, lèvres contre lèvres.

– J'attendais ce moment depuis des jours, dit-il.

– Moi aussi, confessa Sandra en rouvrant les yeux.

Il l'enlaça et leurs langues se mêlèrent en un baiser passionné.

– Votre bouche a pris le goût des beignets, murmura Sandra quand ils reprirent leur souffle.

Il rit.

– La vôtre aussi.

Sandra ferma encore les yeux. Avec ce simple baiser – encore que rien ne fût jamais *simple*, avec lui –, James avait eu raison de ses dernières défenses. Jamais elle n'avait autant désiré quelqu'un. D'un seul coup, la perspective d'une liaison avec cet homme d'un autre siècle ne lui paraissait plus une folie dangereuse. Leur rencontre était un cadeau des dieux.

– Je croyais que je ne vous plaisais pas ? lui rappela-t-elle en caressant sa joue. Et que même avec une perche, vous refuseriez de me toucher.

– C'était un mensonge, avoua James.

Il s'apprêtait à l'embrasser encore, quand Etienne surgit devant eux, comme un diable de sa boîte.

– C'est ta maîtresse, papa ? Ou c'est ma préceptrice ?

James s'écarta à regret de Sandra.

– Il me semblait t'avoir envoyé prendre ton bain ?

– J'y vais tout de suite, papa, répliqua Etienne en détalant à toute vitesse.

Quand le chenapan eut à nouveau disparu dans les entrailles de la maison, James se tourna vers Sandra.

— Vous devez penser être tombée dans une maison de fous, dit-il en se passant une main dans les cheveux.

Sandra hocha la tête.

— Mais je suis très contente d'être ici, s'empressa-t-elle de préciser.

— Aujourd'hui peut-être. Nous en reparlerons demain.

Sandra ne répondit rien. Au fond d'elle-même, cependant, elle savait qu'elle ne regretterait pas davantage le lendemain d'être venue à Bayou Noir.

Ni les jours suivants.

9

Ce soir-là, Sandra monta se coucher de bonne heure. Les quatre jours de périple en bateau l'avaient épuisée. Sans parler du contrecoup de son voyage dans le temps et de sa rencontre avec James.

– Etes-vous souffrante, mademoiselle ? demanda Iris, la jeune esclave qui la conduisait à sa chambre. Vous êtes très pâle.

– Non, Iris. C'est simplement de la fatigue. Après une bonne nuit de sommeil, demain il n'y paraîtra plus.

Demain ?

Sandra ignorait toujours tout de son avenir. Mais elle se sentait si courbatue, soudain, qu'elle en venait à se demander si ces douleurs n'étaient pas le signe avant-coureur de son retour vers le futur. Une fois endormie, peut-être rejoindrait-elle le monde moderne et son cortège d'inventions confortables : téléphone, eau courante, électricité, climatisation...

Etrangement, cette perspective avait perdu tout attrait. L'idée de se réveiller en 1996 la terrifiait presque. Un changement aussi radical d'opinion ne pouvait avoir qu'une seule explication : *James*.

Il lui semblait qu'elle ne pourrait plus vivre sans lui

et que son ancienne existence perdrait tout son charme si demain il ne se trouvait plus à ses côtés.

– Voici votre chambre, mademoiselle, dit Iris en s'effaçant pour la laisser passer.

La pièce donnait sur l'arrière du domaine. De la fenêtre, on apercevait le cottage des Cameron et le quartier des esclaves. A l'image du reste de la maison, cette chambre donnait l'impression de ne pas avoir été entretenue depuis des lustres. Les meubles étaient couverts de poussière et le papier peint, jauni par la lumière, était maculé d'excréments de mouches.

– J'ai changé les draps, mais je n'ai pas eu le temps de m'occuper de la poussière, s'excusa Iris. Demain, avec Verveine, nous ferons un ménage complet.

Sandra avait grandi dans une maison où la saleté était considérée comme la pire des hérésies. A chaque jour de la semaine, sa mère avait dévolu une tâche ménagère : le lundi, l'époussetage des meubles ; le mardi, l'aspirateur ; le mercredi, la lessive, etc.

Le week-end, il fallait rituellement changer la literie, retourner les matelas et astiquer les vitres jusqu'à ce qu'elles brillent.

Dès que Sandra avait gagné assez d'argent pour payer une femme de ménage, elle lui avait délégué avec soulagement la plupart de ces tâches. Mais sa mère avait continué, jusqu'à son dernier souffle, sa croisade pour la propreté.

Sa mort l'avait-elle seulement arrêtée en chemin ? Sandra n'aurait pas été surprise d'apprendre que sa mère continuait de brandir un plumeau pour traquer la poussière derrière chaque nuage du paradis.

Sandra, bien que détestant la crasse, n'avait jamais attaché autant d'importance que sa mère aux vertus ménagères. C'était encore plus frappant depuis son arrivée à Bayou Noir. Au fond, elle se moquait bien que sa chambre soit poussiéreuse. Elle était trop heureuse d'être ici.

En se laissant choir sur le lit, elle réalisa brusquement qu'elle n'avait pas revu sa robe de bal depuis leur départ de La Nouvelle-Orléans.

– Iris, où sont mes vêtements ?

– Ne vous inquiétez pas, mademoiselle, ils sont là.

La jeune Noire ouvrit une grande armoire en bois de rose. Toutes les robes de Sandra étaient déjà rangées à l'intérieur et son vanity-case reposait sur une étagère.

Sandra se déshabilla avec l'aide d'Iris, mais garda ses jupons pour dormir, puisque James avait oublié de lui acheter une chemise de nuit. Elle remarqua que son ventre, si plat autrefois, avait pris quelques rondeurs.

– Je vais devoir me mettre à la diète, dit-elle à haute voix.

Iris sursauta.

– A la diète ?

– Oui. J'ai trop mangé, ces derniers temps. Si je ne fais pas attention, je vais devenir obèse.

– Mais, mademoiselle, vous êtes si mince ! se récria Iris. Si seulement j'avais votre chance...

Iris mesurait un bon mètre soixante-quinze et possédait un visage à faire se pâmer un photographe de mode. Malheureusement, la nature l'avait affublée d'un postérieur énorme, qui déformait sa silhouette.

– Iris, je t'assure que tu es une très belle femme. Il suffirait de quelques séances de steps pour affiner tes fessiers.

– Des « steps » ? répéta Iris, éberluée. Qu'est-ce que c'est ?

– Rien du tout, répliqua Sandra qui venait de se rappeler que James lui avait interdit d'évoquer le futur.

Iris baissa les yeux. Elle était visiblement déçue mais

n'osait pas questionner une femme blanche. Sandra eut pitié d'elle.

– Les steps sont des exercices de gymnastique destinés à faire travailler les cuisses, le bassin et les fessiers, expliqua-t-elle, refusant toutefois d'en dire davantage.

Elle commença à déployer la moustiquaire autour de son lit. Iris la regarda faire en silence, avant de se jeter à l'eau :

– Vous ne voudriez pas me dire comment il faut s'y prendre, mademoiselle ?

Un peu plus tard, Iris quitta la chambre un grand sourire aux lèvres. Sandra lui avait promis de lui montrer tous les exercices qui lui permettraient de retrouver une silhouette en accord avec sa beauté.

James serait furieux.

Le lendemain matin, Sandra se réveilla tard, mais extraordinairement reposée. Elle s'étira quelques minutes sous les draps, puis se décida à se lever. Bien que James lui eût assuré qu'elle pouvait s'octroyer un jour de repos, elle se sentait coupable d'avoir dormi si longtemps alors qu'il y avait tant à faire.

Débordante d'optimisme, elle décida que cette journée marquerait le début de sa nouvelle vie. Après avoir écarté la moustiquaire, elle se dirigea droit vers l'armoire où étaient rangées ses robes pour choisir celle qu'elle porterait aujourd'hui.

Au passage, elle s'arrêta devant la grande psyché en bois sculpté qui trônait au milieu de la pièce.

C'est alors que sa bonne humeur s'évapora.

Au rez-de-chaussée, James distribuait des ordres à Rufus quand il entendit Sandra pousser un cri, suivi d'un silence inquiétant.

Il se rua dans l'escalier, monta les marches quatre à quatre et entra dans sa chambre sans prendre la peine de frapper.

Sandra se tenait debout devant le miroir. Elle portait en tout et pour tout ses sous-vêtements qui moulaient merveilleusement ses seins et découvraient ses jambes interminables.

Malgré sa fatigue, James avait passé une nuit blanche. Il n'avait cessé de penser à cette femme venue du futur et avait fini par décider qu'il ne la toucherait plus. Coucher avec Maureen lorsqu'ils se croisaient à La Nouvelle-Orléans était sans danger. En revanche, faire l'amour à Sandra entraînerait des conséquences qu'il ne se sentait pas capable d'assumer pour l'instant. Ni plus tard. D'autant moins qu'elle vivait sous son toit. Une fois l'affaire consommée, il ne pourrait pas partir. Pas plus qu'il ne pourrait la renvoyer du jour au lendemain. L'abstinence était donc la seule solution possible.

Malheureusement, en la voyant aussi appétissante devant ce miroir, il sentit toutes ses bonnes résolutions l'abandonner. Damnation !...

– C'est un serpent ? demanda-t-il en scrutant ses bras et ses jambes pour détecter une trace de morsure.

Elle secoua la tête.

– Non. Mais regardez mes cheveux ! C'est atroce !

Effectivement, il ne s'était pas aperçu qu'elle n'était pas coiffée comme d'habitude. Enfin, si l'on pouvait appeler cela une coiffure... Ses cheveux, tout emmêlés, formaient une masse indescriptible au-dessus de sa tête, comme un buisson impénétrable.

– Que s'est-il passé, chérie ? demanda-t-il en essayant de ne pas rire. Est-ce la coiffure à la mode en 1996 ?

Elle le fusilla du regard.

– Seul un sombre crétin peut s'imaginer qu'une

femme aimerait ressembler à ça. Non, j'ai simplement oublié de me sécher les cheveux avant de me coucher et voilà le résultat !

– On ne peut jamais savoir, avec vous. Vous n'êtes pas précisément une femme comme les autres, avec vos faux cils, vos lentilles et vos idées de régime alors que vous n'avez que la peau sur les os.

– Ça recommence !

– En plus, vous expliquez aux esclaves comment réduire leur postérieur.

Sandra se sentit rougir, comme si elle avait été prise la main dans le sac.

– Je ne voulais pas raconter tout cela à Iris. Ça m'a échappé.

– Oh ? Quand vous décrivez à Rebecca les meilleures postures dans un lit, ça vous échappe aussi ?

Cette fois, Sandra était cramoisie. James, lui, n'avait qu'une idée en tête : reprendre leur baiser là où il s'était arrêté la veille. Peut-être sur le lit ? Ou contre le mur ? A moins qu'ils ne restent devant ce miroir ? Oui, le miroir était une bonne idée. Il sentit son désir s'enflammer.

– Ce n'est quand même pas ma faute si Rebecca m'a demandé conseil pour vaincre sa timidité, se défendit Sandra.

James s'adossa au montant du lit.

– J'aimerais beaucoup que vous m'expliquiez en quoi consistent ces positions.

– Non.

– Non ?

– Ce n'est pas le genre de chose qui peut se décrire. Le mieux est de...

– ... les mettre en pratique ?

– Je croyais que vous deviez passer la journée dans vos champs de canne à sucre ?

– C'est exact. Mais la perspective d'un moment passé en votre compagnie est alléchante. Fergus me remplacera. C'est bien ce que vous avez raconté à Rebecca, n'est-ce pas ? « Des heures et des heures de plaisir... »

– Vous vous moquez de moi ! fit Sandra, vexée. Vous avez deviné que je n'étais pas une affaire au lit et vous en profitez. David m'avait expliqué que les hommes le devinent tout de suite chez une femme.

– Ce David était un idiot, chérie. Le baiser d'hier soir m'a prouvé que vous n'aviez plus grand-chose à apprendre.

Elle s'approcha de lui et James fut pris de panique. La muraille derrière laquelle il se protégeait s'effondrait, pierre après pierre.

– Ne me touchez pas !

Elle s'arrêta net, se méprenant sur le sens de son injonction.

James ne put résister aux larmes de honte qu'il vit briller dans ses yeux.

– Comprends-moi, chérie. Si je te touche... ou si tu me touches, je ne serai plus capable de me contrôler. Ce serait une erreur. Tu le sais aussi bien que moi.

– Oui, je le sais, répondit-elle d'une voix défaite.

– Nous n'avons pas d'avenir possible.

– Je sais cela aussi. Mais dites-moi : si j'étais blonde, me résisteriez-vous de la même manière ?

Il ne put s'empêcher de rire.

– Sache que je te désire plus que tout au monde. Plus qu'une blonde.

Elle eut un sourire si timide, si mélancolique, que James sentit ses dernières défenses céder.

Il la prit dans ses bras, en cherchant à se persuader que ce n'était que pour quelques secondes et qu'il pourrait partir quand il le voudrait. Bon sang ! Il ne trompait personne. Même pas lui. Il avait résisté aussi long-temps qu'il avait pu, mais la tentation était trop forte. Cette femme l'attirait d'une manière inexplicable.

Il s'empara de ses lèvres et Sandra lui rendit son baiser avec un abandon qui le bouleversa.

– Sandra... oh, ma chérie... tu es irrésistible, chuchota-t-il à son oreille.

– Je sais, James. Je sais.

Il la serra contre lui, tout en essayant une dernière fois de repousser l'inéluctable.

– Dis-moi d'arrêter, chérie. Vite !

Elle le regarda comme s'il lui demandait de sauter d'une falaise et se lova plus étroitement contre lui.

James renonça à lutter. Cette fois, leurs lèvres s'unirent d'elles-mêmes en un baiser si étourdissant qu'il les fit rouler sur le plancher.

– Dieu tout-puissant ! s'exclama James. Je n'ai jamais désiré une femme autant que toi !

Pour toute réponse, Sandra, les paupières mi-closes, émit un soupir implorant.

Je ne devrais pas faire ça, songea James en relevant son jupon pour contempler sa féminité.

Je ne devrais pas faire ça, songea-t-il encore en enroulant les jambes de Sandra autour de ses hanches.

Je ne devrais pas faire ça, se répéta-t-il une dernière fois, juste avant de la pénétrer.

– Ouvre-toi à moi, chérie. Laisse-moi venir.

Pour toute réponse, Sandra lâcha un gémissement de pur plaisir.

James n'aurait pas su dire combien de temps dura leur étreinte. Son propre corps semblait se fondre dans celui de Sandra. Chaque nouvelle poussée de ses reins l'enivrait de sensations qu'il n'avait encore jamais expérimentées.

– Non, non... protestait faiblement Sandra. C'est trop ! C'est trop bon !

Quand il vit dans ses yeux qu'elle approchait de l'extase, il accéléra le rythme. Sandra poussa un grand cri qui résonna entre les murs de la chambre et James libéra sa semence dans un mouvement d'une incroyable jouissance.

Puis il s'allongea contre elle et la tint serrée dans ses bras.

– Je ne savais pas qu'on pouvait éprouver autant de plaisir, dit-elle au bout d'un moment.

– Moi non plus, chérie. Moi non plus.

Alors qu'en bonne logique il aurait dû regretter ce moment d'égarement, James se sentait au contraire plein d'allégresse.

Alors qu'il aurait dû partir au travail, sa seule envie était de rester dans cette chambre, avec Sandra.

Tout à coup, Poupie surgit sur le seuil.

– Que s'est-il passé ? Nous avons tous entendu un cri et... Ô Seigneur !

Poupie fit volte-face et repoussa prestement Iris et Rebecca dans le couloir. Les trois femmes n'étaient pas montées seules : une bonne demi-douzaine d'esclaves suivaient dans le couloir. Sans parler d'Etienne.

– Mademoiselle est tombée et le maître l'aide à se relever, leur expliqua Poupie en refermant soigneusement la porte.

James crut entendre des gloussements. Puis son fils dit tout haut :

– Je parie que papa joue au docteur avec elle.

Cette insolence fut punie d'une gifle sonore.

– Veux-tu te taire, petit monstre ! gronda Poupie, avant que sa voix ne se perde dans l'escalier.

– Je suis morte de honte, dit Sandra. Comment vais-je pouvoir les regarder en face, à présent ?

De son côté, James imaginait déjà l'accueil de Fergus et des autres esclaves à son retour dans les champs. Il préféra n'en rien dire à Sandra, pour ne pas la mortifier davantage.

– Quand tu seras redevenue présentable, je suis sûr que personne ne se rappellera ce qu'il a vu, dit-il d'un ton rassurant. Si tu dois être la risée du Sud, ce sera plutôt à cause de ta coiffure.

– Oh, vous !

Elle se releva pour se regarder dans la glace. Non seulement ses cheveux étaient toujours en désordre, mais ses lèvres, ses joues et même son cou révélaient sans équivoque ce qui s'était passé.

– Misère...

James éclata de rire. Sandra, retrouvant brusquement sa pudeur, rajusta sa camisole sur sa poitrine dénudée.

– C'est un peu tard pour ça, chérie, tu ne crois pas ?

Sandra se retourna, furieuse.

– Vous n'êtes vraiment pas charitable ! explosa-t-elle.

Mais de le voir si beau, dans sa quasi-nudité, eut raison de sa colère. Renonçant à le sermonner davantage, elle ouvrit l'armoire et choisit une robe de popeline bleue.

Quand elle se retourna à nouveau, pour lui demander de l'aider à l'enfiler, il s'était rhabillé et fixait quelque chose, derrière elle, avec une expression étrange.

Sandra crut qu'il s'agissait d'un danger. Encore un serpent ? Ou un quelconque insecte terrifiant ?

– Mon Dieu ! Que se passe-t-il ? demanda-t-elle en frissonnant d'appréhension.

En guise de réponse, James s'approcha de l'armoire grande ouverte, décrocha la robe de bal et la lui tendit d'un geste accusateur.

– Dire que j'ai été assez bête pour oublier !

Il regardait la robe avec un tel écœurement que Sandra craignit qu'il ne la déchire.

– Je ne comprends pas.

Le regard de James la terrifiait. Comment avait-il pu passer aussi vite de la passion à la répulsion ? Soudain, elle revivait son aventure avec David. Tout au long de leur liaison, il s'était ingénié à souffler le chaud et le froid, se montrant charmant et séducteur quand il avait envie d'elle, et cruel dès qu'elle s'était abandonnée.

Mon Dieu, faites que celui-ci ne lui ressemble pas ! James lui avait fait redécouvrir le bonheur d'être désirable. Elle ne pourrait pas supporter qu'il la répudie aussi brutalement.

Pourquoi semblait-il à présent si dégoûté ? Il fallait qu'elle sache.

– James, vous n'allez quand même pas prétendre que vous regrettez ce qui vient de se passer ?

Il sursauta.

– Bien sûr que non.

– Alors, pourquoi vous conduisez-vous si... bizarrement, tout à coup ?

Il la regarda avec gravité.

– Parce que j'avais oublié qui vous étiez. D'une minute à l'autre, vous pouvez vous glisser dans cette robe et disparaître de ma vie, sans un regard derrière vous.

Sandra soupira. Il avait raison au moins sur un point : elle quitterait sans doute cette époque en l'espace de quelques secondes. En revanche, pour ce qui était du regard en arrière, il se trompait.

– Je suis furieux contre moi ! ajouta-t-il. Quand je pense à tout le travail qui m'attend, je n'arrive pas à comprendre que j'aie pu me conduire comme un collégien avec une femme qui n'est même pas de mon siècle.

– James, ne vous emportez pas. Laissez-moi...

– J'ai trente-quatre ans, coupa-t-il, et je ne me conduis pas avec plus de cervelle que mon gamin de cinq ans, qui aurait bien besoin que je m'occupe sérieusement de lui.

– James, s'il vous plaît...

– Je vous avais pourtant interdit de me séduire ! explosa-t-il en jetant la robe par terre. Oh, ne prenez pas ces airs outragés, ma chère ! Je reconnais que c'est aussi ma faute. Mais à présent, tout cela est ter-mi-né ! C'est compris ?

– James, je vous en prie, écoutez-moi, dit-elle en posant une main sur son bras.

Il la repoussa.

– Ne me touchez plus !

– James, je comprends parfaitement votre réaction. Mais je voudrais que vous sachiez que je ne prends pas... ce qui s'est passé entre nous... à la légère. Vous avez tort de penser que je pourrais partir d'ici sans le moindre regret.

Il la toisa, les mâchoires crispées.

– Cela signifie-t-il que vous ne partirez pas ?

Sandra haussa les épaules.

– Je l'ignore.

James ramassa la robe de bal.

– Seriez-vous prête à la déchirer devant mes yeux ?

– Non ! Enfin, je veux dire, pas encore...

– Réfléchissez bien, menaça-t-il en agitant la robe devant elle.

– Je n'en sais rien, James. Franchement, je n'en sais rien.

C'était comme si un gros nuage noir avait brutalement assombri la pièce.

– Avez-vous pris ces pilules qui empêchent d'avoir des enfants ?

– Non. Je n'en ai pas avec moi.

– Que comptez-vous faire si vous tombez enceinte ? Repartir avec mon enfant ?

Sandra se sentit soudain coupable d'avoir à ce point négligé les conséquences de ses actes. Cela lui ressemblait si peu...

– Je n'avais pas pensé à cela, avoua-t-elle.

– Eh bien, j'espère que ce qui s'est passé n'aura pas de conséquences fâcheuses. Mais j'imagine qu'à présent nous sommes d'accord sur les mesures à prendre ?

Elle le regarda avec appréhension.

– Nous ne referons plus l'amour.

Sandra hocha la tête, résignée. Elle ne se sentait plus la force de parler.

Après un dernier regard, indéchiffrable, il quitta la chambre sans rien ajouter.

Ni l'un ni l'autre n'avait osé prononcer le seul mot qui aurait pu tout changer : amour.

10

Sandra s'était rarement sentie d'aussi mauvaise humeur. Après avoir brisé deux brosses, elle se décida à rincer ses cheveux au moyen d'une décoction préparée par Poupie qui sentait fortement le vinaigre. La cuisinière lui avait assuré que la mixture démêlerait ses boucles sans laisser la moindre odeur. Puis, avec l'aide de Rebecca, Sandra raccourcit ses mèches d'une bonne vingtaine de centimètres.

– Qu'en pensez-vous ? demanda-t-elle en se tournant devant le miroir de sa chambre pour admirer le résultat.

– Je ne sais pas trop, avoua Rebecca qui contemplait les cheveux de Sandra éparpillés sur le plancher.

– Moi, je suis ravie. J'aurais dû les couper depuis longtemps.

Elle se tourna vers sa nouvelle amie.

– A vous, maintenant. Asseyez-vous et laissez-moi faire.

– Bonté divine ! Fergus ne permettrait pas que je me coupe les cheveux, protesta Rebecca, terrifiée.

Permettre ? Pareil vocabulaire révoltait Sandra. Mais il ne fallait pas oublier qu'elle n'était plus au XXe siècle.

134

Pour l'instant, les hommes avaient encore tous les droits sur leurs épouses.

– Il n'y a pas besoin d'en enlever beaucoup. Il suffirait juste d'effiler les mèches et d'éclaircir le dessus pour vous rajeunir le visage.

– Vous me promettez de les couper moins court que vous ?

– Croix de bois, croix de fer, si je mens je vais en enfer ! répondit Sandra en dessinant une croix sur son cœur.

Rebecca écarquilla les yeux.

– C'est une incantation vaudoue ?

Sandra éclata de rire.

– Pas du tout ! J'ai l'impression qu'on voit du vaudou partout, ici.

– Vous n'avez donc pas entendu les tambours, cette nuit ? demanda Rebecca en frissonnant.

Sandra lui noua une serviette blanche autour du cou.

– Quels tambours ?

– Les tambours vaudous, dans les bayous. Je ne les supporte pas. Fergus a beau prétendre qu'ils ne sont pas dangereux, tout le monde sait bien qu'ils vont de pair avec les apparitions du fantôme de Gisèle.

Rebecca était décidément trop impressionnable. Cette histoire de fantôme ne tenait pas debout.

– Je n'ai rien entendu, assura Sandra en maniant les ciseaux d'une main experte. D'ordinaire, j'ai le sommeil plutôt léger. Je suppose que j'étais très fatiguée, hier soir.

Fort heureusement, la conversation dériva sur des sujets plus plaisants que le vaudou et les fantômes. Au bout d'une vingtaine de minutes, Sandra reposa les ciseaux et tourna la glace vers Rebecca.

– Alors, ça n'est pas mieux comme ça ?

– Sandra, vous êtes une magicienne !

– Certainement pas ! De grâce, n'employez pas ce

mot devant James. J'ai déjà eu trop de mal à le convaincre que je ne suis pas une sorcière. Il faudrait tout recommencer de zéro !

Rebecca s'apprêtait à se lever, quand Sandra eut soudain une idée.

— Attendez. Ne bougez pas !

Elle prit son vanity-case dans l'armoire et en examina soigneusement le contenu avant de sélectionner quelques produits, dont une boîte de poudre de riz, du mascara et un tube de rouge à lèvres Rose passion.

— Oh, non ! protesta Rebecca en bondissant de son siège. J'arriverai à convaincre Fergus pour les cheveux, mais ça, il ne voudra jamais en entendre parler.

— Assise ! ordonna Sandra, péremptoire. La plupart des hommes prétendent qu'ils détestent les femmes maquillées. Ils ne jurent que par le teint naturel de leur sœur ou de leur mère. S'ils savaient tout ce qu'il leur a fallu de soins pour obtenir ce fameux « teint naturel » !

— Sandra, je vous assure, c'est inutile. Ma nouvelle coiffure me suffit.

— Si vous n'aimez pas mon maquillage, vous n'aurez qu'à vous laver et tout partira.

Finalement, Rebecca se laissa convaincre. Quelques minutes plus tard, Sandra l'autorisa à se regarder dans la glace.

Le résultat était miraculeux. Sandra avait réussi à colorer imperceptiblement ses joues, à redessiner ses sourcils, à faire ressortir le bleu de ses prunelles et à rendre ses lèvres incroyablement plus sensuelles.

Stupéfaite, Rebecca fondit en larmes.

— Rebecca, ce n'est pas grave. On peut tout enlever, si ça ne vous plaît pas.

— Oh ! si, ça me plaît... beaucoup, balbutia Rebecca entre deux sanglots. Je ne dirai rien à Fergus. Il croira que j'ai simplement pris le soleil. Les hommes ne voient que ce qu'ils souhaitent voir. Vraiment, Sandra, je suis très contente que vous soyez venue à Bayou Noir.

Sandra répara les dégâts causés par les pleurs de Rebecca, avant de lui offrir les produits dont elle s'était servie. Ensuite, les deux femmes redescendirent au rez-de-chaussée, bras dessus, bras dessous.

Au bas de l'escalier, elles croisèrent Iris qui portait une pile de linge propre. La jeune soubrette dévisagea Rebecca en écarquillant les yeux.

– Quand commencerez-vous à vous occuper de mon postérieur ? demanda-t-elle à Sandra.

Sandra lui sourit.

– Aujourd'hui, j'ai dormi un peu tard. Mais demain, c'est promis.

– J'ai parlé de vos exercices à Rose et à Jacinthe. Elles veulent les faire aussi. Ça ne vous embête pas, mademoiselle ?

Sapristi ! James va être furieux !

– Rose a des pieds énormes, précisa Iris.

– Ma pauvre Iris, il n'existe aucune gymnastique pour réduire la taille des pieds, répondit Sandra, en retenant un fou rire.

– Non, non, non, mademoiselle ! Vous ne me ferez pas croire que quelqu'un qui a le pouvoir de changer les visages comme vous avez changé celui de Rebecca ne peut pas diminuer les pieds.

Voilà qu'on lui prêtait des « pouvoirs » ! Ces gens devaient la prendre pour une sorte de sorcière capable de modifier leur physique. James allait vraiment se mettre en colère.

Une heure plus tard, assise à la table de la cuisine, Sandra terminait sa deuxième tasse de café en conversant avec Poupie, pendant que celle-ci pétrissait le pain.

137

Comme il était déjà plus de midi, Sandra s'était fait servir un brunch copieux, composé de tartines de confiture, d'omelette, de jambon et de pâtisseries. En faisant mentalement le calcul des calories qu'elle venait d'absorber, elle se jura de reprendre les cours d'aérobic dès le lendemain.

Sa tasse vidée, elle prit une feuille de papier et un crayon.

— Bon, maintenant, Poupie, donnez-moi les noms de tous les esclaves qui ne sont pas affectés au travail des champs ou à toute autre tâche pénible.

Après délibération, les deux femmes s'accordèrent sur une liste d'une trentaine de noms, pour la plupart des femmes, ou des enfants entre sept et quinze ans.

— A présent, nous allons les diviser en équipes et leur assigner des travaux précis pour remettre cette maison en ordre.

— Dans le temps, Mme Baptiste s'en occupait, soupira Poupie. Mais quand elle a perdu la tête, je n'ai pas pu la remplacer. Je suis trop vieille et trop lourde pour mes pauvres jambes. Tous ces escaliers me tuent. Cette maison aurait bien besoin d'une nouvelle maîtresse, conclut-elle en jetant à Sandra un regard lourd de sens.

— Ce ne sera pas moi, protesta celle-ci, gênée. Je ne suis là... qu'à titre temporaire. Mais dites-moi, pourquoi avez-vous parlé de « Mme Baptiste » ? James m'a raconté que son père avait refusé d'épouser sa mère ?

Poupie haussa les épaules.

— D'aussi loin que je me souvienne, elle s'est toujours fait appeler Mme Baptiste... J'ignore si elle en a le droit. De toute façon, ça ne change rien, ici.

— Quand pourrais-je la rencontrer ?

— Madame a dit qu'elle refusait toutes les visites tant qu'elle ne se sentait pas mieux.

Sandra préféra abandonner le sujet pour l'instant et revint à sa liste.

– Je viens de m'apercevoir d'un détail amusant, dit-elle. Les esclaves femmes ont des noms de fleurs et les hommes des prénoms empruntés à la Bible. Regardez : d'un côté, nous avons Iris, Jacinthe, Rose, Verveine, Lilas, Azalée, Violette... Et de l'autre Abraham, Jacob, Ezéchiel, Abel et Caïn... *Abel et Caïn ?*

– Oui, ce sont les jumeaux d'Iris.

Bien qu'étonnée de ce choix bizarre, Sandra poursuivit sa lecture sans autre commentaire :

– Moïse, Matthieu, Isaac...

– L'explication est très simple : tous ces esclaves vivaient déjà sur la plantation avant que Monsieur James n'en devienne propriétaire. L'ancien maître ouvrait sa bible chaque fois qu'un garçon naissait. Et sa femme se servait de son livre de jardinage pour baptiser les filles. Ça leur évitait d'avoir à réfléchir.

Sandra secoua la tête, amusée.

– Monsieur James nous a rendu notre liberté, l'an dernier. A tous les anciens. Mais nous sommes restés, ajouta Poupie avec fierté.

– Vraiment ?

– Ah oui, alors ! Sans hésitation ! Monsieur James est le meilleur maître dont un Noir puisse rêver.

– Il vous paie, depuis votre affranchissement ? Je crois savoir qu'il n'a pas beaucoup d'argent ?

– En effet. Mais les hommes ont obtenu quelques arpents de terre où ils peuvent cultiver leur propre canne à sucre qu'ils vendent avec celle du maître.

– C'est... remarquable, admit Sandra.

Bien que James eût toujours tort de posséder des esclaves, cette générosité le rendait moins coupable à ses yeux. Malheureusement, il se moquait bien de son approbation.

– Croyez-moi, reprit Poupie, le maître est plus humain que tous les autres planteurs des bayous. D'ailleurs, ils ne l'aiment pas beaucoup.

Poupie rassembla sa pâte en boule et s'essuya les mains à son torchon.

– Maintenant, examinons cette liste de plus près, dit-elle.

En moins d'une demi-heure, les deux femmes formèrent sur le papier les différentes équipes qui seraient chargées de la remise en état de la maison et de ses dépendances. Sandra estimait que le nettoyage complet de toutes les pièces, du sol au plafond, prendrait une bonne semaine. Ensuite, pour l'entretien régulier, elle comptait s'inspirer des bons vieux principes de sa mère : à chaque jour de la semaine seraient affectées des tâches spécifiques. De cette manière, la maison resterait propre et en ordre. Pour finir, elle décida de nommer Iris responsable du ménage et Verveine préposée à la lingerie.

Sandra replia sa liste avec un soupir de soulagement. C'était déjà une bonne chose de faite. Mais avant de mettre en pratique cette nouvelle organisation, il fallait régler un problème plus urgent. Le chenapan qui, ce matin, s'était permis une réflexion déplacée en découvrant son père dans la chambre de Sandra, n'avait toujours pas pris son bain, malgré les injonctions de James.

– Poupie, pourriez-vous demander à Iris de faire remplir la baignoire ?

– Je m'occupe de votre bain, mademoiselle.

Sandra lui sourit d'un air espiègle.

– Ce n'est pas pour moi, Poupie. Mais pour le plus sale vaurien de tout le bayou.

Poupie écarquilla les yeux.

– Vous voulez baigner Etienne ?

– Exactement.

La cuisinière partit d'un énorme éclat de rire, tandis que Sandra partait à la recherche de sa victime.

A peine Sandra eut-elle poussé la porte de la chambre d'Etienne, qu'elle révisa son programme de nettoyage à la hausse : deux journées ne seraient pas de trop pour remettre cette pièce en état.

Renonçant à mettre la main sur le gredin dans l'immédiat, elle para au plus pressé : ramasser les vêtements – la plupart dans un état déplorable – qui traînaient un peu partout et les descendre à la lingerie. En chemin, elle croisa Iris qui portait un plateau à la mère de James. Remarquant une bouteille de tafia, le rhum local, à côté de la cafetière et des petits gâteaux, Sandra se demanda si la « mélancolie » de Mme Baptiste n'était pas en partie due à l'alcool.

– Iris, comment se fait-il que la chambre d'Etienne soit si sale ? Et que ses vêtements n'aient pas été lavés depuis une éternité ?

– Le petit maître ne tolère personne dans sa chambre.

– *Tolère* ? Mais il n'a que cinq ans !

– Vous serez moins brave le jour où vous trouverez un serpent dans votre lit...

– Il n'oserait pas ! se récria Sandra en se promettant pourtant de songer à verrouiller sa porte.

– ... ou vos vêtements envolés quand vous sortez du bain...

Surtout, penser aussi à fermer la salle de bains.

– ... ou d'horribles araignées qu'il vient promener sous votre nez...

Des araignées ? Seigneur, donnez-moi la force d'affronter cette épreuve !

– Tout cela est intolérable, Iris. J'ai été engagée ici pour m'occuper de ce garçon. Il va falloir que tout cela change.

Iris parut sceptique. Avant de repartir avec son plateau, elle préféra rappeler à Sandra sa promesse :

– N'oubliez pas pour les... comment dites-vous, déjà... les « steps » ? J'ai trouvé deux autres candidates qui voudraient participer aux cours. Ça ne vous ennuie pas ?

Sandra retrouva le sourire, malgré la perspective des serpents et des araignées. Après s'être débarrassée du linge sale, elle partit à la recherche du sacripant.

La salle d'étude avait été vidée des peaux qui l'encombraient la veille, mais il flottait toujours dans l'air une odeur nauséabonde qui incita Sandra à ouvrir les fenêtres en grand.

Devant elle, les champs de canne à sucre s'étendaient à perte de vue, en parcelles quadrillées par les chemins d'accès et les canaux d'irrigation. Plantée quelques mois plus tôt, la canne atteignait déjà trente centimètres de hauteur, mais la moisson n'aurait lieu qu'au mois d'octobre.

Sandra mesurait mieux, à présent, la somme de travail et l'énergie nécessaires pour gérer une exploitation de cette taille. Elle y vit une raison supplémentaire d'admirer James.

Malgré tous ses efforts, elle ne pouvait pas s'empêcher de repenser à leur étreinte de ce matin. Ç'avait été un moment si spontané et si merveilleux ! Malheureusement, il avait raison : leur liaison était sans issue. Plus ils s'attacheraient l'un à l'autre et plus la séparation serait douloureuse. Mieux valait, pour Sandra, se concentrer sur son travail.

Elle reprit ses recherches. En passant devant la salle

de bains, elle constata que la baignoire était pleine. Il ne manquait plus qu'Etienne.

Ne l'ayant pas trouvé dans la maison, Sandra poursuivit ses investigations à l'extérieur. Elle commença par emprunter l'allée qui conduisait au quartier des esclaves. Quelques poules et des cochons se promenaient en liberté. Devant les maisons, Sandra aperçut de jeunes mères allaitant leur bébé, des vieilles femmes reprisant du linge ou quelques infirmes qui fumaient dans un rocking-chair. Tous la saluèrent poliment.

Finalement, Sandra dénicha Etienne au milieu d'un petit verger. Le garnement était grimpé dans un pêcher et lançait les fruits, encore verts, à son chien. L'animal s'amusait à les attraper avant qu'ils ne touchent terre. *Ça mériterait une photo*, ne put s'empêcher de penser Sandra. Elle s'approcha.

– Etienne, j'ai trouvé un drôle d'insecte près de la maison, mentit-elle.

Elle sortit son mouchoir de sa poche et fit mine d'être intéressée par son contenu.

– Il a des yeux rouges et de grosses pinces. Connais-tu son nom ?

Etienne continua à lancer des pêches à l'Affreux, comme s'il n'avait pas entendu sa question.

– Donc, tu ne sais pas, conclut Sandra. Moi qui croyais que tu t'y connaissais en insectes... Celui-ci est vraiment très gros. Tant pis...

Elle tourna les talons et repartit vers la maison sans se retourner, même quand elle entendit Etienne, poussé par la curiosité, descendre de son arbre.

– Montrez-le-moi, demanda-t-il en la rejoignant.

Sandra l'attrapa par surprise et le jucha carrément sur ses épaules. Le gamin se débattit comme un beau diable en la traitant de tous les noms – il connaissait visiblement un nombre incalculable d'insultes – mais

Sandra tint bon et se dépêcha de regagner la maison. Le chien et quelques petits garçons noirs, amusés par la scène, suivaient. Plusieurs fois, Sandra faillit lâcher prise mais elle réussit à maîtriser le petit monstre et à l'emmener jusqu'à la salle de bains. Déposant Etienne par terre, elle s'empressa de verrouiller la porte et jeta la clé par la fenêtre.

— Maintenant, mon garçon, tu vas prendre ton bain.

— Vous n'êtes qu'une sorcière ! Une garce ! Une s... et je ne prendrai pas de bain.

— Non seulement tu vas le prendre, mais je te mettrai du savon dans la bouche pour te punir d'avoir dit un aussi gros mot.

— Si vous me touchez, je le dirai à mon père !

— J'espère bien ! Je suis sûre qu'il me félicitera de t'avoir décrassé.

— Je lui dirai que vous avez voulu me violer.

Sandra éclata de rire.

— N'emploie pas de mots dont tu ne connais pas la signification.

Un certain désarroi se peignit sur le visage d'Etienne. Profitant de cet instant de vulnérabilité, Sandra se rua sur lui pour le déshabiller.

— A présent, choisis : soit tu entres dans la baignoire et tu te savonnes tout seul, soit c'est moi qui m'en charge. Que préfères-tu ?

— Je vais me laver tout seul. Vous pouvez partir, maintenant.

— Tsst ! tsst ! Je reste ici jusqu'à ce que tu brilles comme un sou neuf.

Il lui lança un regard venimeux mais, voyant qu'elle ne faiblissait pas, il se résigna.

— D'accord, je vais le faire. Mais pas de savon dans la bouche, hein ?

Sandra acquiesça. Cependant, avant qu'il n'entre dans l'eau, elle préféra assurer ses arrières.

– Etienne, nous allons conclure un accord, toi et moi. Tu vas me promettre que tu ne glisseras ni serpent, ni araignée, ni quoi que ce soit d'autre dans ma chambre.

Il ne répondit pas mais Sandra comprit qu'il ruminait déjà sa vengeance.

– Je sais que tu vas m'écouter, reprit-elle. Pour la bonne raison que je connais beaucoup plus de mauvais tours que toi.

Pour appuyer ses dires, elle ôta ses lentilles de contact et les posa sur sa paume. Etienne en resta bouche bée.

– Ça alors ! Vous avez changé la couleur de vos yeux ! Seriez-vous une prêtresse vaudoue, comme maman ?

– Non. Cela n'a rien à voir avec le vaudou. Je possède simplement quelques... pouvoirs, dont je me sers contre les petits garçons désobéissants.

Etienne la dévisagea gravement.

– Vous avez dû jeter un sort à papa. Sinon, il n'aurait pas joué au docteur avec une femme aussi maigrichonne que vous.

Sandra prit sur elle pour ne pas étrangler ce chenapan.

– Je pourrais aussi te jeter un sort, si tu cherches à te venger d'avoir été obligé de prendre un bain. J'ai des pouvoirs très puissants, tu sais. Une fois, j'ai même fait perdre son petit oiseau à un monsieur.

Etienne la regarda avec appréhension. Sandra s'en voulait un peu d'effrayer cet enfant par des mensonges aussi éhontés mais les grands moyens s'imposaient.

Comprenant qu'il ne pourrait plus lui échapper, le

garçon s'approcha du tub et trempa un doigt dans l'eau.

– Elle est froide ! gémit-il.

Sandra s'approcha à son tour. Sans prévenir, Etienne en profita pour sauter à pieds joints dans le tub.

Je vais le tuer, songea Sandra, trempée.

Etienne la regarda avec des yeux innocents.

– Excusez-moi, dit-il, en forçant sur la politesse.

Sandra avait gagné une bataille, mais elle pressentait que la guerre était loin d'être terminée. Elle décida de changer de tactique.

– As-tu un diminutif ? demanda-t-elle gentiment en s'asseyant au bord du tub.

– Non. Vous savez bien que mon prénom n'a pas de diminutif.

– Pourquoi ne t'appellerait-on pas E.T., comme l'extraterrestre ?

– C'est quoi, un extraterrestre ?

– Un être venu d'une autre planète.

Sandra se reprocha aussitôt sa bévue. James serait furieux s'il apprenait qu'elle avait parlé du XXᵉ siècle à son fils. Pour satisfaire la curiosité du gamin, elle lui raconta l'histoire du film de Spielberg à la manière d'un conte de fées. Etienne l'écoutait en silence. Quand elle eut terminé, il la supplia de reprendre toute l'histoire depuis le début.

– Une autre fois. Maintenant, il faut que tu sortes de l'eau pour que je puisse te couper les cheveux.

– Non ! protesta automatiquement Etienne.

Puis, se rappelant leur discussion de tout à l'heure, il se hâta de quitter le tub avant que Sandra ne lui vole son petit oiseau.

– Dorénavant, je m'appellerai E.T., décréta-t-il.

– C'est entendu.

Une demi-heure plus tard, Sandra reposa les ciseaux et admira le résultat de ses efforts. Avec sa chemise propre et ses cheveux coupés, Etienne était méconnaissable.

– Oh, Etienne... je veux dire E.T., si tu savais comme tu es mignon !

– Mignon ? s'écria-t-il, outragé. Où est la glace ? Si jamais vous m'avez rendu mignon, je vous jure que vous me le paierez. Mignon ! Quelle horreur !

A dix-sept heures, James renvoya ses esclaves dans leurs foyers. Ils avaient travaillé sans relâche depuis six heures du matin et méritaient bien de se reposer. La plupart des planteurs obligeaient leurs esclaves à rester dans les champs de l'aube jusqu'à la tombée de la nuit, mais lui-même se refusait à une telle cruauté.

Il mourait d'envie de s'octroyer un bon bain, puis de dîner tranquillement. Malheureusement, sa journée était loin d'être terminée. Il devait encore aller voir la jument dont Isaac lui avait dit qu'elle était sur le point de mettre bas, surveiller les travaux du moulin, tenter de convaincre sa mère de quitter sa chambre...

Sacrebleu ! Ses responsabilités l'écrasaient. Pourtant, il ne songeait pas réellement à s'en plaindre. Il aimait travailler et prenait plaisir, chaque soir, à mesurer les résultats de ses efforts.

– A quelle heure dînerons-nous ? demanda-t-il à Poupie en faisant irruption dans la cuisine où flottait une délicieuse odeur de ragoût.

Depuis la maladie de sa mère, il avait pris l'habitude d'y manger avec Etienne et s'étonnait de ne pas voir le couvert déjà mis.

– Mlle Sandra a décrété que vous dîneriez désormais dans la salle à manger, comme des gens civilisés. Elle

147

a aussi invité Fergus et Rebecca pour ce soir, ajouta Poupie avec un sourire énigmatique que James, trop fatigué, ne releva même pas.

– Où est Etienne ?

– Vous ne devinerez jamais !

– Quelle bêtise a-t-il encore inventée ?

– Aucune, pour une fois. Il prend son bain.

– Son bain ? répéta James, abasourdi.

– Voui ! Mlle Sandra l'a obligé à se laver. Vous n'avez donc pas entendu de cris, tout à l'heure ?

– Des cris ? Non. Qui a crié ? Etienne, ou Sandra ?

– Les deux. Seigneur, quelle journée ! Vous n'avez pas croisé Rebecca ?

– Non. Pourquoi ?

– Je parie que vous ne la reconnaîtrez pas, quand vous la verrez.

Comme Poupie refusait de lui en dire davantage, James monta à l'étage pour s'assurer qu'Etienne prenait effectivement son bain. L'événement était si rare qu'il méritait d'être salué.

En arrivant sur le palier, il entendit un bruit de dispute provenant de la salle de bains, mais il trouva la porte fermée.

– Etienne ? Sandra ? Que se passe-t-il ici ?

Après un silence, Etienne répondit :

– Je prends mon bain, papa. Comme tu me l'avais demandé.

– Pourquoi la porte est-elle fermée ?

Il y eut un autre silence.

– J'ai jeté la clé par la fenêtre, avoua finalement Sandra.

James dévala l'escalier quatre à quatre, en grommelant un juron. Il trouva la clé dans l'herbe, remonta aussitôt et ouvrit la porte. Mais ce qu'il vit le pétrifia sur le seuil.

Un ouragan semblait avoir ravagé la salle de bains. Le tub, où flottait une eau noirâtre, était à moitié vide et entouré de flaques. Sandra ressemblait à un chien mouillé, avec ses cheveux trempés qui lui retombaient sur le front. Et le sol était jonché de mèches coupées, provenant de la chevelure de son fils.

– Je m'apprêtais justement à nettoyer, papa, fit Etienne, avec la plus exquise politesse. Voudras-tu que je te prépare ton bain, ensuite ?

Sandra faillit s'étrangler. Ce galopin ne reculait devant aucune traîtrise !

– Ce serait une excellente idée, le remercia James, qui commençait déjà à se demander si Poupie n'avait pas exagéré la mauvaise conduite d'Etienne. Tu es très beau, mon fils.

Etienne se tourna vers Sandra d'un air triomphant.

– Papa a raison. Beau, oui. Mais mignon, non. Tu sais, j'ai un surnom, à présent. Je m'appelle E.T., confia-t-il à son père.

– Hein ?

– C'est une créature venue d'un autre monde, papa.

James regarda sévèrement Sandra. Avait-elle bravé son interdiction d'évoquer le futur ?

– C'est juste une histoire, papa. Comme les contes de fées. E.T. est un... zut ! j'ai déjà oublié le nom...

Sandra vint à son secours :

– Un extraterrestre qui vit sur une lointaine planète.

– Voilà ! approuva Etienne. Un extraterrestre.

Il semblait si fier que James n'eut pas le courage de sévir.

– C'est d'accord, dit-il. Désormais, nous t'appellerons E.T.

Son fils se jeta dans ses bras avec un sourire d'adoration. Comme s'il avait senti le moment propice, l'Affreux fit soudain irruption. Surgissant du couloir, il bondit à travers la pièce et atterrit au milieu du tub, éclaboussant ce qui restait d'eau sur James, Etienne et Sandra.

En se voyant toute ruisselante de l'eau noirâtre du bain, Sandra éclata de rire.

– Je vais finir par croire que l'extraterrestre, c'est moi. A coup sûr, j'ai changé de planète.

James rit à son tour. Il l'attira contre lui, pour la serrer dans ses bras à côté d'Etienne. Qu'elle soit une « extraterrestre », il n'en doutait pas une seconde. Un jour – mais quand ? – elle repartirait dans son monde.

Cela, pourtant, ne le regardait plus vraiment. La semaine prochaine, Sandra aurait quitté Bayou Noir.

Elle avait hanté ses pensées toute la journée, le poussant à prendre la décision qui s'imposait : éloigner Sandra dès maintenant de Bayou Noir.

Juste après avoir quitté les champs, il avait envoyé une lettre à un planteur voisin. Sa décision était irrévocable. Restait à l'annoncer à la jeune femme...

11

– Les extraterrestres ont des grosses têtes avec des gros yeux et des tout petits corps, résuma Etienne à l'intention de Fergus et Rebecca.

Depuis le début du dîner, il n'avait cessé de parler de cette histoire. James s'amusait de son enthousiasme, mais Fergus et Rebecca l'écoutaient à peine. Ils étaient trop occupés l'un par l'autre. On aurait dit un couple de jeunes mariés.

L'admiration de Fergus pour sa femme était compréhensible. Rebecca semblait métamorphosée. Cette femme effacée et transparente était devenue resplendissante.

James suspectait Sandra d'avoir joué un rôle dans cette transformation spectaculaire. Du reste, la façon dont elle évitait soigneusement son regard suffisait à prouver sa culpabilité. Bon sang ! Il lui avait pourtant ordonné de renoncer à sa magie. Bah ! Inutile de commencer à lui faire la leçon, puisqu'elle allait partir.

Si seulement elle n'était pas d'un autre siècle... s'il était libre de prendre une nouvelle femme... s'il l'avait rencontrée avant Gisèle... *Si ! Si ! Si !* A quoi bon rêver davantage, puisque la réalité était tristement différente ? Dieu merci, il serait bientôt débarrassé d'elle.

– Pourquoi regardes-tu la bouche de Sandra, papa ? demanda Etienne avec malice. Elle s'est mis de la crème sur le menton ?

Sandra, horriblement confuse, baissa la tête et s'essuya avec sa serviette.

– Non, E.T., répondit James, ravi que son fils l'ait ramené à la réalité. En la voyant manger de si bon appétit, je me disais qu'elle allait prendre des forces. Elle en aura bien besoin, pour te donner des leçons. *Même si ce n'est que pour quelques jours.* A ce propos, j'exige que tu montres plus de respect pour ta préceptrice. Tu dois l'appeler « mademoiselle Sandra ».

– Nous commencerons les leçons demain, intervint Sandra. Par quelle matière devons-nous débuter, Etienne ?

Etienne s'abîma dans la contemplation de son assiette. Finalement, il haussa les épaules, résigné.

– Vous n'aviez pas parlé d'arithmétique, *mademoiselle* ?

– Si.

Etienne prit un air résigné de bête que l'on conduirait à l'abattoir. Son dessert terminé, il se hâta de quitter la table pour rejoindre Abel et Caïn, ses deux camarades de jeu. Fergus et Rebecca ne s'attardèrent pas davantage. Sandra devina qu'ils étaient impatients de se retrouver seuls. Elle se leva pour aider Jacinthe à débarrasser la vaisselle.

– Attendez, dit James. J'ai à vous parler.

Sandra le regarda si innocemment que James sentit sa volonté vaciller. *Mon Dieu, si elle me regarde encore comme ça, je suis perdu.*

Elle revint s'asseoir à côté de lui. Ses cheveux sentaient délicieusement bon et James mourait d'envie de la serrer dans ses bras, de l'embrasser et d'oublier tout le reste. Sandra devina ses pensées et lui prit tendrement la main.

– Que vouliez-vous me dire ? Que vous aviez réfléchi à notre avenir commun ?

James se releva si brutalement qu'il renversa sa chaise.

– Sacrebleu ! s'écria-t-il. Quel sort m'avez-vous donc jeté ?

Son ton glacial désarçonna Sandra. Comment pouvait-il la regarder avec autant de désir l'instant d'avant et la mépriser maintenant ?

– Je commence à en avoir par-dessus la tête de vos sautes d'humeur ! répliqua-t-elle, rouge de colère. Il y a deux minutes, *vous* m'avez demandé de rester en prétextant que vous aviez à me parler. En réalité, vous cherchiez simplement à éprouver votre séduction. Quand vous avez estimé que j'avais mordu à l'hameçon, hop ! vous avez changé de ton !

– Vous ne pouvez pas...

– Vous n'êtes qu'un provocateur, James. Pire : un allumeur.

Cette accusation laissa James sans voix. Il la contempla un moment, stupéfait, avant de lui tourner le dos pour regarder par la fenêtre. Sandra en conclut qu'elle l'avait dérouté et s'en félicitait déjà. Au bout de quelques secondes, pourtant, James se retourna, ses résolutions intactes.

– Sandra, écoutez-moi...

– Non. C'est *vous* qui allez m'écouter. Ce matin, vous m'avez fait l'amour sur le plancher de ma chambre. *Sur le plancher*, souvenez-vous. Ensuite, vous vous êtes mis en colère et vous avez juré de ne plus recommencer ce...

– C'est précisément à ce sujet que je souhaitais vous parler, coupa-t-il.

Sandra frissonna. Son intuition lui disait que ce que James s'apprêtait à lui dire était désagréable.

– J'ai invité les Collins à venir déjeuner dimanche... commença-t-il.

Cette maigre information n'était pas suffisante pour que Sandra puisse déjà se forger une opinion sur ce qui allait suivre.

– Qui sont les Collins ?

– Les Collins – Andrew et sa femme, Ellen – possèdent une plantation à environ une heure de bateau d'ici. Je leur ai écrit... à votre propos. Parce que... il se trouve qu'Andrew et Ellen cherchent une préceptrice pour leurs deux jeunes enfants...

– Vous n'avez pas pu faire une chose pareille ! s'écria Sandra, qui avait tout compris. Dites-moi que vous ne l'avez pas fait !

– ... et j'ai pensé qu'il serait préférable que vous quittiez Bayou Noir pour entrer à leur service, acheva-t-il, soudain mal à l'aise. Ce ne sera sans doute qu'une question de semaines. Après tout, vous ne devriez pas tarder à retourner dans votre époque...

– Comment avez-vous pu prendre une décision aussi importante sans me consulter ?

– Vous ne serez pas obligée de suivre les Collins s'ils ne vous plaisent pas. D'autres planteurs...

– Je n'en crois pas mes oreilles !

Il l'aurait giflée qu'il ne lui aurait pas fait plus mal. Mon Dieu, cet homme était vraiment impossible.

– Soyez raisonnable, Sandra...

– Raisonnable ? Après ce que vous venez de m'annoncer ? Que suis-je exactement, pour vous ? Un meuble ? Un bibelot ? Une commodité, à l'image de ces esclaves dont vous disposez du sort à votre guise ?

– Vous dénaturez délibérément mon propos, Sandra. Je ne souhaite agir que pour votre bien... pour *notre* bien.

– Là n'est pas la question ! De quel droit voulez-vous vous débarrasser de moi ? Vous me détestez donc à ce point, James ?

Elle était au bord des larmes.

– Je ne vous déteste pas, Sandra. Vous le savez bien. Mais j'ai du travail, énormément de travail, et...

– Je suis toute disposée à vous aider. Nous pourrions travailler ensemble.

Il ignora cette proposition.

– Je pense beaucoup trop à vous. Vous me distrayez de mes occupations.

– Autrement dit, vous tenez à moi, conclut Sandra en reprenant espoir.

Elle se sentait près de lui confesser tout l'amour qu'elle s'était découvert pour lui.

– C'est du désir, Sandra. Rien de plus que du désir. Ne vous faites aucune illusion. Depuis Eve, les femmes ont toujours su exploiter les points faibles des hommes.

Sandra le fusilla du regard. Elle se sentait terriblement insultée.

– Vous rêvez d'une situation impossible, reprit-il. Deux personnes d'une époque différente *ne peuvent pas* vivre ensemble. C'est contraire à la logique. La seule façon pour moi de ne plus penser à vous est de vous sortir de ma vie.

– Mufle ! Sale mufle !

– Vous m'avez souvent traité de mufle... Evitez de vous répéter.

Voyant qu'elle fondait en larmes, il changea brusquement de ton :

– Sandra, je vous en prie, ne pleurez pas ! Excusez-moi, je crois que je m'y suis très mal pris. Mon seul souci est de nous rendre la vie plus facile à tous les deux. Je vous assure que je ne voulais pas vous blesser. (Il s'approcha d'elle.) Vraiment, chérie...

Sandra le repoussa.

– Ne me touchez pas ! Ne me touchez plus jamais. Je partirai dimanche, puisque c'est ce que vous souhaitez. D'ici là, je continuerai à faire mon travail normalement. Mais j'espère vous voir le moins possible.

Elle tourna les talons et repartit vers la cuisine.

– C'est pour notre bien commun, Sandra, insista James. Quand vous aurez les idées plus claires, vous comprendrez que j'ai raison.

Sandra ne se retourna même pas.

Sandra dut faire appel à toute sa volonté pour ne pas céder à son chagrin. Le moment était mal choisi pour s'effondrer : avant de monter se coucher, il fallait qu'elle arrête avec Poupie le programme du lendemain. *Le salaud ! Il veut se débarrasser de moi !*

– Poupie, dit-elle en arrivant dans la cuisine, je veux que le grand nettoyage commence le plus tôt possible. Disons à sept heures du matin. Pouvez-vous vous assurer que tout le monde sera là ?

Quel mufle ! Comment ose-t-il prétendre qu'il agit pour mon bien ?

– Oui, mademoiselle.

– Quand chacune connaîtra sa tâche, rien ne me retiendra plus de partir.

– Partir ? Pourquoi parlez-vous déjà de partir, ma chère ? Vous venez à peine d'arriver.

– Ne vous inquiétez pas, réussit à répondre Sandra, malgré la boule qui lui obstruait la gorge.

Dire que je croyais l'aimer ! Dieu merci, je ne lui ai pas avoué...

156

– On dirait que le ciel vous est tombé sur la tête, ma petite. Racontez donc à Poupie ce qui vous arrive.

Elle offrit une chaise à Sandra et lui versa une tasse de café.

– Les Collins vont venir dimanche, expliqua Sandra, au bord des larmes.

– Ce n'est pas une raison pour vous mettre dans des états pareils, Seigneur ! La maison sera nettoyée de fond en comble d'ici leur visite. Ne pleurez pas pour si peu.

– James veut que je reparte avec eux, précisa Sandra, d'une voix brisée par l'émotion.

Poupie en resta bouche bée.

– Le maître ne peut pas faire ça. Vous êtes sa fiancée.

Sandra faillit en éclater de rire.

– Non, Poupie. Je ne le suis pas.

– Ma chère, il a raconté à son père que vous étiez fiancés, et le maître n'a jamais menti.

– C'était une plaisanterie pour faire enrager Jean-Paul et Victor.

Poupie fronça les sourcils, comme si elle soupesait toutes ces informations.

– Vous dites qu'il veut vous renvoyer ? Non, non, non ! Je vais avoir une discussion avec ce garçon, vous pouvez me croire.

– Non, Poupie. Ne vous en mêlez pas. La décision de James... est probablement la bonne.

Pardi ! Puisque c'est lui qui le dit !

Poupie s'inquiéta soudain d'autre chose :

– Pensez à verrouiller votre porte, ce soir. Le fantôme vient toujours, les soirs d'orage.

Sandra préféra ne pas poursuivre sur ce sujet. Elle partit à la recherche d'Etienne pour le coucher.

Contre toute attente, il se trouvait déjà dans sa chambre. Il bâillait de fatigue et Sandra eut juste à le convaincre de retirer ses vêtements avant de se glisser dans les draps.

Un coup de tonnerre éclata brutalement, tout près de la maison. Sandra s'assit au bord du lit.

— As-tu peur des orages, E.T. ? Si tu veux, je te tiendrai compagnie jusqu'à ce que tu sois endormi.

— Moi ? Peur des orages ? Ça va pas, non ? Mais je parie que le fantôme va se montrer, ce soir.

Encore cette histoire de fantôme ! Toute la maison était donc contaminée ?

— Il te fait peur ?

Etienne secoua gravement la tête.

— Il ne me veut aucun mal. Il se contente de s'approcher de mon lit et de me regarder. Après, il repart comme il est venu. Mais il n'aime pas papa. Une fois, il a essayé de mettre le feu dans sa chambre.

— Quoi ?

— Une autre fois, il a versé des œufs de serpent dans sa soupe.

Sandra sursauta. Elle se rappelait avoir entendu la même anecdote de la bouche de James.

— Poupie était folle de rage, continua Etienne. Elle disait que si elle attrapait ce fantôme, elle lui tordrait le cou. Poupie est vraiment idiote, ajouta-t-il en riant. Tout le monde sait bien qu'on ne peut pas tuer un fantôme.

Sandra sourit à son tour.

— Veux-tu que je te raconte une histoire ?

— Ça parle encore d'extraterrestres ?

— Non. De Casper, l'apprenti fantôme.

Sandra lui raconta une histoire de Casper qu'elle adapta au décor des bayous. Quand elle eut terminé, les paupières d'Etienne étaient déjà à demi fermées.

– Je ne vous aime pas... bâilla-t-il, mais j'aime bien vos histoires.

– Tu ne m'aimes pas ?

Etienne secoua la tête.

– C'est mon papa et moi qui commandons, ici. Pas vous.

– Je ne suis pas venue pour t'embêter, E.T. Ton père a beaucoup de travail dans les champs. Il manque de temps pour s'occuper de toi. C'est pour ça qu'il m'a engagée.

Etienne resta silencieux, comme s'il savait, au fond, que Sandra avait raison.

– Monte-t-il t'embrasser avant que tu t'endormes ? demanda-t-elle.

– Ça dépend. Quand il n'est pas trop occupé, oui. Ou quand il ne m'a pas oublié.

Cet aveu bouleversa Sandra, et Etienne s'en aperçut. Il s'empressa de rectifier son propos :

– En fait, je suppose que papa monte tous les soirs. Mais souvent, c'est après que je me suis endormi. Une fois, je me suis réveillé et je l'ai vu assis à côté de mon lit. C'était vraiment chouette.

– Bonne nuit, E.T., dit Sandra, la gorge serrée. Moi, je viendrai te dire au revoir tous les soirs.

Enfin, jusqu'à dimanche...

– Bonne nuit, mademoiselle Sandra.

Cette dernière politesse ravit Sandra. Elle se félicita d'avoir enregistré des progrès aussi rapides avec ce garnement. En l'espace d'une journée, il était passé de la franche hostilité à une relative gentillesse.

Tout n'était pas encore gagné, cependant. Au moment où Sandra sortait, il ajouta d'une voix machiavélique :

– Attention au fantôme...

Sandra gagna sa propre chambre. Après une rapide

toilette, elle enfila la chemise de nuit qu'Iris lui avait apportée. Le vêtement avait appartenu à Mme Baptiste et se révéla trop court. Mais c'était mieux que rien.

La maison était silencieuse, toutes les servantes dormant dans le quartier des esclaves, à l'exception de Poupie, qui disposait d'une chambre au rez-de-chaussée, non loin de la cuisine.

Sandra tira la moustiquaire autour de son lit et se glissa dans les draps. Maintenant qu'elle se trouvait enfin seule et qu'elle pouvait pleurer tout son soûl, ses larmes, pourtant, ne venaient pas. Plus elle repensait à la décision de James, plus elle se sentait frustrée. Furieuse, même.

Au fond d'elle-même, elle comprenait sa réaction. Pourquoi s'investirait-il dans une liaison qui ne mènerait nulle part, puisque, du jour au lendemain, Sandra pouvait repartir en 1996 ?

James, de son point de vue, avait raison. Malgré cela, elle ne pouvait se résoudre à accepter de partir.

Dix fois, cent fois, Sandra essaya de trouver une explication rationnelle à l'aventure qui lui arrivait. Dieu – ou une quelconque créature supérieure – avait-Il poursuivi un but précis en la faisant voyager dans le temps ? S'agissait-il de sauver James ? Mais alors, pourquoi repartirait-elle vers le futur ?

Dieu avait peut-être considéré que c'était *elle*, qui avait besoin d'être sauvée. Il lui avait infligé cette épreuve pour qu'elle prenne conscience de l'urgence de réorganiser sa vie. Dans ce cas, James n'était que l'instrument du hasard. Cette dernière hypothèse chagrinait Sandra. Bizarrement, elle voulait voir en lui l'élu qu'elle attendait depuis si longtemps.

Toutes ces préoccupations, ajoutées au café que Poupie lui avait fait boire, l'empêchèrent de trouver le sommeil. Pendant des heures, Sandra contempla son ciel de lit en méditant sur le destin. A un moment elle crut entendre un bruit étrange, dans le lointain. Comme un roulement de tambours – les tambours vaudous dont avait parlé Rebecca ? – alors que les premières gouttes de pluie commençaient à tomber, vite suivies d'un véritable déluge.

Ayant gardé les yeux ouverts, elle remarqua une silhouette drapée dans un linge blanc qui passait furtivement devant ses fenêtres. Un fantôme ?

Non. Sandra n'avait jamais cru aux fantômes. Elle bondit de son lit, s'empara du tisonnier de la cheminée et sortit dans la galerie à la poursuite du spectre. Celui-ci venait juste de s'arrêter devant la chambre de James.

Avant qu'il ne s'engouffre à l'intérieur, Sandra eut le temps de voir qu'il brandissait un couteau.

Mon Dieu ! Empêchez-le de tuer James !

Elle se rua à sa suite dans la chambre. Le « fantôme » brandissait déjà son arme au-dessus de la forme allongée sous les draps.

– Ton heure est venue, James. Tu vas mourir ! proféra-t-il d'une voix sépulcrale.

– Non ! s'écria Sandra, horrifiée.

Elle abattit le tisonnier sur le bras du « fantôme ». Ce bras était fait de chair et d'os, comme n'importe quel bras humain. La preuve était donc faite que ce n'était pas un fantôme.

– Garce ! s'exclama l'agresseur en rugissant de douleur. Toi aussi, tu vas mourir.

La silhouette se jeta sur elle. Sandra sentit le couteau riper sur son bras. Elle se débattit jusqu'à ce que l'intrus lâche son arme.

– Sandra, bon sang ! Que faites-vous ici ?

Sidérée, Sandra vit James surgir du couloir, où il devait se cacher. Elle s'aperçut alors que le lit était désert. C'était l'édredon, glissé en travers, qu'elle avait pris pour lui.

Le faux fantôme profita de cette diversion pour s'enfuir par la galerie.

– Tout va bien ? demanda James avant de se lancer à sa poursuite.

Comme elle hochait la tête, il disparut à son tour sur la galerie.

C'était trop tard. James revint quelques minutes plus tard, trempé jusqu'aux os, mais bredouille.

– Que fichiez-vous ici ? redemanda-t-il à Sandra, le regard sévère, comme s'il la tenait pour responsable de la fuite de son agresseur.

– Je tentais de vous sauver la vie, ingrat !

Sandra n'arrivait pas vraiment à se mettre en colère. James était vivant et c'était l'essentiel.

Le danger passé, elle réalisa soudain que son bras la faisait souffrir : du sang coulait de son coude jusqu'au bout de ses doigts et tombait en grosses gouttes sur le tapis.

– Mon Dieu, vous saignez ! s'écria James en se précipitant pour la prendre dans ses bras juste à l'instant où Sandra perdait connaissance.

Il l'allongea au milieu du lit et l'enveloppa de couvertures pour l'empêcher de prendre froid. Puis il apporta un bol d'eau et une serviette sur la table de chevet, sans cesser de lui parler, pour l'aider à reprendre conscience : « Ne vous inquiétez pas, chérie... Tout ira bien... Je vais m'occuper de vous... ce n'est pas grave... »

Sandra rouvrit les yeux alors qu'il achevait de nettoyer sa blessure qui, par chance, n'était que superficielle.

– Vous m'avez fait une peur bleue, confessa-t-il à voix basse.

— Vous aussi, James, répondit-elle sur le même ton.

Il se pencha pour lui baiser le front, puis s'écarta aussitôt, comme s'il redoutait de céder à une tentation beaucoup plus forte.

— J'ai bien cru que ce soi-disant fantôme allait vous tuer ! s'exclama Sandra qui frissonnait rien que d'y repenser. Vous lui aviez tendu un piège, n'est-ce pas ?

Il hocha la tête.

— Je me doutais qu'il viendrait cette nuit. J'avais tout préparé pour l'accueillir.

— Qui est-ce ?

— Gisèle.

Sandra sursauta.

— Votre femme ? Je croyais qu'elle était morte ?

— Elle *est* morte. Mais quelqu'un se fait passer pour elle.

— N'y a-t-il pas du Victor derrière tout ça ?

James haussa les épaules d'un air las.

— Probablement.

— Qu'aurait-il à gagner, en vous assassinant ?

— Victor n'a pas besoin d'un mobile pour tuer quelqu'un. Il me déteste depuis toujours.

— Mais, James, c'est dangereux ! Vous risquez votre vie !

— Vous aussi ! répliqua-t-il sèchement. Vouloir vous attaquer au spectre était de la folie.

Sandra se redressa. Il ajouta, soudain radouci :

— Peut-être pourriez-vous terminer votre nuit ici ?

Elle le regarda droit dans les yeux.

— Avez-vous changé d'avis à mon sujet ?

James aurait voulu céder à son désir de prendre Sandra dans ses bras. Mais il devait penser à l'avenir. A la plantation. Et à tous les esclaves qui dépendaient de lui.

Il secoua la tête.

– Non. Il faut que vous partiez d'ici.

– Je vous aime, James. Vous avez dû vous en apercevoir.

Il sentit son cœur se serrer. Pourquoi avait-elle dit cela ? *Tant qu'on ne prononce pas les mots, c'est comme si les choses n'existaient pas.* Il voyait bien qu'elle attendait qu'il lui avoue son propre amour en retour. Mais c'était impossible. Réellement impossible.

Sandra comprit qu'il ne parlerait pas. Après une seconde d'abattement, elle se releva et marcha résolument vers la galerie.

– Je vous plains, James. Tout le monde a besoin d'aimer et d'être aimé. Sans amour, la vie est comme une chandelle sans flamme.

James lui tourna le dos en se mordant les lèvres. S'il commençait à lui dire ce qu'il avait sur le cœur depuis tant d'années, il serait perdu. Il préféra garder sa douleur pour lui.

– Je ne compte même pas, pour vous, laissa tomber Sandra.

– Oh, si ! murmura-t-il. Beaucoup trop, même.

Mais Sandra était déjà partie.

12

Le lendemain matin, en descendant dans la cuisine, Sandra trouva Poupie occupée, une fois de plus, à gronder Etienne.

– Regarde ce que ton maudit cabot a fait dans ma belle cuisine toute propre ! cria-t-elle en secouant le garçon comme un prunier.

Sandra se retint d'éclater de rire. Pelotonné dans un coin, l'Affreux attendait que l'orage passe. Le paquet de farine et la boîte d'œufs renversés sur le carrelage étaient évidemment son œuvre.

Laissant Etienne s'expliquer avec Poupie, Sandra sortit se promener quelques minutes devant la maison. Quand elle revint dans la cuisine, Etienne et l'Affreux avaient disparu et tout était rentré dans l'ordre. Mais Poupie marmonnait encore après « ce chenapan et cette maudite bestiole » qui allaient « finir par la tuer ».

Sandra s'assit à table. La cuisinière lui servit aussitôt son café.

– Alors, il paraît que vous avez vu le fantôme, cette nuit ?

– James vous en a parlé ? s'étonna Sandra.

Poupie hocha la tête.

– Ne vous inquiétez plus pour le maître, à l'avenir.

Il sait très bien se défendre tout seul. Il m'a raconté comment vous aviez surgi pour attaquer le fantôme.

– Il vous a paru impressionné ? demanda Sandra, soudain pleine d'espoir.

Poupie eut un regard entendu.

– Mieux que ça, si vous voulez mon avis.

Elle baissa la voix, avant d'ajouter, d'un ton de conspiratrice :

– Je vais vous donner une potion d'amour que fabrique une femme dans les marais. Avec ça, il ne pourra plus vous résister.

Sandra répugnait à user de sorcellerie. Mais l'idée que James tombe à ses pieds était terriblement séduisante.

Son petit déjeuner avalé, elle rassembla immédiatement dans le hall l'équipe chargée du ménage. Rien ne valait le travail pour oublier les peines de cœur.

En premier lieu, les enfants furent chargés de secouer tous les tapis. Rejoints par Etienne et les deux inséparables Abel et Caïn, ils prirent cette tâche comme un jeu qui les amusa beaucoup. Ensuite, Sandra confia à deux jeunes filles le soin de polir l'argenterie. Elles en auraient au moins pour la journée.

Les femmes, pour leur part, reçurent mission de commencer le nettoyage par le grand et le petit salon. Tous les meubles et les bibelots furent dépoussiérés et entassés sur la galerie, les tableaux et les miroirs soigneusement époussetés. Les planchers, débarrassés du mobilier et des tapis, furent décapés avant d'être soigneusement cirés.

Sandra passait d'un chantier à l'autre. Elle s'assura que les enfants n'abîmaient pas les tapis et félicita les deux jeunes filles qui astiquaient méticuleusement l'argenterie. Quand, un peu plus tard, elle revint leur offrir à chacune un verre de limonade, elles la remercièrent avec adoration, comme si elle leur avait apporté la lune sur un plateau.

Rufus s'était joint aux femmes. Il apportait les seaux d'eau dont elles avaient besoin pour récurer le carrelage. Sandra remarqua le petit manège qu'Iris jouait avec lui. Elle venait lui prendre les seaux des mains avec des œillades suggestives et repartait en ondulant gracieusement des hanches. Iris compensait son gros postérieur par une sensualité à fleur de peau. Et ça marchait : Rufus la buvait littéralement des yeux.

Sandra se dit qu'elle devrait en prendre de la graine. Si elle apprenait à se montrer plus sexy, James serait incapable de lui résister. Il la désirerait tellement qu'il voudrait la garder pour toujours.

Pour toujours ? C'était là que le bât blessait, hélas !

Toutefois, Sandra estimait que c'était à elle de décider de son éventuel départ. Plus elle y repensait, moins elle supportait l'idée que James puisse froidement se débarrasser d'elle, comme d'un objet sans valeur.

Un plan germa dans son esprit. Usant de tous les artifices à sa disposition, elle mettrait James à ses pieds, exactement comme Iris faisait avec Rufus. Cette perspective suffit à lui redonner le sourire.

A midi, tout le monde s'arrêta pour déjeuner en commun dans la cuisine, avec Poupie. Rebecca, qui n'avait pas paru de la matinée, se joignit à la tablée. Ses yeux brillaient de bonheur et ses lèvres portaient encore la trace des baisers de son mari. Leur nuit avait dû être inoubliable.

– Merci, murmura-t-elle à l'oreille de Sandra.

A la fin du repas, Iris alla porter à Mme Baptiste son café et son rhum. Quand elle revint, la servante demanda devant tout le monde si le premier cours de gymnastique allait enfin avoir lieu.

– Pourquoi pas ? répondit Sandra. Pourriez-vous

vous trouver des pantalons... ou n'importe quel vêtement qui ne gêne pas les mouvements de votre corps ?

– *Des pantalons ?* s'exclama Jacinthe. Vous voudriez que nous portions des pantalons d'homme ?

– Juste pour la leçon.

– Verveine pourra sans doute nous dénicher quelque chose dans la lingerie...

– Nous aurons également besoin de musique, ajouta Sandra. L'idéal serait de chanter toutes ensemble. Un bon vieux rock'n' roll, par exemple.

– Un *rocking quoi ?* demanda Iris.

– Ne vous tourmentez pas pour ça. Vous n'aurez qu'à reprendre en chœur avec moi.

Sandra leur chanta les premières mesures de *Rock Around the Clock*. Au début, les femmes la dévisagèrent comme si elles doutaient de sa santé mentale. Puis, Jacinthe, la première, commença à bouger en rythme. Les autres l'imitèrent rapidement. A la fin de la chanson, tout le monde dansait.

Sandra leur apprit quelques autres mélodies, aux tempos différents. Quand elle estima qu'elles en savaient assez pour tenir un cours, elle entraîna toute la troupe dans le grand salon toujours débarrassé de ses meubles. Elles installèrent des carpettes sur le plancher et le cours débuta.

Au bout de trois quarts d'heure, la classe transpirait abondamment mais dans l'allégresse.

– J'ai les fesses qui me tirent comme si j'avais fait deux jours de cheval, commenta Iris.

– C'est parfait, la félicita Sandra. Maintenant, nous allons travailler les abdominaux. Commençons par un exercice simple : on relève le buste comme ceci, on tient, on relâche et on souffle. A vous, maintenant : Montez, tenez, relâchez et soufflez. Et un, et deux, et trois, et quatre... Et un, et deux, et trois, et quatre...

– Cette binette aurait grand besoin d'être affûtée, remarqua Fergus.

Il tendit à James l'outil dont la lame s'était ébréchée sur un gros caillou. Les deux hommes se trouvaient au milieu d'un champ de canne à sucre. Le soleil tapait fort et leurs mouchoirs, trempés, ne suffisaient plus à éponger la sueur qui ruisselait sur leur front.

– Je vais m'en charger, répondit James, que cet affûtage obligerait à retourner près de la maison. J'en profiterai pour voir comment Rufus se débrouille avec les pelouses. Je lui ai demandé d'arranger les abords de la propriété.

– Il a l'air de s'y connaître, en jardinage.

– Oui, acquiesça James. Il m'a raconté avoir travaillé dans une plantation de Virginie, jusqu'à la mort de son propriétaire. C'est un bon gars, intelligent et courageux.

James alla détacher sa jument qui broutait au pied d'un arbre, monta en selle puis revint vers son contremaître.

– Si vous voulez, Fergus, par la même occasion, je demanderai à Poupie une de ses crèmes miracles. Toutes ces morsures que je vois sur votre cou pourraient s'infecter, ajouta-t-il avec un sourire entendu.

Loin de se sentir outragé, Fergus se passa fièrement une main sur la nuque.

– Seriez-vous jaloux, James ? Vous savez, ces marques ne sont rien, comparées à toutes celles que j'ai sur le corps...

James éclata de rire.

– Il faudra que je pense à remercier Sandra, ajouta Fergus. Elle a apporté du piment à mon existence.

169

A la mienne aussi, songea James. *C'est bien le problème !...*

En arrivant près de la maison, il aperçut Rufus, accroupi derrière une fenêtre, qui épiait l'intérieur du grand salon. Intrigué, James mit pied à terre, attacha sa jument à un poteau et rejoignit le jeune Noir. A mesure qu'il s'approchait, il entendait monter des bruits bizarres, semblables au sifflement d'une locomotive : Whoo-whoo, whoo-whoo, whoo-whoo... Entre deux ahanements, Sandra criait : « Relâchez, soufflez... Montez, relâchez, soufflez... Et un, et deux, et trois... »

– Que se passe-t-il, Rufus ?

– Mlle Sandra donne un cours de gymnastique, expliqua-t-il d'une voix admirative.

James l'écarta pour regarder à son tour par la vitre – une vitre toute propre. Huit femmes étaient allongées sur le sol : Sandra, Rebecca et six servantes. Toutes portaient des pantalons et des chemises amples et bougeaient leurs corps de manière scandaleuse.

– Relâchez, soufflez. Et un, et deux, et trois...

– Dépêche-toi d'aller chercher Fergus, chuchota-t-il à Rufus. Il faut absolument qu'il voie cela. Dis-lui que sa femme s'entraîne à lui plaire.

Dès que le jeune esclave eut disparu, James reporta son attention sur le cours de gymnastique. Le mouvement venait de changer et il était encore plus provocant.

– Allez, mesdames, encore un effort, les encourageait Sandra. Pensez à toutes les calories que vous brûlez !

Etendue sur le dos, les mains croisées sous sa nuque, elle répétait inlassablement le même exercice, qui consistait à monter le bassin vers le ciel et à tenir un moment la pose avant de redescendre et de souffler. On aurait dit qu'elle mimait l'acte sexuel.

– Et un, et deux... Et un, et deux...

James détourna le regard, mais c'était déjà trop tard. Il ne put s'empêcher d'imaginer Sandra refaisant ce mouvement rien que pour lui. Devant lui.

– Et un, et deux... et un, et deux... Montez au maximum ! Et un, et deux...

Bon sang ! James avait l'impression de couler lentement au beau milieu d'un océan sans fond, perdu de désir.

Il regarda à nouveau par la fenêtre.

Sandra était ravie. Ses élèves se montraient si enthousiastes qu'elle avait décidé de prolonger la durée du cours. Cette première leçon était une réussite.

En balayant la salle du regard, pour s'assurer que tout le monde suivait, elle aperçut James derrière la fenêtre. Elle lui sourit avec provocation, fidèle à son vœu de lui faire regretter de vouloir la bannir. Et elle imprima à ses mouvements un tour encore plus sensuel – si c'était possible...

Leurs regards se croisèrent un bref instant. Sandra lut dans ses yeux un désir si intense qu'elle en fut presque effrayée. Elle détourna la tête. Ce défi risquait de se révéler à double tranchant...

Quand elle se tourna de nouveau vers la fenêtre, James avait disparu. Sandra s'immobilisa brusquement, comme un jouet dont la pile serait usée.

– La leçon est terminée pour aujourd'hui. Il est temps de retourner au travail.

Sandra consacra le restant de son après-midi à Etienne. Pendant près de trois heures, elle passa en revue diverses matières – lecture, écriture, histoire-géographie, arithmétique... – pour faire le point sur ses connaissances.

Ce garçon était un petit génie.

Sandra aurait dû se douter qu'un garnement aussi doué pour inventer les pires bêtises ne pouvait être qu'intelligent. En lecture, son niveau était celui d'un enfant de dix ans. En sciences naturelles il était plus avancé encore. Sa curiosité pour la faune et la flore du bayou n'était sans doute pas étrangère à ce prodige.

Même en calcul, malgré ses récriminations contre les chiffres, Etienne faisait preuve d'étonnantes dispositions. Comme c'était un garçon qui aimait relever les défis, Sandra eut l'idée de l'encourager à progresser en lui fixant des objectifs : réussir une longue addition en moins de trois minutes, par exemple. En échange, elle dut lui promettre qu'à l'avenir les cours de biologie auraient lieu en extérieur. Elle regretta presque aussitôt sa folie, craignant d'être confrontée à des serpents et autres créatures immondes, mais Etienne affirma tout fièrement qu'avec lui elle ne courrait aucun danger.

Du reste, Sandra ne tarda pas à s'apercevoir qu'il marchandait le moindre effort.

– Je veux bien lire ces trois pages, lui dit-il à un moment, à condition que vous me dessiniez un portrait d'E.T. J'ai promis de le montrer à Abel et Caïn.

Assis sur la terrasse, devant la porte-fenêtre grande ouverte, les jumeaux attendaient sagement la fin du cours de leur camarade. Comme ils tendaient l'oreille avec une curiosité manifeste, Sandra décida de demander à James la permission d'inclure d'autres enfants dans sa classe.

La lecture terminée, Sandra s'empara d'une feuille blanche pour dessiner E.T. En toile de fond, elle ajouta même la silhouette de son vaisseau spatial.

Etienne était fasciné. Il la remercia de son cadeau avec tant d'effusion que Sandra en eut chaud au cœur. Elle sentait qu'elle avait définitivement gagné la confiance de cet enfant turbulent.

Après la leçon, elle alla retrouver les servantes qui venaient d'achever le nettoyage de la salle à manger et de la bibliothèque. Une délicieuse odeur d'encaustique flottait dans l'air. Le bureau de la bibliothèque, une lourde table en chêne sculpté, trop massive pour être élégante, brillait comme s'il avait retrouvé une seconde jeunesse. Sur le manteau de la cheminée, la pendule en bronze doré, débarrassée de la poussière qui la recouvrait, révélait un magnifique travail d'orfèvrerie. *Dans une salle des ventes de 1996, cette pendule vaudrait une fortune*, songea Sandra, en écoutant le carillon sonner cinq heures.

– Je crois que cela suffira pour aujourd'hui, dit-elle à Iris. Vous avez toutes très bien travaillé.

– Referons-nous de la gymnastique demain, mademoiselle ?

– Pourquoi pas ? Il faudra trouver un nouvel endroit, puisque les meubles du salon ont retrouvé leur place. Peut-être la salle d'étude. Ou la pelouse, si le temps le permet.

– Vous savez, mademoiselle, j'aimerais beaucoup plaire à Rufus, avoua Iris. J'espère vraiment que mon postérieur va fondre, comme vous me l'avez promis.

– Iris, je crois que tu as *déjà* séduit Rufus. Ce n'est pas très sain de vouloir se changer soi-même pour plaire à quelqu'un d'autre.

– D'accord, mais comment pourrais-je garder un homme, sinon ?

– Les hommes sont importants, je ne dis pas le contraire. Mais une femme ne doit pas vivre uniquement pour se trouver un mari ou un amant.

173

– Hein ?

– Ecoute, Iris, les femmes se trompent quand elles imaginent qu'en devenant plus ceci, ou moins cela, les hommes les aimeront davantage. Ça ne marche jamais. Crois-moi : il m'a fallu quelques bonnes séances de thérapie de groupe pour comprendre que les femmes doivent d'abord apprendre à être plus fortes. Et surtout, à s'aimer telles qu'elles sont.

– Voilà exactement ce que j'avais besoin d'entendre, intervint Rebecca, enthousiaste. Sandra, je suis totalement de votre avis.

Sandra s'aperçut alors que les autres femmes avaient écouté sa conversation avec Iris. Elles semblaient très intéressées.

– *Thérapie ?* répéta Iris. Est-ce que c'est une gymnastique pour la tête ?

Sandra éclata de rire.

– En quelque sorte, oui. Tu as raison, Iris. La thérapie de groupe est une excellente gymnastique pour l'esprit.

– Merveilleux ! Dans ce cas, demain nous ferons de la thérapie en plus de nos exercices, décréta Iris. Seigneur, vous allez nous rendre si parfaites, Sandra, que plus aucun homme ne trouvera grâce à nos yeux !

Au milieu de l'hilarité générale, une voix se fit soudain entendre :

– Bonjour ! Pourrais-je me joindre à votre groupe ?

Sandra se retourna. Une femme d'une cinquantaine d'années se tenait sur le seuil de la pièce. Quelques cheveux blancs striaient sa chevelure brune coiffée en chignon. Ses yeux étaient d'un beau bleu un peu triste. Elle portait une somptueuse robe de soie moirée, ornée d'un camée.

Elle s'approcha avec beaucoup d'élégance et tendit la main à Sandra.

– Vous devez être Mademoiselle Sandra. Je suis Marie Baptiste, la mère de James. Permettez-moi de vous souhaiter – avec quelque retard – la bienvenue à Bayou Noir.

Sandra en resta sans voix. Depuis son arrivée ici, elle espérait rencontrer la mère de James. Mais l'effet de surprise lui coupait tous ses moyens.

Visiblement ravie de ce coup de théâtre, Mme Baptiste lui sourit.

– Je suis désolée d'avoir interrompu votre conversation, ma chère. Mais ce que vous disiez sur la nécessité pour les femmes d'apprendre à se montrer plus fortes m'intéressait beaucoup. Même à mon âge, il n'est pas trop tard pour entendre ce genre de conseils.

Sandra hocha la tête, toujours incapable de répondre. L'hypothèse de voir Mme Baptiste se joindre à ses cours ne serait pas sans conséquences.

James aurait plus que jamais un bon motif d'être furieux après elle.

13

Ce soir-là, James ne se montra pas au dîner. Il avait averti Poupie qu'il devait aller prêter main-forte à un planteur du voisinage dont deux juments s'apprêtaient à pouliner. Sandra se demanda si c'était vrai, ou s'il cherchait simplement à l'éviter.

En revanche, Mme Baptiste se joignit à Etienne, Fergus et Rebecca. La mère de James, avec son élégance, ses manières de grande dame et son élocution soignée, apportait une note de raffinement à l'assemblée.

Sandra, fascinée, l'écouta raconter son arrivée à Bayou Noir, dix ans plus tôt, alors que James n'avait que vingt-cinq ans et qu'elle-même était encore une femme enthousiaste et débordante de vitalité.

– Ma chère ! s'exclama-t-elle en se tournant vers Sandra. Vous trouveriez cette demeure moins délabrée aujourd'hui, si vous l'aviez connue alors.

Sandra voulut protester, mais Mme Baptiste l'interrompit d'un geste.

– La maison était littéralement infestée par des vermines de toutes sortes, figurez-vous. Et les mauvaises herbes poussaient jusque sur la terrasse. Mon Dieu ! Quand j'y repense...

– Pourtant, elle n'était pas inhabitée ? s'étonna Sandra. Poupie m'a raconté qu'elle vivait déjà ici. D'autres esclaves également.

– Certes, mais les précédents propriétaires, les Déclouet, n'habitaient plus à Bayou Noir. Ils avaient confié la gestion du domaine à un contremaître qui s'occupait très bien des champs mais avait négligé la maison.

La conversation fut interrompue par l'arrivée du potage, un consommé à la tortue, que Jacinthe apportait dans une magnifique soupière en porcelaine de Chine. Suivirent du jambon à l'os, des pommes de terre à la crème, des petits pois, du riz créole, une salade de pissenlit au bacon... Le festin se termina par une bombe glacée au café.

Fergus et Rebecca, toujours aussi amoureux l'un de l'autre, s'éclipsèrent aussitôt après le dessert. Etienne les imita, avec l'autorisation de sa grand-mère. Sandra resta donc seule avec Mme Baptiste, à boire du café. Elle espérait secrètement que celle-ci lui parlerait de son fils.

Comme si elle avait deviné ses pensées, Mme Baptiste déclara soudain :

– James est un bon garçon, vous savez, même s'il doit vous paraître un peu rude. Vous avez sans doute appris, qu'il était... illégitime. Ce fut très dur à vivre, pour lui, quand il était petit. A présent, je comprends mon erreur d'avoir voulu rester à La Nouvelle-Orléans. Pratiquement chaque jour, James pouvait constater les faveurs dont bénéficiait Victor, alors que lui-même était exclu.

Sandra sentit sa gorge se nouer. Tout bien considéré, elle n'était plus très sûre de vouloir connaître le passé de James... de peur de ne l'en aimer encore davantage.

– Mais ce qui le chagrinait le plus, c'était de voir comment j'étais traitée. Je n'avais pas été élevée pour devenir une maîtresse, comprenez-vous ? Mes parents n'étaient pas très riches, mais vivaient fort convenablement. Ils sont morts dans un naufrage, peu avant la date prévue pour mon mariage avec Jean-Paul.

– Votre mariage ? Mais je croyais que...

Mme Baptiste hocha la tête.

– Oui, je comprends votre étonnement. Jean-Paul m'aimait réellement et j'étais prête à tout pour lui plaire. Hélas ! c'était très égoïste de ma part. A aucun moment je n'ai pensé aux conséquences pour mon fils. A cause de moi, James n'a pas eu une enfance heureuse. Ce n'est pas tout à fait innocent s'il a choisi de se perdre dans les bayous, loin de tout...

– Madame Baptiste, vous ne devriez pas me raconter tout cela.

– Si ! Je veux tout vous dire. Pour que vous ne le jugiez pas trop durement.

Sandra voulut protester mais Mme Baptiste poursuivit son récit :

– Mes parents étant morts avant mon mariage, j'avais perdu ma dot. Je me suis donc retrouvée sans le sou. Jean-Paul, de son côté, avait dilapidé beaucoup d'argent au jeu. Il avait besoin d'une femme fortunée. Si j'avais été riche, il n'y aurait eu aucun problème.

Sandra ne put se contenir plus longtemps.

– C'est insupportable ! s'insurgea-t-elle, en jetant sa serviette sur la table. Voilà précisément ce dont je parlais à Iris cet après-midi. Les femmes sont les premières à se plaindre de leur sort. Elles s'imaginent que si elles étaient plus belles, ou plus riches, leur existence s'en trouverait facilitée. Bon sang, c'est à elles de prendre leur destin en main !

Mme Baptiste la regarda, éberluée, et Sandra se sentit soudain horriblement confuse.

– Je suis désolée. Je n'ai aucun droit de...

– Ne vous excusez pas, ma chère. Je vous trouve passionnante. Et pour tout vous avouer, je suis curieuse de voir quel rôle vous allez jouer auprès de mon fils.

– Aucun. Il me renvoie déjà.

– Quoi !

– Il a invité les Collins à déjeuner dimanche, et il espère bien que je repartirai avec eux.

– Vraiment ? Comme c'est bizarre... Hmmm... nous verrons cela. En attendant, je voudrais que vous compreniez pourquoi mon fils agit comme il le fait.

Voyant que Sandra s'interrogeait sur le sens de ses paroles, Mme Baptiste se hâta d'expliquer :

– Dès l'âge de treize ans, James refusa de supporter plus longtemps son asservissement à son père. Il était obligé de mendier la moindre piécette d'argent de poche, comprenez-vous. Il s'est engagé comme mousse sur un bateau qui partait pour Saint-Domingue. Là-bas, il a travaillé pendant plus de dix ans dans des plantations de canne à sucre, jusqu'à ce qu'il ait gagné assez d'argent pour revenir me chercher et acheter Bayou Noir.

Sandra s'expliquait mieux, à présent, pourquoi James semblait tellement redouter de s'attacher. Il ne voulait pas recommencer l'erreur de ses parents – et surtout, ne pas avoir d'enfant illégitime.

– Pardonnez-moi, madame Baptiste, si je vous ai froissée par mes commentaires sur l'état de cette maison. Ce n'était pas dirigé contre vous. Ni contre James. C'est plutôt lui, au contraire, qui s'ingénie à me provoquer.

– Il vous provoque ? s'amusa Mme Baptiste. Mais c'est parfait, ma chère...

– Non. Je vois à quoi vous pensez, mais vous vous trompez. James m'a dit et répété cent fois qu'il ne me trouvait pas à son goût. Je suis trop grande, trop maigre... et par-dessus tout, j'ai le tort de ne pas être blonde.

Mme Baptiste arqua un sourcil.

– Blonde ? Ah oui, Gisèle était blonde, mais...

– *Gisèle était blonde ?*

– Vous ne le saviez pas ?

– Non. Je m'étais simplement aperçue que James tournait la tête dès qu'une jolie blonde passait près de lui. On ne vous a pas raconté mes plaisanteries à ce sujet ?

– Non. Quelles plaisanteries ?

– Comment une blonde s'y prend-elle pour tuer un oiseau ?

Mme Baptiste fronça les sourcils, déroutée.

– Elle le jette du haut d'une falaise.

La mère de James prit un air perplexe, avant de battre des deux mains, ravie.

– J'ai compris ! Ce sont des devinettes. C'est très drôle. En avez-vous d'autres ?

Sandra lui raconta quelques-unes des meilleures plaisanteries qu'elle connaissait sur les blondes. A la fin, Mme Baptiste riait aux larmes.

– Vous êtes merveilleuse, ma chère, dit-elle. Je comprends mieux, à présent, pourquoi toute la plantation respire un air de gaieté depuis votre arrivée. Franchement, j'ai du mal à croire que mon fils pourra vous laisser partir aussi vite.

Avant que Sandra ait le temps de répondre, Mme Baptiste agita une clochette posée sur la table. Iris apparut aussitôt. La mère de James lui demanda de l'aider à monter dans sa chambre se reposer. Mais, avant de quitter la table, elle étreignit la main de Sandra.

– Rendez-moi visite, demain. Nous poursuivrons cette conversation. Que diriez-vous d'un thé, après notre « thérapie de groupe » ?

Sandra craignit de s'être aventurée inconsidérément.

— Oh, ne parlons plus de thérapie, madame Baptiste. Je ne suis pas une professionnelle. C'était tout à fait déraisonnable de ma part de prétendre animer un groupe.

Iris et Mme Baptiste se contentèrent de sourire. Leur silence éloquent convainquit Sandra de l'inutilité de ses protestations.

Après le dîner, Sandra prit un bain. Puis elle redescendit dans la bibliothèque choisir un livre qu'elle emporta dans sa chambre. Elle n'avait pas relu *Jane Eyre* depuis le lycée.

Assise à sa table, elle ne tarda pas à comprendre pourquoi les hommes et les femmes de ce siècle se couchaient si tôt. Même avec un bougeoir à plusieurs branches, on y voyait à peine.

La pendule sonnait tout juste neuf heures quand Sandra entendit James quitter la cuisine où il avait dû manger le plateau laissé à son intention par Poupie, pour monter à l'étage. Quelques minutes plus tard, un bruit d'eau l'avertit qu'il venait d'entrer dans son bain.

Elle reprit sa lecture, mais sans parvenir à se concentrer. Lorsque James ressortit de la salle de bains, elle posa son livre sur ses genoux et attendit qu'il passe devant sa porte. Au lieu de gagner directement sa propre chambre, il redescendit l'escalier et Sandra l'entendit s'enfermer dans la bibliothèque.

Elle hésita un instant. Que fallait-il faire : rester dans sa chambre ou descendre lui parler ?

Descendre. Pour lui raconter la première leçon d'Etienne et lui exprimer son vœu d'ouvrir la classe à tous les enfants qui le souhaiteraient.

Rester. Parce qu'il était tard et qu'il ne lui avait sans doute pas encore pardonné le cours d'aérobic dont il avait été témoin.

Descendre. Histoire de le provoquer un peu, pour qu'il prenne conscience de ce qu'il perdrait en la renvoyant. Pour la circonstance, elle pourrait enfiler ce déshabillé audacieux que Mme Baptiste lui avait fait porter tout à l'heure. A la réflexion, ce cadeau de la mère de James était rien de moins qu'étrange...

Rester. Car aguicher James pourrait se retourner contre elle. Il ne fallait pas oublier qu'il était dangereux. Comme un lion qui dévore tout entier l'imprudent venu lui offrir une sucrerie.

Pendant un bon quart d'heure, Sandra balança entre deux décisions. A la raison du cœur, sa conscience opposait la raison tout court.

Finalement, la raison du cœur l'emporta.

Assis dans un fauteuil de la bibliothèque, James sirotait un whisky, en s'accordant quelques minutes de détente.

Renonçant à se plonger dans les comptes de la plantation, qui pouvaient bien attendre, il reprit le magazine de Sandra et allongea ses jambes sur le bureau, pour le lire plus à son aise. *Vogue*. Quel nom étrange ! Les habitants du XXᵉ siècle n'avaient-ils pas plus d'imagination ?

– Oh ! Voulez-vous tout de suite retirer vos bottes de ce bureau !

James se retourna. Sandra, pieds nus et vêtue d'un déshabillé qui dévoilait plus ses formes qu'il ne les cachait, fonçait sur lui, l'air furieux.

– Vous n'avez décidément aucune éducation ! Appre-

nez qu'il a fallu des heures pour faire briller cette horreur.

– Une horreur, mon bureau ? Moi, je l'aime beaucoup.

– Vous buvez encore !

– Taisez-vous, Sandra. Et remontez vous coucher,
lâcha-t-il, excédé. Je suis fatigué et de mauvaise
humeur. Sauvez-vous, pendant qu'il en est encore
temps.

– Non.

Il arqua un sourcil.

– Ai-je bien entendu ? Vous m'avez répondu
« non » ?

– J'ai à vous parler, James.

– Dans cette tenue ? Vous êtes à moitié nue !

– Pas du tout, protesta Sandra en rougissant.

D'un geste vif, elle attrapa le verre de James et prit
une gorgée de whisky, histoire de se donner un peu
d'assurance...

Plutôt qu'une longue réponse, James se contenta
d'attarder son regard sur les formes que révélait le
déshabillé. Sandra rougit de plus belle et baissa les
yeux.

– Seriez-vous venue me séduire ?

– Certainement pas !

Elle se laissa choir dans le fauteuil en face du sien.
La lumière de la lampe à huile, posée sur le bureau, et
celle d'un candélabre, près de la fenêtre, formaient des
ombres dansantes et donnaient à la pièce un air de
chaude intimité. Le genre d'atmosphère dont il fallait
se méfier, se dit James.

– Parlez-moi encore de cette Oprah Winfrey, qui a
gagné dix millions de dollars l'an dernier.

D'abord interloquée, Sandra s'aperçut qu'il tenait
son magazine entre les mains.

– Rendez-moi mon *Vogue*.

– Pas question.

James s'amusa de la voir enrager silencieusement. Finalement, il posa le journal sur le bureau et se releva pour aller chercher un autre verre, qu'il remplit de whisky.

– Merci beaucoup de penser à moi. J'ai soif.

James la fusilla du regard, vexé qu'elle souligne son impolitesse. Il s'exécuta sans chaleur et fut instantanément récompensé de ses efforts : à la première gorgée, Sandra partit d'une violente quinte de toux.

– Remontez vous coucher. Et cessez de vouloir jouer avec moi.

Sandra avait l'impression d'avoir avalé du feu liquide. Sa bouche, sa gorge puis son estomac s'embrasèrent. Mais, passé l'effet de surprise, cette sensation n'était pas si désagréable. Plutôt délicieuse, même. Et sensuelle. A la deuxième gorgée, Sandra décréta qu'elle aimait ce whisky. A la troisième, elle eut le plaisir de constater que James ne souriait plus.

– Qu'avez-vous encore trouvé de surprenant, dans ce magazine, à part le salaire d'Oprah Winfrey ? voulut-elle savoir.

Il montra les publicités pour American Airlines et Chrysler.

– Je ne suis pas sûr de comprendre ces machines dont vous m'avez déjà parlé.

Sandra lui expliqua le principe des automobiles et des avions. Elle lui apprit également qu'Oprah Winfrey était une célèbre présentatrice de télévision, ce qui l'obligea à raconter ce qu'était la télévision et comment elle fonctionnait. James l'écoutait très attentivement.

– Malgré toutes ces merveilles, je ne crois pas que j'aimerais vivre dans votre siècle.

Sandra savoura une nouvelle gorgée de ce délicieux

whisky. La tête commençait à lui tourner, mais ce n'était pas désagréable.

– Pourquoi cela ?

– Tout le monde a l'air de s'agiter énormément. D'une ville à l'autre, d'un travail à l'autre, d'un homme – ou d'une femme – à l'autre. C'est un manège sans fin. On dirait que tous courent après le bonheur mais que personne n'est vraiment heureux.

– Vous n'avez pas entièrement tort, concéda Sandra.

– En revanche, j'aime beaucoup les dessous que vous portez en page 16. C'est très seyant.

Sandra avait complètement oublié cette campagne pour une grande marque de lingerie. Elle se sentit rougir jusqu'à la racine des cheveux. Ce qui était bien le comble ! Après tout, il ne s'agissait que de photos de travail.

– Franchement, Sandra, je vous avoue que je suis choqué de vous voir exposer votre corps à la vue de tout le monde. Etes-vous sûre que vous n'étiez pas...

– Oh, espèce de goujat ! cria-t-elle. Non, je n'étais pas une catin, si c'est ce que vous alliez dire. Dieu merci, en un siècle et demi, la condition de la femme a évolué. En 1996, poser pour des sous-vêtements n'est nullement dégradant.

Il hocha pensivement la tête, comme s'il se rangeait à son explication. Puis il feuilleta encore quelques pages, avant de s'arrêter sur un article. Sandra s'approcha pour voir ce qui avait retenu son attention. *Ô Seigneur !*

– « Dix conseils pour rallumer le désir de votre partenaire », lut-il à haute voix.

Sandra tenta de lui arracher la revue des mains. Sans succès. Se rappelant qu'elle était venue convaincre James qu'il perdrait gros en la laissant partir, elle comprit qu'il était urgent de reprendre le contrôle de la situation. Sinon, le whisky aidant, cette entrevue tournerait à la débandade.

– J'étais descendue vous parler d'Etienne, dit-elle en reposant son verre vide.

– Que vous a-t-il fait ?

– Rien du tout. Nous nous entendons à merveille. Et j'ai découvert qu'il était très doué. Vraiment doué, James. Vous devriez tout faire pour encourager ses dispositions naturelles.

– Doué ? Que voulez-vous dire ?

– Il est très intelligent et incroyablement en avance pour son âge. Il lit déjà couramment, par exemple. Sans être une spécialiste, je suis convaincue que son Q.I. est très développé.

– *Cui* ? Je ne connais pas ce mot. Mais vous avez raison, j'avais remarqué son intelligence. Que suggérez-vous ? De rester ici pour parfaire son éducation ?

Le visage de Sandra s'illumina.

– Je n'y avais pas pensé dans ces termes. Mais puisque vous en parlez...

Il ricana.

– Ma chère Sandra, vos intentions sont aussi transparentes que le vêtement que vous portez. Où avez-vous trouvé ça ? Vous l'avez taillé dans la moustiquaire de votre lit ?

– Vous êtes décidément très mal élevé. Primo, ce déshabillé n'est pas transparent. Secundo, c'est un cadeau de votre mère.

Il en resta bouche bée.

– De ma mère ? Alors, maintenant, vous enrôlez ma mère dans vos plans ?

– Votre imagination vous joue des tours ! protesta Sandra, indignée.

– Vous partirez dimanche prochain, comme convenu.

Que ce soit bien clair entre nous : la question est réglée une fois pour toutes.

Oh, non, James. Ne croyez pas cela. La bataille ne fait que commencer.

– Qu'avez-vous en tête ? demanda-t-il, comme s'il avait lu dans ses pensées. On dirait que vous cherchez l'affrontement ?

– Vous mériteriez une bonne correction, répliqua-t-elle en se contraignant à garder son calme. Je voulais simplement savoir si je pouvais inclure d'autres enfants dans ma classe. Je suis sûre qu'Abel et Caïn seraient intéressés. Après tout, ce n'est pas tellement plus difficile de donner des leçons à dix élèves qu'à un seul, et je... pourquoi me regardez-vous comme cela ?

– Vous accepteriez de faire la classe aux enfants des esclaves ? Cela ne vous gênerait pas ?

– Pourquoi donc ? demanda-t-elle, déroutée.

– Mais parce qu'ils sont noirs !

– Ô Seigneur !

James semblait tout à coup en proie à un dilemme intérieur.

– Je n'arrive pas à vous comprendre, finit-il par murmurer.

– Est-ce si désagréable que cela ?

– Non, avoua-t-il avec une grimace.

– Alors, c'est plutôt encourageant.

– Que voulez-vous dire ?

Elle lui offrit son sourire le plus exquis.

– Une femme doit toujours conserver une part de secret.

Il s'approcha d'elle et Sandra sentit un frisson d'excitation lui électriser le corps. *Surtout, ne pas céder à cette envie folle de me jeter dans ses bras*, s'ordonna-t-elle.

– Quels secrets recelez-vous encore, Sandra chérie ? demanda-t-il d'une voix rauque.

Sandra décida qu'il était temps de partir. Si elle restait une seconde de plus, elle était perdue.

– Vous n'aurez pas le temps de les découvrir, mon cher, dit-elle, la main sur la poignée de la porte, tout en espérant que son départ ne ressemblait pas trop à une fuite. Parce que j'aurai bientôt quitté Bayou Noir. Sur votre ordre.

Avant de disparaître dans le couloir, elle ajouta encore :

– Et vous le regretterez le restant de vos jours, bougre d'entêté !

– Touché ! répliqua James en riant. Mais ne criez pas trop tôt victoire, chérie. Je n'ai jamais perdu aucune des batailles que j'avais engagées.

Dans le couloir, Sandra frissonna, en proie à une curieuse prémonition. Elle avait l'impression que sa vie allait encore basculer.

14

– Chuut ! Vous faites trop de bruit, se plaignit Etienne.

La belle affaire ! Chaussée des godillots en cuir que lui avait dénichés Poupie, Sandra se sentait aussi lourde qu'un pachyderme. Et aussi peu discrète... A chaque pas, elle redoutait d'attirer la curiosité de tous les serpents du voisinage. Avec un peu de malchance, elle se retrouverait nez à nez avec le monstre qui les avait attaqués sur le bateau. Brrr !

– Faisons demi-tour, E.T. Nous nous sommes aventurés trop loin de la maison.

– Vous avez peur ? s'étonna le garçon en brandissant le bâton dont il se servait pour écarter la végétation obstruant le chemin.

Un bâton ! Sandra se reprochait amèrement son inconscience. Quelle idée l'avait prise de s'enfoncer dans les marais derrière un gamin haut comme trois pommes armé en tout et pour tout d'un misérable bout de bois !

– Nous sommes presque arrivés, la rassura Etienne.

Son livre de biologie serré sur sa poitrine, Sandra soupira avec résignation. Ils continuèrent de longer le bayou, jusqu'à ce qu'Etienne, un doigt posé sur la bouche, lui intime le silence. Avec moult précautions, il rampa sur un vieil arbre déraciné, dont une des grosses branches s'avançait au-dessus de l'eau, et fit signe à Sandra de l'imiter. Elle bénit le ciel d'avoir pensé à mettre sa tenue de gymnastique : un pantalon en grosse toile et une chemise ample qui facilitaient ses mouvements.

Ses efforts pour rejoindre Etienne furent récompensés. Une fois assise sur la branche, Sandra se sentit totalement enveloppée par l'univers semi-aquatique du bayou. C'était véritablement un monde à part.

Etienne lui désigna, presque en dessous d'eux, un monticule fait de boue, de mousse et de branchages agglomérés, qui formait comme une plate-forme flottante ancrée contre la berge. Au centre de la construction, Sandra compta une dizaine d'œufs, à peine plus larges que des œufs de poule, mais longs d'une bonne dizaine de centimètres. Elle supposa qu'il s'agissait du nid d'un quelconque échassier et s'apprêtait à vérifier dans son livre de biologie, quand la propriétaire des lieux surgit soudain d'un fourré. Ce n'était pas un oiseau.

Sandra poussa un tel cri qu'elle faillit glisser de la branche. Etienne la retint à temps, mais le livre tomba par terre. Maman alligator n'en fit qu'une bouchée. Avec ses dents grandes comme des touches de piano et tranchantes comme des rasoirs, elle le réduisit en charpie puis, en se dandinant sur ses pattes ridiculement petites, s'approcha de son nid. Avec une agilité surprenante pour un animal aussi disgracieux, elle recracha la bouillie de papier et la mélangea à de la boue qu'elle étala tout autour de ses œufs pour leur faire une muraille protectrice.

Cette tâche accomplie, le monstre jeta un regard plein d'animosité à Sandra et Etienne, toujours assis sur leur branche, et manifesta bruyamment sa mauvaise humeur. Sans doute pour avertir son partenaire qui nageait non loin de là. « Hé, Harry, devait dire maman alligator à papa alligator, regarde ces deux avortons qui viennent nous narguer à notre porte ! »

La mauvaise humeur de maman alligator eut un effet immédiat sur l'environnement. Des dizaines d'oiseaux s'envolèrent à tire-d'aile et toute la gent animale pourvue d'un minimum de bon sens décampa en moins d'une seconde. Sandra était prête à jurer que même les fleurs se refermèrent prestement à l'abri de leurs pétales.

– Qu'allons-nous faire ? demanda-t-elle à Etienne.

– Je n'en sais rien, avoua-t-il, aussi terrorisé qu'elle. Les parents n'étaient pas là, la dernière fois.

– Ô Seigneur !

Mais l'heure n'était pas à l'apitoiement. Papa et maman alligator s'étaient postés sous les deux imprudents et se haussaient du col pour tenter de leur attraper les pieds. Toute fuite était impossible.

– Au secours, James ! Au secours ! cria Sandra en s'accroupissant sur la branche.

Etienne joignit ses cris aux siens :

– Au secours, papa ! A l'aide !

Si Dieu était compatissant, songea Sandra, *Il profiterait justement de ce moment pour me ramener dans mon appartement de Manhattan, en 1996.*

Sandra et Etienne s'égosillèrent jusqu'à se briser la voix. Ils avaient l'impression de crier depuis une éternité, mais il ne s'était sans doute pas écoulé plus d'un quart d'heure quand James et Fergus, un fusil à la main, surgirent de la végétation. Une demi-douzaine d'esclaves armés de faux et de houes les suivaient.

Par précaution, Fergus se mit en position de tir, tandis que les esclaves repoussaient les deux alligators vers leur nid. Papa alligator batailla quelques instants contre la faux que brandissait Rufus, mais se laissa finalement convaincre de battre en retraite.

Pendant ce temps, James avait attrapé Etienne pour le déposer à terre.

– Sautez ! ordonna-t-il à Sandra d'une voix dépourvue de chaleur.

– Je... je ne peux pas... balbutia-t-elle.

Elle était encore si terrifiée qu'elle avait le sentiment de ne plus pouvoir se détacher de cette branche.

James confia son fusil à Fergus et rampa sur la branche jusqu'à Sandra. Elle avait toujours les yeux rivés sur les deux alligators et n'opposa aucune résistance quand il la prit dans ses bras pour l'emmener dans la clairière où il avait laissé son cheval.

Etienne s'y trouvait déjà. James déposa Sandra sur l'herbe et attrapa son fils par l'oreille. Fergus et les esclaves repartirent vers les champs de canne à sucre en leur jetant un coup d'œil amusé au passage.

– Etienne, ceci est la plus grave bêtise que tu aies jamais commise. Comment as-tu pu te lancer dans une aventure aussi dangereuse ? demanda James.

Honteux, le garçon contemplait le bout de ses chaussures.

– Vous auriez pu vous faire tuer, Sandra et toi, reprit son père, qui tentait de cacher son soulagement. Rentre à la maison et monte dans ta chambre jusqu'à mon retour. Je te promets que tu seras puni à la mesure de ta faute.

– Mais, papa...

– Va-t'en immédiatement !

– Ne faites pas de mal à cet enfant, intervint Sandra. Il ne pensait pas commettre une bêtise.

– Les bonnes intentions ne suffisent pas. Du reste, je ne l'ai même pas touché, répliqua James, indigné.

– Si vous voulez absolument frapper quelqu'un, frappez-moi plutôt !

James la regarda avec incrédulité. Comment pouvait-elle penser qu'il allait rudoyer Etienne ? D'ailleurs, le garnement profita de la diversion pour détaler vers la maison.

– Montez sur mon cheval, ordonna-t-il à Sandra d'une voix glaciale.

– Non.

– *Non* ? Attention, Sandra. Je commence à en avoir par-dessus la tête de vos caprices. Montez sur ce cheval.

– Je ne sais pas comment m'y prendre, avoua-t-elle. Je n'ai jamais fait de cheval.

– Quoi ?

– A New York, en 1996, plus personne ne se déplace à cheval, vous savez. Les machines roulantes les ont remplacés depuis longtemps.

– Bon...

S'armant de patience, James attacha son fusil à la selle, attrapa Sandra par la taille et la hissa à califourchon sur sa jument. Puis il monta en selle derrière elle et prit les rênes.

La chevelure de Sandra sentait le savon parfumé. Il mourait d'envie d'y plonger son visage.

– Où allons-nous ? demanda-t-elle. La maison est de l'autre côté.

Elle frissonnait comme si elle n'était toujours pas remise de sa frayeur.

– Vous avez besoin de vous calmer avant de rentrer.

– J'ai eu si peur pour Etienne ! Pour moi aussi, d'ailleurs, confessa-t-elle. Dieu merci, nous n'étions que tous les deux. Je n'ose pas penser à ce qui serait arrivé si cette sortie éducative s'était faite avec toute la classe.

Sortie éducative ? Cette femme employait décidément des mots étranges.

Tout en parlant, elle promenait distraitement sa main sur l'avant-bras de James. Cette simple caresse suffit à lui enflammer les sens.

– Vous devriez être fier d'Etienne, reprit-elle. C'est un garçon courageux et sans méchanceté. Il est juste un peu turbulent.

Il rit.

– On dirait une lionne protégeant son petit. Jusqu'à présent, personne ne s'était vraiment occupé d'Etienne, à part moi. Bien sûr, ma mère et Poupie font leur possible. Mais vous êtes particulièrement présente, avec lui. Je me demande d'ailleurs pourquoi.

– Parce que c'est votre fils, murmura-t-elle.

L'évidence de cette réponse bouleversa James. Il fallait absolument qu'il cesse d'être fasciné par cette femme.

En s'abandonnant un peu plus dans ses bras, elle frôla avec ses hanches la preuve tangible de sa « fascination ».

– Je ne vous ai pas fait mal ? s'inquiéta-t-elle.

James éclata de rire. Il prit les rênes dans sa main gauche et passa la droite autour de la taille de Sandra pour la serrer contre lui.

– Parlez-moi de vous, Sandra. Parlez-moi de votre enfance, de votre famille, de votre travail, de vos amants...

– Je veux bien, à condition que cela soit réciproque. J'aimerais vous entendre raconter votre séjour à Saint-Domingue, votre arrivée ici, votre mariage avec Gisèle...

Il resta un long moment silencieux, avant de lâcher :

– Peut-être.

Cette réponse parut la satisfaire.

– Je n'ai jamais connu mon père... commença-t-elle.

Sandra lui narra son enfance sans joie, auprès d'une mère qui lui répétait à longueur de journée que sa beauté serait son seul capital.

James l'écoutait sans rien dire, mais il lui caressait tendrement la main pour lui témoigner sa sympathie.

Quand elle évoqua la disparition de son amie Tessa, emportée par une maladie étrange appelée anorexie, il la consola du mieux qu'il put.

– C'était ma plus proche amie, confessa Sandra. Le jour de sa mort, David n'a pas témoigné la moindre émotion.

– Ce David était un fieffé imbécile.

– Oui, vous avez raison. A présent, je m'en veux d'avoir perdu trois ans avec lui.

Après un silence, elle ajouta :

– Et vous, James ? Vous est-il arrivé de commettre des erreurs ?

Il ne put s'empêcher de rire.

– J'ai l'impression d'avoir toujours vécu dans l'erreur. Si j'avais eu l'intelligence d'accepter mon sort de bâtard, ma mère aurait certainement moins souffert. Mon père ne nous traitait pas méchamment. Simplement, il nous oubliait la plupart du temps.

Il haussa les épaules, surpris de voir que ces souvenirs ne le chagrinaient plus autant qu'avant.

– Mais j'étais jeune et têtu.

– Vous l'êtes toujours.

Il rit encore.

– A treize ans, j'ai décidé que j'étais un homme. Je suis parti pour Saint-Domingue, où j'ai signé un engagement de trois ans dans une plantation. J'y suis resté sept années de plus. Ce fut très dur, mais j'attendais, pour rentrer, d'avoir gagné assez d'argent pour pouvoir offrir à ma mère une existence plus digne d'elle.

Du reste, ma condition, là-bas, était loin d'être aussi pénible que celle de nos esclaves.

– Pas sur votre plantation, James, rectifia Sandra. J'ai vu avec quelle humanité vous les traitiez. Souhaitez-vous apprendre le sort qui leur sera réservé dans le futur ?

Il soupesa sa proposition un long moment, avant de finir par hocher la tête.

– L'esclavage sera aboli à la fin de la guerre de Sécession, qui éclatera en 1861. Cette guerre entre le Nord et le Sud sera terriblement meurtrière. Certaines familles iront jusqu'à s'entre-tuer.

James avait brusquement pâli.

– Combien... combien de temps cette guerre va-t-elle durer ?

– Jusqu'en 1865.

– Seigneur !

– C'est le Sud qui va perdre, James. Il faut aussi que vous sachiez que les conséquences de la défaite seront terribles. Nombre de plantations seront réduites en cendres.

James en croyait à peine ses oreilles.

– Alors, tous les Noirs seront libres ?

– Oui. Mais la fin de l'esclavage ne résoudra pas tous leurs problèmes. En 1996, les Noirs continuent de se battre pour l'égalité des droits.

– Si j'ai bien compris, cette guerre débutera dans seize ans. J'en aurai cinquante et Etienne, vingt et un. J'espère avoir quitté le Sud d'ici là.

– Ne vous engagerez-vous pas du côté du Nord ?

– Je n'en sais rien. La cause paraît juste, mais l'idée de combattre mes voisins... de toute façon, je ne serai plus très jeune, à ce moment-là.

– Mais Etienne, si. C'est terrible ! Je n'avais pas

pensé à tout cela, en commençant à vous parler du futur. Je n'aime pas savoir ce qui va se passer demain.

— Moi non plus. Mais puisque je suis désormais au courant, je vais être obligé de prendre une décision concernant Etienne. Vous êtes bien d'accord avec moi ?

Sandra hocha la tête.

— Nous ne devons parler de cela à personne, James. J'ignore pourquoi j'ai été envoyée dans le passé, mais j'ai l'intuition qu'il me sera impossible de changer le cours de l'histoire.

— Vous avez raison, approuva James. Nous n'en parlerons à personne.

— Racontez-moi votre arrivée à Bayou Noir, lui demanda Sandra, pour revenir à leur conversation.

Il soupira, résigné.

— Je suis rentré de Saint-Domingue à vingt-quatre ans, avec vingt mille dollars en poche.

— C'est beaucoup d'argent, à votre époque, n'est-ce pas ?

— Beaucoup, en effet, concéda James. Mais pas assez pour acheter une plantation prospère. Alors, je me suis rabattu sur celle-ci.

— La Plantation de la Dernière Chance, lui rappela Sandra en riant.

— Bayou Noir est si isolée que les occasions de rencontrer des gens y sont rares. J'ai connu Gisèle lors d'un séjour à La Nouvelle-Orléans, pour mes affaires. Curieusement, c'est Victor qui nous a présentés. Je croyais qu'elle serait la réponse à mes rêves. Je m'étais trompé, conclut-il en haussant les épaules.

Sandra lui étreignit la main, pour le réconforter.

— Quels sont vos rêves, aujourd'hui ?

— Je n'en ai plus, répondit-il sans hésiter. Ou alors, ils sont plus modestes qu'avant. J'aimerais construire une maison pour ma mère et mon fils dans une contrée moins sauvage et qui ne pratique plus l'esclavage.

– Vous envisagez donc de quitter la Louisiane ?

– Oui. Mais j'ignore encore où aller. Peut-être vers l'Ouest. Voire même dans un autre pays.

James arrêta soudain son cheval. Il mit pied à terre, attacha les rênes à un tronc d'arbre puis aida Sandra à descendre.

Ils s'étaient éloignés de plus d'un kilomètre de la maison. Cette clairière qui s'ouvrait sur un méandre du bayou était l'un des endroits favoris de James. Pour quelque étrange raison, il avait souhaité le montrer à Sandra... avant son départ.

– Pourquoi nous sommes-nous arrêtés ? demanda-t-elle.

Le regard de James se fit malicieux, exactement comme celui d'Etienne lorsqu'il mijotait quelque mauvais coup.

– J'avais pensé vous offrir, disons... une *sortie éducative*, pour reprendre votre expression.

Sandra le regarda avec suspicion. Elle n'avait pas oublié ses paroles de la nuit précédente : « Je n'ai jamais perdu aucune des batailles que j'avais engagées. » Lui avait-il tendu un piège ? Elle s'écarta prudemment.

– Une sortie éducative, dites-vous ? Auriez-vous en tête de donner une leçon au professeur ?

– C'est exactement cela, reconnut-il en lui prenant la main pour la conduire au milieu de la clairière.

– A votre place, James, je craindrais de devoir en rabattre de mes prétentions.

Pour toute réponse, il se contenta d'éclater de rire. Puis il s'assit tranquillement sur l'herbe et invita Sandra à s'installer entre ses genoux. Comme il lui tenait toujours la main, elle pouvait difficilement résister.

– J'espère que vous n'avez pas l'intention de m'effrayer avec d'autres alligators, ni avec des serpents ?

Il secoua farouchement la tête, comme s'il était offusqué qu'elle ait pu le croire capable d'une telle vilenie, puis il lui fit signe de se taire.

– Cet endroit me tient particulièrement à cœur, lui avoua-t-il à l'oreille. Je voudrais partager un spectacle extraordinaire avec vous, Sandra. Mais pour cela, il ne faut plus faire de bruit.

Sandra le laissa nouer ses mains autour de sa taille. Elle se sentait délicieusement bien, tout à coup.

– Contentez-vous de regarder, chérie. Voyez ce pays avec mes yeux, tel que je l'aime.

Sandra lui obéit. S'abandonnant dans le cocon douillet de ses bras, elle contempla le décor qui les entourait. C'était un tel chatoiement de couleurs qu'elle aurait aimé le peindre.

Un petit rat musqué, au pelage fauve, les observait avec curiosité. Mais James montra à Sandra le véritable spectacle, qui se trouvait quelques mètres plus loin.

Une femelle héron, au corps gracile emmanché d'un long cou, avançait précautionneusement au bord de l'eau. Elle arborait un magnifique plumage gris et pourpre qui se terminait en aigrette sur la tête. Un cercle de peau bleue entourait ses yeux.

Elle tournait la tête de droite et de gauche, faisant mine de s'intéresser à tout ce qui l'environnait – à tout sauf au mâle qui la suivait pas à pas. Identique, en apparence, à la femelle, il était simplement un peu plus grand qu'elle. Mais ses efforts pour se faire remarquer restaient vains. Mlle Héron se comportait comme n'importe quelle lady, ignorant délibérément le soupirant agenouillé à ses pieds.

Pendant un long moment, les deux échassiers poursuivirent leur manège, chacun parfaitement conscient des mouvements l'un de l'autre, tout comme Sandra était consciente de la respiration de James sur sa nuque, ou de ses mains qui commençaient à prendre quelques libertés sur ses hanches...

Finalement, la femelle se retourna brusquement et lova son cou contre le flanc du mâle, en une attitude terriblement sensuelle.

– Par ce geste, elle lui signale qu'elle l'accepte comme partenaire, expliqua James.

Sandra lutta de toutes ses forces pour ne pas imiter la femelle héron. En pure perte : elle finit elle aussi par abandonner sa tête contre l'épaule de James.

Le plus naturellement du monde, il lui caressa les seins et Sandra se sentit immédiatement enflammée de désir.

James dut s'en apercevoir car il laissa retomber sa main et, d'un bref coup d'œil, l'invita à regarder encore les échassiers.

Ces derniers s'étaient immobilisés. Ils s'observèrent silencieusement pendant un long moment puis, tout à coup, ils haussèrent la tête en même temps et poussèrent à l'unisson un cri étrange qui résonna dans le silence. Le cri de deux amoureux transis qui auraient brutalement perdu la raison.

Sandra les comprenait d'autant mieux qu'elle-même avait envie de crier.

A présent, la femelle agitait ses ailes et le mâle se montrait de plus en plus entreprenant. Les deux oiseaux dessinaient une chorégraphie qui semblait obéir à des règles très strictes.

– Oh, James, c'est magnifique !

– La danse nuptiale des hérons de Louisiane, murmura-t-il à son oreille. Je savais que cela vous plairait.

La femelle finit par céder aux invitations pressantes

du mâle et ils s'abritèrent derrière un buisson pour s'accoupler. Sandra se releva.

– M'avez-vous conduite ici pour me prouver que vous gagnerez toujours au jeu de la séduction, comme cet oiseau tenace ? Ou souhaitiez-vous simplement me montrer leur danse d'amour ?

– Les deux, reconnut James. J'espérais effectivement tirer profit de la leçon. Mais je voulais par la même occasion que vous repartiez dans votre siècle avec une belle image de ce pays. De mon côté, j'aimerais aussi garder un bon souvenir de notre rencontre... si vous le permettez, ajouta-t-il avec un sourire confus.

– Oh, James...

Sandra sentit son cœur s'emballer dans sa poitrine à l'idée qu'il lui proposait de refaire l'amour.

– Non, Sandra, dit-il. J'aimerais simplement vous contempler une dernière fois. Accepteriez-vous d'enlever votre chemise pour me montrer vos seins ? S'il vous plaît, chérie ?

Sandra était comme hypnotisée. Autant par le désir qu'elle lisait dans les yeux de James que par l'envie de lui plaire.

Sans le quitter du regard, elle déboutonna lentement sa chemise, puis l'enleva complètement ainsi que sa camisole.

Elle se tenait devant lui, nue jusqu'à la ceinture, sans éprouver la moindre gêne. Au contraire, elle releva fièrement le menton et le défia du regard.

– Caressez-vous... pour moi, murmura-t-il d'une voix incroyablement persuasive.

Sandra se caressa les seins, comme il lui demandait. En apparence, c'était elle qui se pliait à sa volonté, comme si elle avait rendu les armes. Pourtant, à voir l'effort qu'il faisait pour se contenir, on pouvait se demander de quel côté se trouvait réellement le vaincu.

Soudain, James inclina la tête pour lui embrasser un téton, puis l'autre, du bout des lèvres.

Ce fut tout.

Mais ce fut assez pour convaincre Sandra qu'elle ne serait plus jamais la même.

A cet instant précis, elle savait que si elle se jetait dans les bras de James, il n'aurait plus la force de lutter contre leur attirance réciproque. Mais elle devinait également qu'il redoutait les conséquences d'un tel geste.

Pourtant, c'était à elle qu'il laissait le soin de décider de leur destin.

Céderait-elle à la passion qui la dévorait, tout en sachant qu'elle pouvait quitter ce siècle – et donc cet homme – du jour au lendemain ? Ou aurait-elle le courage de lui épargner le chagrin qu'entraînerait son départ ?

Les larmes aux yeux, Sandra se baissa pour ramasser sa chemise et la remettre. C'était la décision la plus pénible qu'elle ait jamais eu à prendre.

15

Le temps de la séduction était terminé.

Quand ils revinrent près de leur cheval, Sandra et James arboraient la même mine lugubre et défaite. A n'en pas douter, ce qui venait de se passer avait marqué la fin de leur relation – ou du moins, d'une certaine forme de leur relation.

– Merci, dit sobrement James en aidant Sandra à remonter en selle.

Il avait parlé si bas qu'elle crut presque avoir rêvé. Mais soudain, il l'embrassa sur les lèvres avec une telle tendresse qu'elle ne se sentit plus la force de renoncer à tout ce que cet homme pouvait lui apporter.

– James, je vous aim...

D'un doigt posé sur ses lèvres, il l'empêcha de prononcer les mots qu'il refusait d'entendre.

Ils rentrèrent à la plantation sans plus rien se dire.

Sandra ne s'était jamais senti le cœur aussi gros. Devant le visage fermé de James, elle comprit qu'il se trouvait dans le même état qu'elle. Une fois à la maison, il l'aida à descendre de cheval en évitant soigneusement de croiser son regard.

Poupie accourut à leur rencontre.

– Qu'avez-vous fait à Mlle Sandra ? demanda-t-elle à James d'un air soupçonneux.

– Moi ? Qu'est-ce qui te fait penser que j'aie quoi que ce soit à me reprocher, Poupie ?

– Sa chemise est boutonnée de travers, remarqua Poupie d'un ton réprobateur.

Sandra rectifia son erreur en rougissant. James eut l'air gêné.

– Où est Etienne ? demanda-t-il abruptement. J'ai à lui parler.

– Dans sa chambre. Ne soyez pas trop sévère avec lui. Il redoutait votre retour.

– Il a raison ! Sais-tu ce qu'il a été inventer, cette fois ?

– Oui, il m'a raconté. Il mérite une punition, mais n'oubliez pas qu'il n'a que cinq ans.

– Je vais lui parler, intervint Sandra, à la surprise générale. Puisqu'il m'a entraînée dans cette histoire, c'est à moi de lui faire prendre conscience des risques qu'il nous a fait courir. Laissez-moi le voir la première, James. C'est une histoire à régler entre lui et moi. Ensuite, vous irez lui parler, si vous y tenez absolument.

Après une brève hésitation, James finit par se ranger à son avis.

– Le caboteur a apporté le courrier, annonça Poupie. Il y a aussi un paquet pour vous, mademoiselle.

– Pour moi ?

– De la part de Marie Laveau, précisa Poupie.

L'espace d'un instant, Sandra crut que son cœur s'était arrêté de battre.

– Oh, non ! Pas déjà...

Marie Laveau l'avertissait probablement que le moment était venu de repartir pour le XXᵉ siècle.

James devait suspecter la même chose, car il la

regardait maintenant comme s'il lui en voulait de l'avoir séduit, alors qu'elle savait depuis le début qu'elle ne ferait que passer dans sa vie.

Le courrier attendait sur un guéridon du hall. James s'empara du tout et fit signe à Sandra de le suivre dans la bibliothèque. Jetant les lettres sur son bureau, il lui tendit le paquet.

Sandra l'ouvrit, les mains tremblantes.

– Bon Dieu ! s'exclama James en la voyant extraire du paquet une petite figurine de cire portant des cheveux noirs et affublée d'une réplique miniature de la robe de Philippe.

Un petit mot accompagnait l'envoi. Il était rédigé dans un style étrange :

> *Le jour de la Saint-Jean,*
> *La poupée et les graines.*
> *Au bord du bayou,*
> *La lumière s'ouvrira.*
> *Une seule personne franchira la Porte.*
> *Et déjouera les fantômes du Diable.*

Sans un mot, Sandra tendit la lettre à James.

– De quelles graines parle-t-elle ? demanda-t-il d'un ton bourru.

– Mme Laveau m'avait remis quelques graines, le jour de notre rencontre. Elles sont supposées faciliter le voyage dans le temps.

– Et vous n'aviez pas jugé utile de m'en informer ! reprocha-t-il d'une voix glaciale.

– Parce que je craignais que cela ne m'empêche de...

– ... de rentrer chez vous, acheva-t-il à sa place. Bon Dieu ! Quel naïf j'ai été ! Depuis le début, vous projetiez votre départ !

Sandra s'apprêtait à protester, quand son regard fut distrait par une robe bleue qu'elle crut apercevoir par la porte restée entrouverte. Le temps de tourner la tête, la robe avait disparu. Elle pensa d'abord que quelqu'un les avait espionnés, puis conclut qu'il s'agissait probablement d'une servante qui passait dans le couloir. Quand elle regarda de nouveau James, elle comprit qu'il était inutile de chercher à se justifier.

– Quel jour fête-t-on la Saint-Jean ?

– Le 24 juin. Comme si vous ne le saviez pas !

– Donc, il me reste encore six semaines ici, dit-elle après un rapide calcul.

– Pas *ici*, rectifia-t-il. La lettre n'exige pas votre présence à Bayou Noir. Vous partirez dimanche, comme prévu.

Et sur ces mots, il quitta la pièce en claquant violemment la porte derrière lui.

L'accumulation d'émotions depuis le début de cette matinée eut raison des nerfs de Sandra. Elle éclata en sanglots en serrant la poupée sur sa poitrine.

Mais la porte s'était à peine refermée qu'elle se rouvrait sur James.

Il courut presque vers elle, la prit dans ses bras et s'empara brutalement de ses lèvres. C'était un baiser impérieux, dominateur et, en même temps, terriblement sensuel. Un long, très long baiser que Sandra aurait voulu ne voir jamais finir. Même Rhett Butler ne devait pas embrasser aussi bien.

– Vous aurez de quoi vous souvenir, quand vous repartirez dans votre siècle, dit-il en la relâchant enfin.

Oui. Sandra savait déjà qu'elle garderait ce baiser en mémoire jusqu'à la fin de ses jours.

– La leçon est terminée pour aujourd'hui, annonça Sandra. Il est temps d'aller déjeuner.

Toute la classe battit des mains, avec un enthousiasme qui émut Sandra aux larmes. Déjà, trois heures plus tôt, elle avait été bouleversée de voir les enfants se laver soigneusement les mains et se brosser les cheveux avant d'entrer dans la salle d'étude. Leur soif d'apprendre l'émerveillait.

Ils étaient six : outre Etienne, Abel et Caïn, deux autres petits garçons, Moïse et Goliath, ainsi qu'une fille, Daisy, s'étaient joints à la classe. L'aîné n'avait pas plus de sept ans.

Bien sûr, aucun n'avait le niveau d'Etienne, puisqu'ils n'avaient jamais appris à lire ni à écrire. Mais Sandra s'aperçut rapidement qu'Etienne aimait prendre son relais. Et qu'il témoignait de beaucoup plus de patience avec ses camarades qu'il n'en faisait preuve à son égard.

En raison de leur jeune âge, les enfants n'étaient pas capables de se concentrer très longtemps. Aussi Sandra entrecoupait-elle les exercices les plus difficiles de récréations amusantes. Comme ils lui réclamaient toujours de nouvelles histoires, elle était devenue experte dans l'art d'adapter les grands classiques à l'univers du bayou. Il y eut ainsi « Le Petit Chaperon rouge et le Grand Méchant Anaconda », « Godzilla et les Trois Alligators », « Kermit, la grenouille du bayou », etc.

– On reprendra les cours cet après-midi ? demanda Etienne, imité par ses camarades qui semblaient sincèrement se réjouir de cette perspective.

Sandra se demanda si elle ne rêvait pas.

Mais, devinant que leur fascination pour l'étude ne durerait pas, elle s'empressa d'accepter la suggestion d'Etienne. Autant leur apprendre le plus de choses possible avant de les quitter.

Après le déjeuner, le cours d'aérobic se tint sur un carré de pelouse, derrière la maison. Deux nouvelles s'étaient jointes au groupe, portant les effectifs à dix membres. Comme un véritable détachement militaire, elles se tenaient droites et immobiles, attendant les ordres de Sandra. Mme Baptiste observait la scène depuis le rocking-chair qu'on lui avait installé sur la terrasse. Poupie, occupée à écailler des poissons, regardait aussi le spectacle par la fenêtre de la cuisine.

Le cours terminé, les femmes s'assirent en cercle pour leur première séance de « thérapie de groupe ». Sandra demanda à chacune de se présenter et d'exposer publiquement un problème personnel qui lui tenait à cœur. Afin de donner l'exemple, elle ouvrit elle-même les débats.

– Toute ma vie, on m'a répété que mon apparence physique primait le reste. Je voudrais modifier l'image que j'ai de moi pour trouver ma vérité profonde.

A sa grande surprise, toutes hochèrent la tête, en signe d'approbation.

Rebecca prit sa succession.

– Moi, c'est tout le contraire, confia-t-elle timidement. Je voudrais modifier mon physique pour me sentir mieux. Je sais que si j'étais plus belle, ma vie en serait changée. D'ailleurs, elle a déjà commencé à changer.

Les autres femmes lui témoignèrent également leur approbation.

Ensuite, Iris raconta comment son mari était mort peu de temps avant la naissance des jumeaux. Depuis, elle n'avait pas connu d'autre homme.

– Dès que j'aurai raboté mon postérieur grâce à la gymnastique de Mlle Sandra, je compte bien mettre le grappin sur Rufus. Souvenez-vous que celui-là est pour moi !

– Quand je pense que moi j'aimerais bien avoir un peu plus de hanches ! soupira Rebecca.

– Je vous donnerais volontiers la moitié des miennes, il m'en resterait encore largement assez, répliqua Iris.

Tout le monde éclata de rire.

– Je suis trop noire, se plaignit Jacinthe.

– Oh, ne dites pas cela, Jacinthe, intervint Sandra. D'où je viens, les Noirs sont très appréciés.

– Pas possible ! s'exclamèrent plusieurs voix en même temps.

Sandra se dit qu'il fallait se montrer prudente sur ce sujet, si elle ne voulait pas trahir son secret.

– Dans le pays... d'où je viens, les Noirs ont pris conscience qu'ils devaient être fiers de leur passé. Toutes les cultures sont estimables. Toutes les couleurs sont belles, conclut-elle, pour ne pas avoir à s'étendre davantage sur le sujet.

L'assistance médita ses paroles en silence. Mme Baptiste profita de ce moment pour s'éclipser discrètement. Apparemment, elle ne souhaitait pas poursuivre la séance, mais Sandra comprit, à son signe de tête, qu'elle était toujours invitée à prendre le thé dans ses appartements.

Quand toutes les femmes se furent présentées, la conversation roula sur le seul sujet qui les passionnait véritablement : le sexe.

– Savez-vous que Jérémie peut garder sa... enfin, vous me comprenez... il peut la garder raide pendant une heure d'affilée ? révéla Verveine.

– Noooon ! s'exclamèrent les autres femmes, médusées.

– Comment sais-tu ça ? demanda Iris.

– Il est venu me le montrer dans ma chambre et on a contrôlé avec une pendule, expliqua Verveine, le plus simplement du monde.

– Et que faisais-tu pendant ce temps-là ? insista Iris.

– J'ai mesuré son... avec une ficelle.

– Tu l'as mesuré pendant une heure ?

– Vous savez ce que j'aime ? intervint Jacinthe. C'est qu'un homme vous parle pendant qu'il vous fait l'amour.

Il s'ensuivit une discussion animée pour établir s'il était préférable ou non que les hommes parlent pendant l'amour, et surtout pour dire quoi ? Puis, « tout naturellement », la conversation dévia sur les différentes positions et leurs avantages ou leurs inconvénients respectifs.

Sandra regrettait presque d'avoir ouvert cette boîte de Pandore. Quand, plus tard, on se souviendrait d'elle à Bayou Noir, ce serait sans doute pour un tout autre motif que les quelques leçons d'arithmétique prodiguées à Etienne.

A l'heure du thé, Sandra pénétra pour la première fois dans les appartements de Mme Baptiste. La respectable dame était assise sur son prie-Dieu, face à une statuette de la Vierge. Elle se signa, se releva et désigna à son invitée un petit canapé tendu de velours incarnat, devant lequel une servante avait disposé un plateau avec la théière, les tasses et des petits gâteaux.

Pendant que Sandra ajoutait du sucre et du lait à son thé, Mme Baptiste versa discrètement une rasade de tafia dans sa propre tasse. Au moment de reposer la bouteille, son regard croisa celui de Sandra.

– Il est parfois difficile de résister à la tentation, confessa la vieille dame.

– Ne croyez pas que je vous juge, madame Baptiste. Je suis bien la dernière personne à pouvoir condamner les faiblesses d'autrui. Personnellement, je serais plutôt portée sur les sucreries, voyez-vous.

Mme Baptiste la remercia d'un sourire.

– J'aimerais vous parler de mon penchant pour l'alcool. Votre séance de groupe, tout à l'heure, m'a bouleversée. Mais je n'ai pas pu me résoudre à me confier devant les domestiques.

Sandra hocha la tête. Elle comprenait parfaitement ses réticences.

Mme Baptiste laissa retomber ses mains, comme pour signifier son impuissance.

– James s'imagine que je suis une faible femme. En réalité, je suis beaucoup plus forte qu'il ne le soupçonne. Mais il ignore certaines choses... dont je souhaitais vous entretenir aujourd'hui.

– Non, protesta Sandra. Il ne serait pas convenable que vous me confessiez vos secrets sans rien dire à votre fils.

– Quelle importance, puisque vous allez bientôt nous quitter ? répliqua Mme Baptiste, de l'air de quelqu'un qui en savait long.

– Voulez-vous parler de mon départ chez les Collins ?

– Non, ma chère. Je faisais allusion à un tout autre départ.

Sandra se rappela la robe bleue entr'aperçue par la porte de la bibliothèque. Elle se cala contre le dossier du canapé.

– Vous avez tout entendu ?

– Oui. Mais cela n'a fait que confirmer ce dont je me doutais depuis quelque temps. Votre magazine est très... instructif.

– Vous l'avez lu, vous aussi ? James va être furieux.

– James n'en saura rien, répliqua Mme Baptiste d'une voix ferme. Cela restera notre secret. J'ignore comment vous êtes arrivée ici, mais je vous soupçonne d'être la réponse à mes prières à la Vierge.

Sandra écarquilla les yeux de stupeur.

– Je crois que Dieu vous a envoyée ici pour James, précisa Mme Baptiste.

Sandra ne savait toujours pas quoi répondre.

– Prenez un beignet, ma chère. Poupie les a confectionnés spécialement pour vous.

Quand Sandra, la bouche pleine, se trouva incapable de dire quoi que ce soit, Mme Baptiste en profita pour ajouter :

– J'ai besoin de votre aide pour tuer le fantôme.

Doux Jésus !

– Il s'agit de Gisèle, bien entendu...

Seigneur !

– ... aidée par l'immonde Victor.

Allons bon...

– Prenez donc un autre beignet. Vous ai-je dit que Gisèle avait eu une liaison avec Victor, avant d'épouser James ?

Sandra commençait à s'étouffer. Mme Baptiste lui versa du thé.

– Dès le début de leur mariage, j'ai découvert que Gisèle conspirait avec Victor. C'est d'ailleurs pour cela que je l'ai tuée.

C'est pire que dans Dallas *! Cette charmante vieille dame est tranquillement en train de m'annoncer qu'elle a assassiné sa bru.*

– J'ai pris du plaisir à la tuer, savez-vous. Je ne devrais pas le dire, mais c'est la vérité. Cette femme était diabolique. Elle méritait de mourir.

– Madame Baptiste, il faut que vous expliquiez tout cela à James.

Ainsi qu'à un prêtre. Sans oublier un bataillon de psychiatres.

Mme Baptiste balaya son conseil d'un revers de main.

– Depuis la mort de Gisèle, je récite un rosaire entier

par jour en guise de pénitence. Mais Dieu ne m'a pas encore pardonnée. Voilà pourquoi ce fantôme vient hanter Bayou Noir. Et voilà pourquoi je bois.

Sandra reposa sa tasse sur la table en fronçant les sourcils. Il lui semblait urgent de démêler le vrai du faux.

– Vous dites que vous avez tué Gisèle. Comment ?

– Je l'avais vue faire l'amour avec Victor. Mon devoir était de les empêcher de comploter contre mon fils et mon petit-fils.

– Vous n'avez pas répondu à ma question. Comment avez-vous tué Gisèle ?

– En l'empoisonnant, répondit la vieille dame, du ton le plus naturel qui soit. Ensuite, j'ai porté son corps jusqu'au bord du bayou, je l'ai jeté à l'eau et je l'ai vu commencer à couler...

– Ô mon Dieu !

– Mais son esprit fut recueilli par une silhouette sombre vêtue de noir. Je pense qu'il s'agissait du diable, ajouta-t-elle à voix basse en se signant.

– Madame Baptiste, confessez-vous à James. Il le faut.

– Non ! James se sentirait encore plus coupable qu'aujourd'hui.

Sandra ne comprenait pas pourquoi James se sentirait coupable des actes de sa mère.

– Cette nuit-là, ils s'étaient violemment disputés, expliqua Mme Baptiste pour éclairer sa lanterne. Ça leur arrivait fréquemment, du reste. Je suis même persuadée qu'ils faisaient chambre à part depuis longtemps. Si James apprenait ce que j'ai fait, tel que je le connais, il ne pourrait pas s'empêcher de se considérer comme responsable de ce qui est arrivé.

Sandra récapitula mentalement tout ce qu'elle venait d'entendre.

– Vous voudriez donc que je vous aide à tuer un fantôme ?

Mme Baptiste pouffa comme une collégienne.

– Oh ! ce n'est pas un vrai fantôme, bien sûr. Vous vous en doutiez déjà, n'est-ce pas ?

– En effet.

– Je suis persuadée que Victor est derrière tout ça. Il cherche à tuer son frère. Et sans doute moi, par la même occasion. Le fantôme est probablement sa *placée*, la demi-sœur de Gisèle. Une dénommée Fleur.

– *La demi-sœur de Gisèle ?* s'étrangla Sandra qui commençait à avoir la migraine.

– Oui. Bien qu'elle soit quarteronne, elle ressemble trait pour trait à Gisèle. En plus foncé, bien sûr. Et sans les cheveux blonds. Victor est si pervers qu'il devait prendre plaisir à les avoir toutes deux dans son lit.

Sandra avait de plus en plus mal au crâne.

– Qu'attendez-vous exactement de moi ?

Mme Baptiste se pencha pour ramasser un petit réticule en tapisserie posé au pied de son fauteuil. Elle en tira une sorte de parchemin.

– Je vous le confie, ma chère, dit-elle en le tendant à Sandra. J'ai peur qu'il ne soit plus en sécurité avec moi. C'est ce que Victor et Gisèle ont cherché si longtemps... que Victor cherche toujours, d'ailleurs. Seul ce document, ou la mort de James, satisfera sa cupidité.

– De quoi s'agit-il ? demanda Sandra en dépliant le parchemin.

C'était un testament daté de 1810, signé Marie Verdon Edmunds et Jean-Paul Baptiste, et authentifié par le juge René Laporte. *1810*, relut Sandra. Donc, l'acte avait été rédigé peu de temps avant la naissance de James.

Pendant qu'elle lisait le document, Mme Baptiste expliqua :

– Je vous ai déjà raconté que Jean-Paul m'aimait. Quand j'ai découvert que j'étais enceinte et qu'il ne pouvait plus m'épouser, j'ai voulu rentrer en Angleterre, dans la famille de mon père. Jean-Paul m'a suppliée de rester. Il me promettait de pourvoir au confort de l'enfant et au mien. Et même de nous donner une maison. Mais le plus important était ce testament, qu'il rédigea devant moi. Au jour de son décès, la moitié de sa fortune reviendrait à notre enfant.

La vieille dame désigna du doigt le bas du document.

– Lisez attentivement le codicille. Il précise que ce testament ne pourra en aucun cas être révisé, afin de ne pas spolier James.

– Voilà pourquoi Victor cherche à s'en emparer.

– Oui. Pour le détruire.

– Et Jean-Paul ?

Mme Baptiste haussa tristement les épaules.

– Il a changé d'avis pour la pension et la maison – à supposer qu'il ait jamais eu l'intention de tenir parole. Un jour, il m'a même demandé de lui rendre le testament, pour qu'il soit plus en sécurité. En sécurité ! Les hommes s'imaginent toujours que les femmes n'ont pas de cervelle !

– Pourquoi ne l'avez-vous pas donné à James ?

– Parce qu'il l'aurait déchiré ! Il ne veut rien recevoir de son père.

– Alors, pourquoi le garder ?

– J'ai trop souffert. James aussi, a trop souffert. Il mérite de toucher cet argent, dit-elle en désignant à nouveau le parchemin.

– D'accord. Supposons que je cache ce testament. A quoi cela vous avancera-t-il, puisque James me renvoie dès dimanche et que...

– Nous ne laisserons pas James vous renvoyer, répliqua Mme Baptiste avec assurance.

– Cela ne résout pas le problème du fantôme.

– Oh, ça c'est très simple, ma chère, répondit la vieille dame, tout sourires. Nous allons lui tendre un piège...

Doux Jésus !

– ... en nous servant de la sorcellerie vaudoue.

Sainte mère de Dieu !

A peine Sandra venait-elle de quitter les appartements de Mme Baptiste que James l'intercepta sur la galerie et l'immobilisa violemment contre le mur.

– Que vous voulait ma mère ?

– Lâchez-moi, James. Vous me faites mal.

Il la relâcha mais appuya ses deux mains contre le mur, l'emprisonnant entre ses bras.

Au même moment, Mme Baptiste passa la tête par l'une de ses fenêtres.

– Ah, c'est toi, James ! Je vois que tu as trouvé Sandra.

Interprétant délibérément sa posture agressive comme une manifestation de tendresse pour la jeune femme, elle ajouta en souriant :

– Je compte sur toi pour assister au dîner avec ta fiancée, ce soir. Je n'ai pas souvent eu la joie de te voir, ces derniers temps.

James n'eut pas le temps de protester : sa mère avait déjà refermé la fenêtre.

– Vous avez raconté à ma mère que nous étions fiancés ?

– Non, répliqua Sandra en se dégageant. Personnellement, je n'ai jamais dit à quiconque que nous étions fiancés. Ce n'est pas votre cas, il me semble ?

Manifestement vexé, il lui prit la main pour l'entraîner vers la bibliothèque.

– J'aime quand vous me tenez la main, murmura Sandra.

Il lâcha aussitôt sa main.

Elle sourit.

Il fronça les sourcils.

Sandra s'amusait beaucoup.

James, pas du tout.

– Savez-vous ce que j'aimerais encore plus ? demanda-t-elle.

– Non, et je ne veux pas le savoir.

Il la poussa dans la bibliothèque et referma la porte derrière lui.

– Allons-nous faire l'amour sur votre bureau ?

Il écarquilla les yeux, puis secoua la tête, comme s'il cherchait à chasser les visions érotiques nées de sa question.

– Que complotez-vous avec ma mère, Sandra ? C'est une femme fragile. Je ne veux pas que vous la mêliez à vos intrigues.

– Mes intrigues ? Laissez-moi vous dire une chose, James : votre mère est beaucoup plus forte que vous ne l'imaginez. Et pour ce qui est des intrigues, elle se passe très bien de moi.

– Que voulez-vous dire ? J'espère qu'elle ne vous a pas parlé du testament de mon père ?

Sandra croisa les bras et s'enferma dans un silence buté.

– Si elle m'avait confié ce fichu papier, je l'aurais volontiers rendu à Victor. Et aujourd'hui, je serais sans doute débarrassé de toutes ces histoires de fantômes et de sabotages.

– Des sabotages ?

– Il y a quelques semaines, le moulin a été endommagé. La nuit dernière, on a tenté d'incendier une partie des cultures.

Sandra serra entre ses doigts le parchemin dissimulé au fond de sa poche.

– James, croyez-vous réellement que Victor arrêterait de vous harceler s'il récupérait ce document ?

– Non, concéda James. Victor ne s'arrêtera que lorsqu'il m'aura vu mort. Mais je n'ai pas l'intention de lui donner cette satisfaction. J'ai décidé de placer chaque nuit des gardes en différents endroits de la plantation. Je leur fais confiance pour se montrer vigilants. Ni vous, ni Etienne, ni ma mère ne craignez plus rien.

Mais vous, James ? Qui va vous protéger ?

– Malheureusement, ces veilleurs seront autant de bras en moins dans les champs. Le jour, il faudra bien qu'ils dorment, reprit-il. Mais il était nécessaire de... Pourquoi me regardez-vous comme ça ?

Sandra ne put retenir une larme, qui roula sur sa joue. Il avait tant de soucis et de responsabilités... si seulement il acceptait de la laisser l'aider ! Après tout, c'était peut-être possible... indirectement. En suivant le plan de Mme Baptiste.

– Je ne veux pas de votre pitié, lâcha-t-il, se méprenant sur ses larmes.

– Ce n'est pas de la pitié.

Elle avança d'un pas vers lui. Il recula d'autant.

– Je ne veux pas non plus de vous, Sandra.

Elle éclata de rire. Le genre de rire sensuel dont Eve avait dû user juste avant de tendre la pomme à Adam.

– Moi, j'ai envie de vous.

– Ne soyez pas ridicule, Sandra. Je viens de vous demander de ne plus importuner ma mère jusqu'à votre départ et vous me regardez comme si j'étais...

– ... un beignet ? (Elle arqua les sourcils.) Savez-vous comment j'aime les déguster ? D'abord, je lèche le sucre qui les recouvre. Avec des petits coups de langue. Ensuite...

James la regardait, éberlué.

– Ensuite, je mords dedans, à petites bouchées.

Il secoua la tête.

– Vos petits jeux ne m'amusent plus, Sandra. Je vous demande à nouveau de laisser ma mère en paix. Mes problèmes avec Victor ne vous regardent pas.

Tout en parlant, il s'était rapproché de la porte, qu'il ouvrit. Mais au moment de sortir, il s'arrêta pour ajouter :

– Et faites attention où vous mettez vos dents. Tous les beignets ne sont pas aussi tendres.

16

– Je n'ai jamais rien entrepris d'aussi insensé de ma vie, marmonna Sandra.

Elle suivait Iris qui les conduisait sur un chemin boisé s'enfonçant derrière la maison.

– Chuut ! lui intima Mme Baptiste, dans son dos. Il ne faut pas alerter les gardes placés par James.

Les trois femmes portaient chacune une chandelle pour éclairer leur chemin. James s'était absenté, dans l'après-midi, pour se rendre chez un planteur du voisinage, et il ne devait rentrer que le lendemain matin. Mais avant de partir, il avait doublé les rondes. Ce qui rendait leur escapade plus périlleuse. D'autant que l'imminence d'un orage les obligeait à presser le pas. Sachant que le « fantôme » apparaissait toujours les nuits d'orage, Mme Baptiste avait déclaré que toutes les conditions étaient réunies pour que leur plan soit couronné de succès.

– Cessez de trembler comme une feuille, ma chère. Nous n'avons rien à craindre d'une célébration vaudoue.

– Pourquoi êtes-vous persuadée que nous réussirons mieux que James à attraper ce fantôme ? redemanda Sandra, bien qu'elle eût déjà longuement disputé ce point avec Mme Baptiste depuis la fin de l'après-midi. A part le fait que nous ressemblons, nous aussi, à des fantômes ?

Toutes trois portaient en effet une robe ample et un voile noir sur la tête, destiné à masquer leur identité. Iris leur avait expliqué que c'était la tenue habituelle des participants à un rite vaudou.

– Tout simplement, ma chère, parce que James ignore l'endroit où se déroulent ces cérémonies, expliqua Mme Baptiste. C'est l'unique secret que les esclaves ne révèlent jamais à leur maître. Même sous la menace.

– Alors, pourquoi Iris nous montre-t-elle le chemin ?

– Parce qu'elle est persuadée que vous possédez « les pouvoirs ».

– Moi ?

– N'étiez-vous pas une sorte de prêtresse, à votre époque ?

– Certainement pas.

Après un instant d'hésitation, elle ajouta :

– En tant que chrétienne, je me demande même si j'ai raison de me rendre à un culte païen.

– Qu'est-ce qui vous en empêcherait ? Une grande partie du rituel vaudou s'inspire des anciennes traditions chrétiennes.

Sandra renonça à argumenter. Elles avaient déjà parcouru deux bons kilomètres depuis la maison. A mesure qu'elles s'enfonçaient dans les bois, l'appel lancinant des tambours se faisait plus pressant. Les grondements du tonnerre ajoutaient encore à ce climat oppressant. Sans oublier quelques éclairs, pour faire bonne mesure.

Iris leur avait expliqué que les tambours étaient disséminés en divers endroits afin d'égarer les intrus. Elle s'arrêta soudain au milieu du chemin.

221

– A partir de maintenant, vous ne devez plus parler, leur dit-elle. Quoi que vous voyiez.

Sandra et Mme Baptiste hochèrent la tête. La mère de James semblait très excitée par cette aventure, mais Sandra ne partageait pas son enthousiasme.

– Je vous préviens que si jamais nous assistons à un sacrifice humain, je rentre illico à la maison.

Ce qu'elle vit ensuite lui ôta toute envie de parler.

Une cinquantaine de personnes, vêtues pareillement d'une robe ample et d'un voile, étaient assemblées en cercle dans une petite clairière. La lumière dansante des chandelles projetait des ombres fantastiques sur les assistants en proie à une transe hypnotique, rythmée par le son des tambours. Un homme interpellait tout haut un esprit – ou un dieu – qu'il nommait « Grand Zombie » et qu'il appelait à descendre sur l'assistance. Sandra supposa que l'homme était un prêtre vaudou : sa robe était brodée de signes étranges.

Iris les conduisit jusqu'à la partie la plus sombre du cercle. Sandra s'assit en frissonnant.

Pendant que le prêtre poursuivait ses incantations dans un langage hermétique, une femme, vêtue de la même robe que lui, apparut, un coffre de bois à la main. Elle posa le coffre par terre et en tira un long serpent tout noir.

Un serpent ! Sandra sentit son sang se glacer dans ses veines.

Puis la prêtresse se mit à onduler, à la manière du reptile qu'elle avait enroulé autour de son cou. Le serpent s'insinua sous ses bras, entre ses seins... Pendant que la femme continuait sa danse suggestive, les assistants buvaient à même un récipient rempli de tafia qu'ils se passaient entre eux. Enivrés par l'alcool, la musique et les fumigations, ils se mettaient à danser à leur tour, se lançant dans des corps à corps très sensuels.

Le prêtre dessina un large cercle sur le sol et invita tous les candidats à l'initiation à y entrer. Ils s'agenouillèrent dans le cercle et le prêtre les frappa avec une sorte de grande spatule en bois, puis il entonna un chant très rythmé, aussitôt repris en chœur par la foule des fidèles. Tout le monde dansait, à présent. Certains commençaient même à retirer leurs vêtements. Sandra s'aperçut alors que l'assistance comptait quelques Blancs.

Au plus fort de la cérémonie, un malheureux poulet qui piaillait de terreur fut placé sur un billot. D'un coup de machette, le prêtre lui trancha le cou, puis il recueillit le sang de l'animal dans un grand bol.

Après quoi, la prêtresse, totalement nue, rangea son serpent dans le coffre en bois, avant de plonger ses mains dans le bol pour s'enduire le corps du sang du poulet.

Sandra jugea qu'elle en avait assez vu.

Se tournant vers ses deux compagnes, elle remarqua que leur attention avait été attirée par un couple qui quittait discrètement le cercle pour se glisser dans les bois. L'homme, un Blanc qui avait gardé un masque sur le visage, vociférait aux oreilles de la femme. Il agitait une main menaçante chaque fois qu'elle semblait vouloir discuter ses ordres. Finalement, il la poussa sur le chemin de la plantation, avant de revenir vers le cercle des initiés. Vraisemblablement pour participer à l'orgie collective.

Sandra échangea un regard entendu avec ses deux compagnes. Elles avaient reconnu Victor et le « fantôme ». Elles se relevèrent aussitôt et s'éloignèrent du cercle pour faire le point.

– Je vais prendre un raccourci pour rentrer à la maison, chuchota Iris. Vous deux, suivez le fantôme. Mais gardez vos distances. Et assurez-vous que Victor ne marche pas sur vos traces.

Sandra et Mme Baptiste approuvèrent sa proposition.

– Rufus attend à l'endroit convenu, ajouta encore Iris, avant de disparaître dans les buissons. Dès que vous aurez atteint la maison, suivez le plan dont nous sommes convenues.

Sandra et Mme Baptiste se mirent en route. L'orage éclata presque au même moment, les trempant jusqu'aux os en moins de cinq minutes et leur coupant toute visibilité au-delà d'une vingtaine de mètres. Malgré tout, Sandra se retournait régulièrement, pour s'assurer que Victor ne les suivait pas. Elle avait beaucoup plus peur de lui que de n'importe quel « esprit » vaudou.

Elles atteignirent la maison sans avoir revu le « fantôme ». Aussitôt, chacune rejoignit le poste qui lui avait été attribué. Si le fantôme se révélait être Fleur, comme Mme Baptiste le soupçonnait, Sandra avait obtenu de ses complices qu'elles ne lui feraient pas de mal. Elles se contenteraient de faire parler la jeune quarteronne.

Mme Baptiste se faufila dans la cuisine, où Iris et Poupie l'attendaient déjà. Elles s'étaient armées de deux énormes rouleaux à pâtisserie.

De son côté, Sandra se rendit à l'étage, où Rufus montait la garde avec un fusil devant la chambre d'Etienne, au cas où Victor se serait montré pendant leur absence. Sandra s'assura que toutes les portes étaient verrouillées, sauf une, pour éviter que le fantôme ne dispose de plusieurs issues de secours.

Satisfaite de son examen, elle s'apprêtait à rejoindre Rufus quand, du haut du palier, elle aperçut un rai de lumière sous la porte de la bibliothèque.

Elle ôta ses chaussures pour faire moins de bruit, descendit l'escalier à pas de loup et traversa le hall, s'emparant au passage d'un parapluie qu'elle garda fermé.

Le parapluie brandi à bout de bras, elle entra par surprise dans la bibliothèque et resta une seconde clouée sur le seuil. Le « fantôme » versait une poudre blanche dans la bouteille de whisky de James.

Du poison !

Le fantôme poussa un cri de surprise, lâcha le sachet de poudre et tira un poignard de sa poche. Mais au lieu de bondir sur Sandra, le spectre recula en tremblant.

– Est-ce vous, Fleur ? demanda Sandra, en abaissant son « arme ».

La main qui tenait le poignard trembla de plus belle et le « fantôme » éclata en sanglots.

– N'ayez pas peur, Fleur. Je ne vous veux aucun mal. Lâchez cette arme, que nous puissions nous expliquer.

Sandra s'approcha et prit le poignard des mains de Fleur, qui n'opposa aucune résistance. Puis elle releva son voile et l'invita à s'asseoir sur un fauteuil.

– Oh, je ne voulais pas faire ça, mademoiselle, se lamenta la jeune fille. C'est Victor qui m'y a contrainte. Pardonnez-moi ! Il va me tuer, quand il saura que j'ai échoué...

Juste à l'instant où Sandra allait répondre, elle entendit un bruit mat en provenance de la cuisine, aussitôt suivi d'un formidable juron proféré par une voix masculine.

– Nom de... ! Qui m'a fichu un coup de gourdin sur la tête ?

Sandra crut d'abord – espéra, plutôt – qu'il s'agissait de Victor.

Mais c'était James, qui rentrait plus tôt que prévu.

A en juger par la bordée de jurons qui suivit, elle devina sa fureur.

– Etes-vous devenus fous, dans cette maison ? criait-il. Pas besoin de chercher qui est derrière tout ça ! Où est Sandra, que je l'étrangle ?

Déjà, il montait l'escalier...

Une heure plus tard, James avait obtenu tout ce qu'il était possible de tirer de la malheureuse Fleur. Elle avait reconnu avoir été envoyée par Victor pour empoisonner son whisky mais, aussi incroyable que cela parût, elle avait juré ses grands dieux que c'était la première fois qu'elle jouait au fantôme à Bayou Noir. Autrement dit, quelqu'un d'autre avait tenu ce rôle les fois précédentes.

James pouvait difficilement blâmer la jeune fille : malgré ses protestations – dont Sandra et sa mère avaient été témoins, dans la clairière –, elle n'avait aucun moyen de résister à son maître. Sinon, il l'aurait tuée.

Cependant, James était convaincu que Fleur détenait un terrible secret qu'elle n'osait pas avouer. Son regard fuyant et ses yeux terrifiés trahissaient sa gêne. Mais elle avait refusé d'en dire davantage.

Finalement, James avait demandé à Fergus de la conduire dans une cachette connue d'eux seuls, pour éviter que Victor ne la retrouve. Il avait l'intention de reprendre l'interrogatoire le lendemain. D'ici là, la jeune quarteronne se serait peut-être décidée à parler.

Ce problème momentanément réglé, James se tourna vers les quatre autres coupables – Sandra, sa mère, Iris et Rufus –, alignés derrière la table de la cuisine comme des enfants en pénitence, pendant que Poupie, qui figurait également au banc des accusés, préparait du café et des beignets. Pour elle, rien n'était plus dramatique qu'un ventre vide.

S'il ne s'était pas retenu, James aurait volontiers frappé tout ce petit monde pour le punir de son inconscience. Sandra était la moins pardonnable du lot : elle savait pertinemment qu'elle n'aurait pas dû exposer les autres femmes au danger. Mais elle ne semblait pas éprouver la moindre culpabilité : elle regardait les beignets posés au milieu de la table d'un œil si gourmand que James s'en serait volontiers amusé, s'il avait été moins furieux.

Sa mère gardait obstinément le silence, oubliant même de se plaindre de la fraîcheur nocturne et de ses vêtements trempés.

– Iris, allez aider ma mère à se sécher et à se mettre au lit. Rufus, tu vas retourner prendre ton tour de garde, dehors. Nous nous expliquerons demain matin. Vous devez déjà vous douter que je ne peux pas accepter que mes esclaves complotent contre moi.

Les deux intéressés baissèrent piteusement la tête, mais Sandra vola à leur secours :

– Contre vous ! Mais, nom d'un chien, vous n'avez pas compris qu'ils cherchaient à vous aider !

Tout le monde sembla stupéfait qu'elle le rabroue aussi vertement – excepté Mme Baptiste, dont les yeux bleus brillèrent de satisfaction. James serra les dents. De quel droit Sandra se permettait-elle de discuter ses ordres ?

Il l'attrapa par la manche et l'entraîna hors de la cuisine, pour ne pas la réprimander devant les autres. A moins... qu'il ne préfère l'embrasser, tant il était soulagé de la savoir toujours en vie. Se doutait-elle seulement du danger qu'elle avait couru ?

– Ne vous avisez pas de punir Iris, ni Rufus, pour avoir aidé votre mère... je veux dire, pour m'avoir aidée, lui intima-t-elle alors qu'ils s'enfermaient dans la bibliothèque.

– Dois-je comprendre que ma mère serait l'instigatrice de ce traquenard stupide ?

Sandra s'en voulait d'avoir aussi étourdiment avoué la vérité.

– Non, mentit-elle, c'était mon idée. Et elle n'était pas stupide. Mon plan aurait parfaitement fonctionné si vous n'étiez pas rentré plus tôt que prévu. D'ailleurs, il a fonctionné, puisque le « fantôme » est tombé entre nos mains. Pourquoi êtes-vous revenu en pleine nuit ?

– Cela ne vous regarde pas. Mais sachez que j'avais mon propre plan pour capturer Fleur *et* Victor. Après votre coup d'éclat de cette nuit, ce n'est plus la peine d'y penser.

Il voulut se servir un verre de whisky, mais se souvint à temps que la bouteille était empoisonnée. Il ressortit sur la galerie pour en vider le contenu par-dessus la balustrade.

Quand il revint dans la pièce, il fut saisi par l'allure de Sandra.

Ses cheveux, aplatis par la pluie, continuaient de pleurer de fines gouttelettes d'eau qui ruisselaient sur son visage et son cou. Sa robe, pareillement trempée, lui collait à la peau en soulignant les rondeurs de ses seins et de ses hanches. Ce pauvre petit chaton mouillé et transi était diablement attirant. Cependant, James sentit sa gorge se nouer en voyant deux larmes briller aux coins de ses yeux. Sandra avait passé une soirée éprouvante et il devinait qu'elle mourait d'envie de se jeter dans ses bras pour obtenir un peu de réconfort.

Au lieu de céder à son propre désir de la serrer contre lui, il ouvrit le tiroir de son bureau et en tira une petite clé avec laquelle il ouvrit le meuble où était enfermée sa réserve d'alcool. Il prit une nouvelle bouteille de whisky, remplit deux verres et lui en tendit un.

– Buvez ça, dit-il un peu rudement. Ça vous réchauffera.

Sandra ne cilla pas, malgré sa brusquerie. Elle accepta le verre et s'installa dans un fauteuil.

– Où avez-vous conduit Fleur ?

N'obtenant pas de réponse, elle insista :

– Est-elle au moins en sécurité ?

Il hocha la tête.

– Pensez-vous que Victor tentera de la récupérer ?

– Sans aucun doute. Moins parce qu'il tient à elle que parce qu'il estimera que je lui ai dérobé quelque chose lui appartenant.

C'était pitoyable, mais Sandra savait qu'il avait raison.

– Comptez-vous lui tendre un piège ?

– Uniquement s'il passe lui-même à l'offensive. Lâche comme il est, ça m'étonnerait.

Sandra se sentait tout à coup très lasse.

– Cette histoire finira-t-elle un jour ?

– D'une façon ou d'une autre, oui.

James était résolu à provoquer une franche explication avec son frère. Mais Sandra n'avait pas besoin de le savoir.

– James... la cérémonie vaudoue de ce soir était très... étrange. Je n'avais jamais assisté à quelque chose d'aussi surprenant. Pour ne pas dire diabolique. Et vous ?

– Si. Plusieurs fois, même. A Saint-Domingue. Les rituels ne sont pas toujours aussi outrés. La plupart du temps, ils ressemblent à ceux de la chrétienté.

– Votre mère dit la même chose.

Il en resta un moment sans voix, comme s'il décou-

229

vrait soudain que sa mère n'était pas la fragile porcelaine qu'il s'imaginait.

– Racontez-moi ce que vous avez vu.

Après une nouvelle rasade de whisky, Sandra lui narra en détail leur aventure de la soirée.

– Ce poulet, ce n'était pas Bob, par hasard ? demanda James, plein d'espoir.

Sandra éclata de rire. Leurs regards se croisèrent et ils partagèrent un moment d'hilarité qui laissa à James un goût d'amertume. Il vida son verre et s'en resservit un second pour se redonner du courage.

– Si vous rendiez le testament à votre père, pensez-vous que cela dissuaderait Victor de continuer ses manigances ? demanda Sandra.

– J'en doute. A mon avis, plus personne n'est capable de raisonner mon frère. Sa cupidité confine à la démence. Il me jalouse d'une manière qui m'a toujours étonné.

– Son attitude aurait-elle un rapport avec Gisèle ?

– Qu'est-ce qui vous fait penser ça ?

– Eh bien... votre mère croit savoir que Gisèle et Victor avaient une liaison... avant votre mariage. Vous m'avez vous-même raconté que vous aviez connu votre femme par l'intermédiaire de Victor.

– Ma mère vous a dit ça ? J'ai l'impression qu'il est grand temps que j'aie une discussion avec elle. Mais vous avez raison. Je soupçonne Victor d'avoir aimé Gisèle. Seulement, notre père n'aurait jamais consenti à leur mariage. Avec le recul, j'aurais pourtant préféré qu'il en soit ainsi.

Il voyait bien que Sandra l'écoutait en le dévorant des yeux. Elle le désirait. Lui aussi, la désirait. Mais à quoi bon ? Leur relation était sans issue.

– Demain, nous sommes jeudi, reprit-il. Dimanche prochain, vous partirez avec les Collins. Les événements de cette nuit ont achevé de me convaincre qu'il valait mieux que vous quittiez Bayou Noir. Votre sécurité me préoccupe, quoi que vous en pensiez.

– Oui. Je sais que vous tenez beaucoup à moi.

– Je n'ai pas dit ça, rectifia-t-il immédiatement.

Elle croisa son regard.

– Je sais que vous tenez à moi, insista-t-elle avec conviction.

– Ne me poussez pas à bout, Sandra.

– Vous avez peur de me toucher, James. Car vous redoutez de ne plus pouvoir vous arrêter.

Il s'esclaffa.

– Vous vous imaginez pouvoir « m'allumer » aussi facilement ? Vous vous trompez, chérie.

Sandra haussa les épaules de lassitude.

– James, quand donc cesserez-vous de combattre vos sentiments ? Vous vous mentez à vous-même !

Après un dernier haussement d'épaules, elle préféra se réfugier dans sa chambre pour tenter d'oublier ses tourments dans le sommeil.

– J'avoue que je tiens à toi, murmura James en vidant son deuxième verre de whisky. Je tiens *énormément* à toi.

Le lendemain après-midi, Sandra avait rassemblé sa jeune classe sur la pelouse, devant la maison. Ses élèves manifestant toujours la même soif d'apprendre, elle avait rajouté quelques exercices d'arithmétique à ceux de la matinée.

Le cours se déroulait à merveille quand, tout à coup, Sandra s'aperçut que ses élèves ne l'écoutaient plus et regardaient avec effroi derrière son dos.

Elle se retourna aussitôt.

Un bateau venait d'accoster à l'embarcadère, avec à

son bord Jack Colbert, le contremaître de Jean-Paul Baptiste. Sandra le reconnut à sa grande moustache : elle se souvenait que James lui avait montré Colbert du doigt, le jour de la vente aux enchères, à l'hôtel.

Le contremaître et deux autres hommes à la mine patibulaire bondirent sur le ponton. Ils tenaient en laisse une demi-douzaine de molosses qui montraient leurs dents en aboyant férocement. L'Affreux, qui faisait sa sieste à côté des enfants, se réveilla en sursaut. Il ouvrit tout grands ses yeux de chien, le temps de prendre la mesure du danger, avant d'adopter la seule attitude qui s'imposait : courir se réfugier à la cuisine, dans les jupes de Poupie.

– C'est une patrouille qui pourchasse les esclaves en fuite, expliqua Etienne à Sandra.

Colbert et ses deux acolytes couraient derrière les chiens, qu'ils parvenaient à grand-peine à maîtriser. La cruauté du contremaître se lisait sur son visage, et aussi à la façon dont sa main serrait le fouet dont il ne se séparait jamais.

– Où est cette garce de Fleur ? demanda-t-il à Sandra, sans préambule.

– Quoi ?

– Vous savez très bien de qui je veux parler. Ne mentez pas.

Sandra redressa fièrement le menton.

– Vous vous trouvez sur une propriété privée, monsieur Colbert. Vous n'avez aucun droit de poursuivre Fleur chez M. Baptiste.

Colbert cracha par terre avec une moue méprisante.

– Donc, cette garce se cache bien ici. Laissez-moi vous dire une chose, ma petite, menaça-t-il en détachant soigneusement ses mots. Vos faux papiers ne vous serviront pas éternellement. Tout le monde sait que vous avez du sang noir dans les veines. Vous ne valez pas plus que Fleur, et un jour ou l'autre vous finirez comme elle.

Il regarda les enfants d'un air dédaigneux.

– Que faites-vous avec ces mioches ?

– Je vous présente mes élèves, monsieur Colbert, dit Sandra en le toisant du regard.

– Elle fait l'école aux nègres ! s'exclama l'un des deux acolytes de Colbert. Ça va faire du bruit quand ça va se savoir ! Baptiste ne se contente pas d'affranchir ses esclaves. Il faut qu'il leur donne une éducation !

Sandra ignora la remarque de l'homme.

– Je vous suggère d'attendre ici, monsieur Colbert, dit-elle au contremaître. Je vais envoyer quelqu'un chercher M. Baptiste. Je ne pense pas qu'il souhaitera vous recevoir à l'intérieur.

– En effet, confirma James d'une voix glaciale.

Sandra se retourna. James arrivait des champs, avec Fergus et une dizaine d'esclaves. Tous étaient solidement armés.

D'un signe de la tête, il invita Sandra à éloigner les enfants. Elle regagna aussitôt la maison, confiante sur la suite des événements. Même avec leurs chiens, Colbert et ses deux acolytes ne feraient pas le poids.

La dureté de cette époque la terrifiait. Lire dans un livre d'histoire le récit de telles persécutions était une chose. Y assister pour de vrai en était une autre. Sandra était révoltée par le sort de ces pauvres esclaves, traqués comme du gibier. Mais ses émotions étaient contradictoires. D'un côté, elle aurait voulu rejoindre James et affronter Colbert à ses côtés. De l'autre, elle regrettait le calme et la tranquillité de son ancienne existence new-yorkaise. Malheureusement, elle savait que si, demain, elle retournait en 1996, elle n'y serait plus aussi heureuse qu'avant, dès lors qu'elle serait séparée de James. Pas plus qu'elle ne serait heureuse en restant dans ce siècle, si elle ne vivait plus à Bayou Noir.

Il lui restait trois jours pour convaincre James de ne pas la bannir chez les Collins. Sandra ignorait totalement comment s'y prendre, mais se doutait qu'elle aurait besoin d'appuis. Aussi une idée germa-t-elle dans son esprit, quand elle entra avec les enfants dans la cuisine, où plusieurs servantes discutaient déjà avec Poupie de l'arrivée de la patrouille.

– Les enfants, j'ai une nouvelle à vous annoncer, dit-elle, suffisamment fort pour que tout le monde l'entende. Nous n'avons plus classe que pendant trois jours. M. Baptiste me renvoie dimanche.

Aussitôt s'éleva un concert de protestations. Etienne se montra le plus véhément.

– Ce n'est pas possible ! s'exclama-t-il avec colère. Mon père ne ferait jamais une chose pareille. Vous mentez ! ajouta-t-il, avant de monter s'enfermer dans sa chambre, les larmes aux yeux.

Le chagrin du gamin culpabilisa Sandra. Cependant, la réussite de son plan lui interdisait de céder à ses émotions.

– Iris, continua-t-elle, tu t'assureras que la remise en état de la maison sera achevée d'ici dimanche. Tu préviendras aussi Mme Baptiste que je souhaite m'entretenir avec elle de mon départ. (Elle se tourna vers la cuisinière :) Poupie, nous allons vérifier que notre répartition par équipes fonctionne comme nous le souhaitons. Je veux que tout reste en ordre, même quand je ne serai plus là.

Poupie semblait soudain dépassée par les événements.

– Le maître a perdu la tête. C'est sûr.

Pendant les trois jours qui suivirent, James eut la désagréable impression d'être un pestiféré sous son propre toit.

Sandra avait rallié à elle toute la maisonnée en annonçant qu'elle devait partir chez les Collins. La manœuvre était sans doute délibérée de sa part. Elle avait en tout cas parfaitement réussi son coup : tout le monde – sa famille comme les esclaves et les domestiques – témoignait à James une sourde hostilité.

Etienne était le plus féroce.

– Pourquoi la renvoies-tu ? ne cessait-il de répéter. Je n'avais jamais eu une aussi bonne maîtresse. Tu es méchant, papa. Je te déteste !

Jusqu'à Poupie, qui se montrait mordante à son égard :

– Il faut que vous ayez perdu la tête pour prendre une décision aussi stupide. Voui-voui-voui ! Je sais de quoi je parle ! Vous n'avez qu'à regarder autour de vous. Tout le monde aime cette petite.

Rebecca et Fergus lui disaient à peine bonjour, quant à sa propre mère, elle ne lui adressait plus la parole et il craignait qu'elle n'ait recommencé à boire.

Arrivé au dimanche matin, James se sentait très misérable. Mais il était toujours résolu à éloigner Sandra de la plantation.

17

James n'avait pas prévu que les Collins n'arrive-
raient pas seuls. Pierce – le frère d'Andrew – les accompagnait.

Pierce vivait dans l'Ouest, où il escortait les convois
des pionniers. Il était venu passer quelques jours de
vacances chez son frère et sa belle-sœur.

Et James commençait à se demander si placer Sandra chez les Collins était une bonne idée.

D'abord parce que Pierce Collins était célibataire.

Ensuite, parce que toutes les femmes étaient attirées
par sa réputation d'aventurier comme des chatons par
un bol de lait.

D'ailleurs, Sandra ronronnait pratiquement devant
lui – comme sa mère, du reste – en l'écoutant raconter
une histoire où il était question de prairie, de bisons et
d'Indiens.

– Voilà James ! s'exclama Andrew en se levant de
son siège, aussitôt imité par Pierce.

Âgés d'environ trente ans, les deux frères avaient les
cheveux châtain clair et les yeux marron. Mais leur
ressemblance s'arrêtait là.

Andrew, endurci par de longues heures de travail
dans les champs de canne à sucre, avait une silhouette

plus massive que Pierce. Celui-ci portait en outre la moustache. Et il arborait en toutes circonstances – surtout devant les dames – un sourire ravageur. *Il doit s'entraîner devant son miroir !* pesta James. *Si jamais il fait ce numéro à Sandra, je l'étrangle.*

Pierce lui donna l'accolade.

– Comment vas-tu, mon vieux James ? Voilà au moins trois ans que nous ne nous étions pas vus. Au fait, j'ai appris, pour Gisèle...

James reçut ses condoléances, puis il serra la main d'Andrew et s'inclina poliment pour baiser celle d'Ellen. Habillée dans des tons de rose et de blanc, elle ressemblait à une délicieuse confiserie.

– Ellen, vous êtes toujours aussi ravissante !

Sandra le fusilla du regard.

James supposa que la blondeur d'Ellen n'était pas étrangère à sa fureur. Il décida de pousser le compliment.

– Votre nouvelle coiffure vous va à ravir, ma chère. J'imagine que tout le Sud envie la couleur de vos cheveux. C'est bien simple : on dirait de l'or pur.

Rose de confusion, Ellen se cacha le visage derrière son éventail. A l'inverse, Sandra ressemblait à une lionne près de bondir. James s'approcha de sa mère pour l'embrasser.

– Je suis heureux de vous voir parmi nous, dit-il, sachant qu'elle avait annoncé qu'elle ne quitterait pas sa chambre de la journée.

– Assieds-toi, James, s'il te plaît. Tu me fais de l'ombre, répliqua-t-elle sèchement, en lui indiquant un fauteuil vacant à la gauche de Sandra.

Surpris par le ton de sa mère, James s'exécuta sans broncher, en songeant que le repas s'annonçait pénible. Au moment de s'asseoir, il remarqua la tenue de Sandra. Et manqua s'étrangler.

Elle portait une robe de soie vert jade – vraisemblablement prêtée par sa mère – qui la moulait comme une seconde peau. Le décolleté en V plongeait très bas entre ses seins et sa jupe révélait à chaque mouvement la forme parfaite de ses jambes. Alors qu'Ellen devait porter au moins cinq crinolines, Sandra n'en avait certainement pas plus d'une. Et encore...

– James, vous me regardez avec trop d'insistance, lui fit-elle remarquer à voix basse.

– Que portez-vous sous cette robe ?

Elle le défia un instant du regard, puis battit coquettement des cils.

– Rien.

Rien ? Elle n'oserait pas. Quoique... Elle en était bien capable !

Il secoua la tête, abasourdi.

– J'imagine que je marque un point ? murmura-t-elle sur un ton doucereux.

– Oh, vous en marquez même deux, concéda James.

Ainsi donc, elle le défiait ouvertement ! Il reporta son attention sur Ellen Collins, qui racontait les derniers exploits de ses deux filles, Célestine et Eglantine, âgées de cinq et six ans.

Etienne avait entraîné les deux fillettes dans la salle d'étude pour leur montrer son dessin représentant E.T. James redoutait un instant que son fils ne sache résister à l'envie de leur montrer du même coup des choses moins avouables – comme sa collection d'araignées, ou certaine partie de son anatomie.

Voyant qu'il gardait les yeux rivés sur Ellen, Sandra se pencha pour lui chuchoter :

– James, savez-vous ce que provoque une blonde...

– Sandra, ce n'est pas le moment !

– ... Une blonde qui tient deux grosses boules vertes dans ses mains ?

James ne put résister à la tentation du jeu.

– Je suppose qu'elle s'attire la cour assidue de toutes les grenouilles du quartier ?

Sandra resta un instant bouche bée.

– Non, ce n'est pas ça !

– Peut-être, mais la mienne est plus drôle, non ? Allez, je marque un point. Où en est le score ?

Il se détourna aussitôt pour demander à Andrew comment s'annonçait sa récolte, mais ce dernier donnait déjà son avis à Ellen et à sa mère au sujet des travaux de jardinage entamés par Rufus. Pendant ce temps, Pierce engagea la conversation avec Sandra. Son sourire accroché à sa moustache, il lui racontait ses exploits contre les Sioux.

Je déteste les moustaches, songea James. Il compta mentalement jusqu'à dix, pour s'obliger au calme, puis demanda abruptement :

– Quand repars-tu dans l'Ouest, Pierce ?

– Oh, je ne sais pas. Mon intention était de ne rester ici que quelques semaines, mais à présent...

Il haussa les épaules, le regard rivé sur le décolleté de Sandra.

– Je vais voir si Poupie nous a préparé des rafraîchissements, dit tout à coup cette dernière en se levant. Nous ne passerons pas à table avant une bonne heure.

– Je vous accompagne, proposa Pierce en se levant à son tour.

– Non !

Sandra et Pierce se tournèrent en même temps vers James.

– C'est moi qui accompagne Sandra. De toute façon, je dois prendre du whisky dans la bibliothèque, expliqua-t-il, furieux.

Pierce hocha la tête, pour montrer qu'il n'insisterait pas.

En passant devant lui, James le repoussa dans son fauteuil et lui chuchota :

– Si tu fais encore de l'œil à Sandra, je te les coupe !

Il entendit Pierce ricaner dans son dos.

– Que lui avez-vous dit ? demanda Sandra alors qu'ils rentraient dans la maison.

– Que son pantalon était déboutonné.

Sandra écarquilla les yeux.

– Ce n'est pas vrai !

– Qu'en savez-vous ? Vous l'avez regardé... à cet endroit ?

– Parfaitement, James, répliqua-t-elle du tac au tac. Et ce que j'ai pu voir m'a fort intéressée.

Elle eut le bon sens de se mettre à courir pour lui échapper.

– Raté, James. Je marque encore un point, le railla-t-elle en tournant le couloir.

Mais sa tête réapparut presque aussitôt à l'angle du mur, avec un sourire plus taquin que jamais.

– Comment sait-on qu'une blonde est vraiment vaniteuse ?

Il secoua la tête, interdit.

– Elle crie son propre nom au moment de jouir, répondit Sandra, avant de disparaître en laissant James pantois.

Aucune lady de sa connaissance ne se serait risquée à une plaisanterie aussi osée. Mais toutes les ladies qu'il connaissait l'ennuyaient. Alors que Sandra...

Pendant qu'il ouvrait sa réserve pour prendre une bouteille de whisky, Andrew et Pierce le rejoignirent dans la bibliothèque et refermèrent la porte derrière eux.

– Nous avons entendu des rumeurs alarmantes circuler sur ce qui se passe à Bayou Noir, déclara

Andrew, visiblement inquiet. Est-il vrai que quelqu'un cherche à te tuer ?

James leur raconta les manigances de Victor. Les deux hommes s'offrirent spontanément pour l'aider à tendre un piège au scélérat et le déférer devant la justice. James accepta avec reconnaissance. Andrew et Pierce se révéleraient sans doute fort utiles.

Quelques minutes plus tard, James apporta la bouteille de whisky dans la cuisine, où Poupie apprenait à Sandra à monter un sabayon.

– James, j'ai découvert une boisson fabuleuse. On dirait des beignets liquides !

Il s'approcha, piqué par la curiosité.

Sandra fouettait dans une jatte de la crème fraîche, du sucre et du cidre jusqu'à obtenir un mélange mousseux. Elle plongea un doigt dedans et le porta à ses lèvres avec un sourire extatique.

– Hmmm, c'est absolument divin ! soupira-t-elle, en replongeant aussitôt son doigt dans la mixture.

– Laissez-moi goûter, dit James en déviant son poignet.

– Quoi ?

Il amena le doigt de Sandra à sa bouche et lécha la mousse qui le recouvrait, son regard rivé sur le sien. A chaque coup de langue, Sandra était traversée de la tête aux pieds par un frisson électrique.

– Touché, James ! Cette fois, c'est vous qui marquez un point.

– Seigneur ! On dirait des chats en chaleur !

– Quoi ? s'exclamèrent-ils en chœur.

Ils avaient complètement oublié la présence de Poupie !

Confuse, Sandra recommença à fouetter sa crème. James paraissait amusé.

— Le sabayon est encore meilleur avec un peu d'alcool, assura-t-il en versant une bonne rasade de whisky dans la jatte.

— Mon Dieu ! soupira Poupie, les yeux levés au ciel.

Sandra disposa le sabayon et les verres sur un plateau qu'elle emporta vers la terrasse. James la suivit avec la bouteille de whisky et la limonade. Au moment de quitter la cuisine, il posa la main sur sa croupe.

— Bonté divine ! C'est vrai que vous n'avez rien en dessous !

Sandra l'aurait volontiers giflé, si elle n'avait pas eu les mains prises.

— Pas de scandale ! chuchota-t-il alors qu'ils rejoignaient leurs invités.

Mais lui-même ne paraissait pas disposé à suivre ce conseil.

— Sandra vous a-t-elle parlé de ses séances d'aérobic et de thérapie de groupe ? demanda-t-il à Ellen.

La femme d'Andrew, qui venait d'informer l'assemblée de son « état », se contenta d'une limonade.

— Non, elle ne m'a rien dit, répondit-elle en regardant Sandra servir du sabayon à Andrew, Pierce et Mme Baptiste, pendant que James se versait un solide whisky.

Le spectacle de cette assemblée sirotant paisiblement des rafraîchissements dans la douceur d'une belle journée printanière évoquait irrésistiblement à Sandra l'atmosphère d'*Autant en emporte le vent*. Tara avait dû ressembler à cette maison. Avant la guerre, bien sûr...

— Je suis impatiente de vous montrer la maison, reprit Ellen en s'adressant à elle. Je suis certaine que nous avons beaucoup de points communs. Savez-vous broder ?

Sandra secoua la tête.

– Seulement des histoires, commenta James.

Elle lui lança un regard noir.

– Alors, vous jouez du piano ? demanda encore Ellen.

Sandra secoua de nouveau la tête.

– Vous chantez, peut-être ?

– Pas davantage, avoua Sandra.

– Ce n'est pas tout à fait exact, Sandra, la corrigea James en terminant son verre. Devant vos élèves, je vous ai entendue fredonner des refrains amusants. Mon préféré, c'est *Be bop a Lula, she's my pretty*...

Ellen parut d'abord choquée. Sans doute s'interrogeait-elle sur l'opportunité d'offrir une telle gouvernante à ses deux filles. Pourtant, elle réussit à sourire, en vraie grande dame rompue aux mondanités.

– Ce n'est pas grave, ma chère. Nous vous trouverons bien quelques autres talents, dit-elle en se penchant pour lui tapoter le bras avec condescendance.

– Qu'est-ce que l'aérobic ? voulut savoir Pierce.

– Et la thérapie de groupe ? renchérit Andrew.

Avant que Sandra ait pu ouvrir la bouche, James se lança dans une explication caricaturale, avec force gestes pour décrire les exercices que Sandra enseignait à ses élèves. Plus il donnait de détails et plus Ellen devenait cramoisie. A la fin, elle secouait frénétiquement son éventail, comme si elle manquait d'air.

– Chérie, tu devrais peut-être te reposer un peu à l'intérieur avant de dîner, suggéra Andrew en gratifiant James d'un regard réprobateur.

– Oui, approuva Mme Baptiste, qui se leva pour les accompagner dans le salon. Il n'est pas bon qu'une femme dans votre état reste trop longtemps au soleil.

Au passage, elle lança, elle aussi, à James un regard mécontent.

– Elle a peut-être simplement trop serré son corset, lâcha Sandra, exaspérée de voir que tout le monde se mettait en quatre pour cette blonde.

Pierce ne semblait pas avoir compris.

– James a un penchant pour les blondes, reprit Sandra. Partagez-vous ses goûts, Pierce ?

– Oh, moi, je préfère les brunes, répondit-il avec un aplomb désarmant.

James rongeait son frein. Il se resservit un whisky.

– Connaissez-vous l'histoire de la blonde qui entre dans une taverne avec un canard sous le bras ? demanda Sandra à Pierce, en ignorant l'air menaçant de James. Non ? Eh bien, le patron lui dit : « On ne peut pas entrer avec une truie, ici. » Et la blonde répond : « Ce n'est pas une truie, c'est un canard. » Alors le patron réplique : « C'est pas à vous que je parlais. C'était au canard. »

Pierce éclata de rire.

– Ne l'encourage pas, le mit en garde James. Elle possède un répertoire inépuisable de plaisanteries du même acabit sur les blondes. Pierce va s'imaginer que vous êtes une femme facile, ajouta-t-il en se tournant vers Sandra.

– J'aime les femmes faciles, assura Pierce.

– Je ne suis pas facile, objecta Sandra.

– Mais vous allez finir par me rendre fou, répliqua James.

– Vous étiez déjà fou avant que j'arrive ici.

– Vous êtes toujours comme ça, tous les deux ? demanda Pierce, intrigué.

– Seulement quand nous sommes fatigués, répondit Sandra.

Tout le monde rit.

James fixait des yeux les lèvres de Sandra.

– Vous avez une moustache, lui fit-il remarquer.

– Ah ? (Elle toucha du doigt la mousse du sabayon qui s'était collée sous son nez.) Voulez-vous la lécher ?

A sa grande joie, elle vit James s'étrangler pratiquement avec son whisky.

Pierce se tapa les mains sur les genoux.

– Bon Dieu ! Je ne m'étais pas autant amusé depuis le jour où Effie Morgan avait lancé sa culotte dans un cotillon !

– Veux-tu bien nous excuser, Pierce ? dit James en entraînant Sandra par la manche. J'ai besoin de discuter... du menu de ce soir avec Sandra.

Avant qu'elle ait eu le temps de protester, Sandra se retrouva dans le petit salon. La tête lui tournait un peu, mais elle se sentait aussi légère que le sabayon qu'elle avait bu.

– Alors, vous allez lécher ma moustache ?

Sandra aurait pu jurer qu'elle l'avait choqué.

– Non, répondit-il d'abord, avant de se reprendre immédiatement : Si, peut-être.

Il s'approcha et Sandra comprit qu'il allait l'embrasser.

– Vous voulez me donner un baiser d'adieu ? demanda-t-elle d'une voix rauque.

En guise de réponse, il approcha ses lèvres des siennes jusqu'à les toucher. Sandra frissonna de la tête aux pieds. La simple chaleur de son corps agissait sur elle comme le plus redoutable des aphrodisiaques.

Il lécha sa lèvre supérieure, à petits coups de langue, comme un chaton lapant son lait, puis fit de même avec sa lèvre inférieure.

– Tu as un goût de bonbon, chérie.

Sandra s'entendit quasiment ronronner de contentement.

D'un geste prompt, James la plaqua contre lui et l'embrassa goulûment, comme un animal affamé.

Sandra lui rendit son baiser avec la même intensité, pour lui montrer à quel point elle le désirait. C'était peut-être leur dernière étreinte et elle voulait suspendre ce moment hors du temps.

– J'adore t'embrasser, chuchota-t-il en lui mordillant le lobe de l'oreille.

– J'aimerais qu'on ne s'arrête jamais.

James se raidit imperceptiblement. Tous deux savaient qu'il leur était interdit de rêver à un avenir commun. A défaut d'éternité, mieux valait savourer l'instant présent. Il recommença à lui mordiller le lobe de l'oreille.

– Tu aimes ça, chérie ?

– Oui. J'ai toujours eu les oreilles très sensibles.

Il rit, puis se mit à lui embrasser le cou et s'aventura jusqu'à son décolleté.

– Tu es superbe, Sandra.

– Ne vous avais-je pas dit que j'étais belle ?

Il rit encore.

– Qu'attends-tu de moi, Sandra ?

– Maintenant ?

James déglutit péniblement.

– Oui. Seulement maintenant.

– Je voudrais que vous m'embrassiez... là, répondit-elle, en baissant ses yeux sur ses seins.

James ne se le fit pas dire deux fois. Ecartant le décolleté de Sandra, il prit un téton dans sa bouche, le suçant et le mordillant tour à tour.

– Comme ça ? demanda-t-il en relevant les yeux.

– O-o-o-o-oh !

– Ça veut dire oui ?

– Oui. Oh oui !

Sandra se sentait chanceler sur ses jambes. Au moment où son deuxième sein subissait la même délicieuse torture, on frappa à la porte.

– Sandra, James... nous allons bientôt passer à table. Fergus et Rebecca nous ont rejoints. Venez, mes chéris.

– Votre mère n'aurait pas pu choisir plus mauvais moment, marmonna Sandra en rajustant sa robe.

– C'est sans doute mieux ainsi, répliqua James qui avait lui-même besoin de remettre de l'ordre dans sa tenue.

Sandra fronça les sourcils.

– Je n'ai pas dit que j'appréciais son interruption, corrigea-t-il.

Sandra se planta devant la glace, pour rectifier sa coiffure.

– Mon Dieu, quelle horreur ! s'exclama-t-elle. Vous m'avez fait un suçon !

– Où ça ?

Elle lui montra la marque, à la base de son cou.

– Là, regardez.

– En effet, constata-t-il, sans songer à s'excuser.

– Comment avez-vous pu me trouver belle, James ? Je suis horrible ! se désespéra-t-elle en voyant que tout son maquillage était à reprendre.

– Vous êtes belle à mes yeux, répondit-il simplement.

Pendant trois ans, Sandra s'était acharnée à vouloir plaire à David sans jamais le satisfaire. Et là, alors qu'elle n'était pas au mieux de son apparence, James lui disait qu'il la trouvait belle.

– Oh, James, vous êtes...

– Je suis quoi ?

– La réponse à mes rêves.

Il rit en la regardant dans le miroir.

– N'allons pas jusque-là.

18

L'atmosphère, tout au long du déjeuner, fut électrique, comme si un nuage porteur d'orage s'était arrêté juste au-dessus de la table. Et James semblait déterminé à le faire éclater – en tout cas, il s'y employait activement.

Sandra, jugeant qu'elle avait assez bu de sabayon, eut le bon sens de s'interdire tout alcool pendant le repas. Assis en face d'elle, James aurait eu grand intérêt à l'imiter.

– Désirez-vous un verre de limonade ? proposa-t-elle poliment.

– Non.

– Vous êtes sûr ?

– Oui, je suis sûr, Sandra. Je ne veux pas boire de limonade, je ne suis pas ivre et je n'ai pas besoin que vous me disiez ce que je dois faire.

– Mais...

James empoigna le centre de table, le vida des fleurs qu'il contenait, renversa l'eau sur le parquet et la remplaça par du whisky. Puis il porta le vase à ses lèvres et, en fixant Sandra droit dans les yeux, le but d'un trait.

D'abord, tout le monde le regarda comme s'il avait

perdu la tête avant de convenir, avec la plus parfaite hypocrisie mondaine, qu'il s'était simplement livré à une facétie amusante.

Mme Baptiste semblait s'amuser sincèrement du spectacle. Elle observait chacun des convives d'un air satisfait, comme si la journée se déroulait précisément comme elle l'avait espéré.

– J'ai reçu une lettre de ma mère, la semaine dernière, lui annonça Ellen juste avant le fromage. Elle raconte que M. Audubon vit maintenant à New York et qu'il fréquente les milieux artistiques.

– Tu as entendu, James ? demanda Mme Baptiste.

Elle se tourna vers Sandra, pour lui expliquer :

– Quand James était gamin, il se faisait un peu d'argent de poche en guidant M. Audubon dans les bayous lorsqu'il partait peindre ses oiseaux.

– Parlez-vous de John James Audubon ? demanda Sandra, stupéfaite.

– Oui. Pour remercier James, il lui a envoyé quelques dessins. Tu les as toujours, n'est-ce pas, mon chéri ?

James hocha la tête d'un air distrait, comme si cette conversation l'ennuyait.

– C'est incroyable ! s'exclama Sandra. Savez-vous que ces dessins valent une fortune ?

James secoua la tête.

– Cela m'étonnerait. Audubon n'avait rien d'un peintre génial. C'était un scientifique.

Son regard morne rappela à Sandra qu'ils n'appartenaient pas – et n'appartiendraient jamais – à la même époque. La gorge nouée, elle consulta la pendule de la cheminée. Il était déjà quatre heures. Combien lui restait-il de temps avant de partir chez les Collins ? Se poser cette question revenait à se demander pendant combien d'heures James ferait encore partie de sa vie.

Ses bagages – son vanity-case, ainsi qu'un sac contenant ses quelques vêtements, dont la précieuse robe de bal – attendaient près de la porte. Sandra avait même déjà dit au revoir à Etienne, Poupie, Iris et toute sa classe d'aérobic. Ravalant les larmes qu'elle sentait monter à ses yeux, elle s'efforça de rester digne.

– Parlez-nous de M. Audubon, James, demanda-t-elle.

– C'était un drôle de bonhomme, assez fou pour passer des heures et des heures simplement assis à contempler des oiseaux. Mais... je lui dois au moins une chose : c'est lui qui m'a fait découvrir le rituel nuptial des hérons.

Sandra déglutit péniblement. Comment osait-il lui rappeler ce moment d'intimité, juste maintenant ?

– Vous êtes cruel, James, chuchota-t-elle.

– *Moi ?* fit-il, en affectant la plus parfaite innocence. Maintenant que je vous ai parlé d'Audubon, si vous nous racontiez quelques plaisanteries sur les blondes ?

– Mais vous êtes fou, James !

Il la gratifia d'un sourire énigmatique.

– Oui, vous avez peut-être raison. Alors, vous ne voulez pas nous régaler de vos devinettes ? Quel dommage ! Je vais essayer de me souvenir de quelques-unes.

Pour la plus grande confusion de Sandra, il commença par expliquer à la tablée le principe des devinettes. Puis il donna quelques exemples. Rebecca pouffait derrière son éventail. Mme Baptiste affichait une mine de plus en plus réjouie. Seule Ellen ne semblait pas apprécier ces charges grossières et répétées contre les blondes.

– Comment sait-on qu'une blonde est vraiment vaniteuse ? demanda James.

– James ! se récria Sandra, indignée.

Elle n'aurait pas cru qu'il oserait raconter celle-là.

Ignorant sa protestation, James donna la réponse avec un sourire béat. Ellen agita frénétiquement son éventail, comme si elle allait encore manquer d'air, et son mari fusilla James du regard.

Sandra se leva d'un bond.

– Ça suffit comme ça, James ! Pourrais-je vous dire deux mots dans le hall ?

– Pourquoi ? Vous avez encore de la moustache ?

Sandra se sentit devenir cramoisie en voyant tous les regards converger vers sa bouche. Personne n'avait compris l'allusion, bien sûr. Sauf Pierce, qui partit d'un grand éclat de rire.

Dans le hall, James s'approcha pour la serrer contre lui, mais Sandra le repoussa vertement.

– Cessez, James. Arrêtez immédiatement !

– Arrêter quoi, chérie ?

Il la plaqua contre le mur et promena ses lèvres sur son cou.

– Veux-tu que j'arrête ça ?

Sandra sentit son corps la trahir.

– Oui... non... je veux dire, arrêtez de vous ridiculiser. O-o-oh !

– Tu n'aimes pas mes baisers ? demanda-t-il du ton de quelqu'un qui est blessé dans sa fierté.

Sandra était parcourue des pieds à la tête de délicieux frissons. Elle mourait d'envie de s'abandonner aux caresses de James. Mais c'était impossible. Leurs invités les attendaient dans la salle à manger... des invités avec lesquels elle quitterait tout à l'heure la plantation. Cette perspective la mettait au désespoir.

– Pourquoi pleures-tu, chérie ? demanda-t-il, sincèrement contrit. Je ne voulais pas te faire pleurer, tu sais.

Le comportement de James était décidément incompréhensible. Il la bannissait et, en même temps, semblait faire tout ce qui était en son pouvoir pour l'empêcher de partir.

— Ellen et Andrew n'accepteront jamais que je les suive si vous continuez de me dévaloriser à leurs yeux. Est-ce ce que vous souhaitez ?

Il se passa une main sur le front, comme s'il avait besoin de faire le point.

— Je ne sais plus très bien ce que je veux, avoua-t-il, mais... (son ton se fit soudain amer)... en revanche, je sais ce qui est le mieux pour nous deux. Retournez dans la salle à manger, Sandra. Je vous rejoins bientôt.

Elle hésita un instant.

— Vous me promettez de mieux vous conduire ?

— Je ne promets jamais rien, dit-il avec une grimace.

James revint à table au moment où l'on servait le dessert. Il semblait assagi et ne commenta même pas la disparition de sa bouteille de whisky. Il écouta Pierce raconter ses aventures dans l'Ouest en faisant mine d'être intéressé, mais la lueur malicieuse qui dansait dans ses yeux inquiéta Sandra.

Elle-même se sentait bouillir. D'une minute à l'autre, les Collins allaient prendre congé. Sandra devrait quitter Bayou Noir et tous les gens qu'elle y aimait – dont James. Elle dut faire un effort pour ne pas fondre en larmes.

— As-tu déjà entendu parler du Dr Ruth, dans tes voyages ? demanda soudain James à Pierce.

— Qui ça ?

— Le Dr Ruth, répéta James.

Sandra fut prise d'une violente quinte de toux.

— Elle vit dans l'Ouest ? interrogea Pierce en tapotant le dos de Sandra pour l'aider à reprendre son souffle.

James questionna Sandra du regard.

– A votre avis, Sandra ?

Sandra se servit un verre d'eau en haussant les épaules. Comment aurait-elle pu savoir où vivait le Dr Ruth Westheimer ? Elle ne l'avait jamais vue qu'à la télé.

– Le Dr Ruth a écrit beaucoup de livres, expliqua James.

– Comme Edgar Poe ? demanda Pierce.

James ne put retenir un sourire.

– Pas exactement. Le Dr Ruth s'intéresse à des sujets plus... pratiques. Sais-tu, Pierce, qu'à l'en croire les femmes apprécient énormément certaines choses qu'elles font semblant de mépriser ?

Il s'interrompit pour ménager son effet. Sandra en profita pour boire une gorgée d'eau.

– Notamment au lit...

Ellen piqua un fard et Sandra fut prise d'une telle quinte de toux qu'elle aspergea toute la tablée en recrachant son eau.

Je vais le tuer ! se dit-elle, mais en voyant James lui adresser un clin d'œil, elle ne put s'empêcher de sourire du tour inattendu qu'avait pris ce repas dominical.

Dès que le café fut servi, Andrew quitta sa chaise. Sandra se raidit instantanément.

– Nous n'allons pas tarder à partir, dit-il à l'intention de sa femme. Je vais prévenir les filles et préparer le bateau.

Ellen hocha la tête.

Sandra se sentit prise de panique. Elle dut faire appel à toute sa raison pour ne pas éclater en sanglots.

– Je suppose que vous pensez que je vous aime ? fit brutalement James en se tournant vers elle.

Tout le monde hoqueta de surprise. Sandra eut l'impression que son cœur avait manqué un battement.

– Je n'ai jamais pensé cela, dit-elle d'une toute petite voix, en triturant sa serviette entre ses doigts.

– Menteuse, dit James avec tendresse.

Ellen se leva, cramoisie.

– Il serait préférable que nous partions avant la tombée du jour, intervint Andrew, qui paraissait aussi gêné que sa femme. Si j'ai bien compris, James, tu ne souhaites plus que Sandra nous accompagne ?

– C'est vrai, James ? demanda celle-ci, soudain prise d'un fol espoir.

James se contenta de la regarder en silence.

– J'ai été ravi de te revoir, James, déclara Pierce en se levant à son tour.

– Tout le plaisir fut pour moi, Pierce, répondit James. Je voudrais te remercier... de cette journée, ajouta-t-il en désignant Sandra d'un regard entendu.

Pierce s'inclina galamment pour baiser la main de la jeune femme.

Rebecca et Fergus partirent avec les Collins. Il ne restait plus autour de la table que Sandra, James et Mme Baptiste. Celle-ci se leva à son tour.

– Je vous laisse. J'imagine que vous avez besoin d'intimité pour régler votre... différend.

Emu par la délicatesse de sa mère, James ne trouva rien à répondre.

– Sois heureux, mon fils, ajouta Mme Baptiste en lui tapotant affectueusement le bras. Profite du bonheur pendant qu'il est à ta portée. L'occasion ne se renouvellera peut-être jamais.

Sur ces mots, elle quitta la salle à manger d'une démarche aérienne. Sandra crut même l'entendre chantonner.

Tout s'était passé si vite qu'elle avait encore du mal à réaliser. Ainsi, elle restait à Bayou Noir... avec James.

– Vous n'avez pas répondu à ma question, Sandra, lui rappela-t-il quand ils furent seuls. Vous croyez que je suis tombé amoureux de vous, n'est-ce pas ?

Incapable de répondre, Sandra fondit en larmes.

– Pourquoi pleurez-vous, chérie ? Vous avez gagné. Vous restez à Bayou Noir. Je pensais que cela vous ferait plaisir.

– Je suis très heureuse, assura-t-elle entre deux sanglots.

– Pourtant, vous pleurez.

– Je pleure de bonheur.

– Ah !

– Et aussi parce que vous, vous n'êtes pas heureux.

– Qu'est-ce qui vous fait penser cela ?

– Je le lis dans vos yeux.

James esquissa un sourire.

– Je me reproche peut-être d'avoir pu imaginer de vous renvoyer d'ici.

Sandra retint sa respiration.

– Et maintenant, James ?

– Je vais demander à Rufus de doubler les gardes, au cas où Victor tenterait quelque chose cette nuit. Je voudrais disposer d'une douzaine d'heures de tranquillité devant moi.

– Douze heures ? s'exclama Sandra.

James contourna la table et vint se planter juste derrière elle. Il posa ses mains sur ses épaules et se pencha pour lui embrasser la nuque. Sandra en eut la chair de poule. Cet homme avait le don de lui enflammer les sens.

– *Au moins* douze heures, chuchota-t-il d'une voix rauque en jouant avec ses mèches du bout des doigts.

Puis il s'éloigna, tandis qu'elle le suivait des yeux, le cœur battant la chamade.

Arrivé à la porte, il se retourna et lui sourit.

Rhett n'aurait pas fait mieux.

Une heure plus tard, Sandra regardait la nuit tomber par les fenêtres du salon.

Elle avait profité de l'absence de James pour se baigner. Sa peau sentait le savon parfumé à la rose que Poupie avait confectionné spécialement à son intention. Elle avait remis la même robe que tout à l'heure, mais laissé ses chaussures dans sa chambre.

Elle entendit James rentrer par la porte de la cuisine, échanger quelques mots avec Poupie, avant d'approcher du salon. Dès qu'il ouvrit la porte, elle se retourna.

– Ne bouge pas, lui ordonna-t-il tendrement, tandis qu'il refermait la porte.

Sandra obéit en frémissant. Elle avait le sentiment qu'une nouvelle vie commençait à cet instant. Rien de ce qui avait précédé ne comptait. Son destin et celui de cet homme étaient de se rencontrer, malgré la différence d'époque. Le pourquoi et le comment n'avaient pas d'importance.

James s'approcha et l'enlaça tendrement.

– Tu sais, chérie, j'attendais ce moment depuis longtemps.

– Je sais, répondit-elle en se retournant pour lui faire face.

Elle ferma les yeux, mais il ne l'embrassa pas tout de suite, se contentant d'effleurer ses lèvres. Quand Sandra, ne pouvant résister davantage à cette exquise torture, gémit de désir, James prit enfin sa bouche, avec une sauvagerie mêlée de sensualité.

– Je ne savais pas qu'un simple baiser pouvait se

révéler aussi érotique, avoua Sandra quand ils reprirent leur souffle.

Elle traça le contour de ses lèvres du bout des doigts.

– Et moi, j'aime la façon dont tu réponds à mes baisers, chérie.

C'était une invitation à recommencer. Cette fois, Sandra en éprouva du plaisir jusqu'au tréfonds de son corps.

– Tu me tues, Sandra, confessa James en enfouissant son visage dans ses cheveux.

Sandra se sentait elle-même prête à mourir pour lui. A cet instant, s'il lui avait demandé de sauter d'une falaise, elle aurait obéi sans hésiter.

James lui prit la main et l'entraîna vers un petit canapé tendu de velours cramoisi et garni de coussins multicolores : un de ces meubles qui invitent à la paresse et dont les ladies indolentes font usage pour lire ou savourer des friandises.

Mais James ne songeait ni à lire ni à manger.

Il allongea Sandra sur le canapé et commença à relever sa robe.

– James... protesta Sandra.

– Chuuut ! chérie. Laisse-moi faire.

Avant que Sandra ait eu le temps de réagir, il la dénuda jusqu'à la taille.

– Je ne suis pas sûre d'aimer cela, James, protesta-t-elle en essayant de rabattre sa jupe.

– Fais-moi confiance, chérie, murmura-t-il d'une voix rauque.

Sandra hésita un instant, avant de s'abandonner.

James commença par lui caresser longuement les jambes, en montant toujours un peu plus haut, jusqu'à effleurer sa féminité. Puis il se pencha et poursuivit son exploration du bout de la langue.

Sandra était incendiée de plaisir. Mais au moment

où elle vacillait au bord de l'extase, James rabattit sa robe et l'obligea à se relever.

– Vous arrêtez maintenant ? demanda-t-elle avec incrédulité.

– Oui, répondit-il en l'entraînant vers l'escalier.

– Je suis à l'agonie.

– J'espère bien.

– Et vous ?

– Moi aussi.

Arrivé au bas des marches, il la regarda avec un sourire entendu.

Sandra comprit aussitôt.

Avec la parfaite élégance d'un gentleman sudiste, James gravit l'escalier en la portant dans ses bras.

Rhett n'aurait décidément pas fait mieux.

19

La nuit était complètement tombée quand James déposa Sandra dans sa chambre.

Bien que le clair de lune dispensât assez de lumière par la fenêtre, il alluma un chandelier pour ne pas perdre une miette du spectacle qui allait suivre.

– Pourquoi n'allons-nous pas dans votre chambre ? voulut savoir Sandra.

– Parce que ma chambre ne dispose pas d'une glace comme celle-ci, répondit-il en lui montrant la psyché qui trônait au milieu de la pièce.

Sandra ne comprit pas tout de suite.

– Ce miroir me donne des idées, précisa-t-il en la regardant d'une façon qui laissait deviner ce dont il s'agissait.

Puis il alluma deux petites lampes à huile, qu'il accrocha de part et d'autre de la psyché.

Sandra s'était empourprée.

– Je ne sais pas... James. N'est-ce pas un peu pervers ?

Il sourit.

– Oui, n'est-ce pas ? reconnut-il, sans la moindre honte. Mais c'est ta faute, Sandra. C'est toi qui m'en as donné l'idée.

– Jamais de la vie !

– Sandra, Sandra, Sandra, la réprimanda-t-il gentiment. Qui m'a montré ce magazine où l'on ne parle que de sexe ? Moi aussi, j'ai mes petites fantaisies.

A sa grande confusion, Sandra se sentait terriblement excitée. Elle le regarda enlever sa veste, puis se débarrasser de ses bottes et de ses chaussettes et faire jouer ses orteils pour les détendre.

– Pourquoi me fixes-tu ainsi ? demanda-t-il, intrigué.

– Parce que... parce que je trouve que vous avez de beaux pieds.

Il prit un air suffisant.

– Ce n'est pourtant pas la partie la plus admirable de mon anatomie !

– Dans ce cas, j'ai hâte de voir le reste.

Quelle perspective délicieusement érotique ! songeait-il en commençant à déboutonner sa chemise.

Sandra suivait chacun de ses mouvements avec une fascination muette. Bientôt, il se retrouva torse nu.

– As-tu envie de moi, chérie ? demanda-t-il en soutenant son regard.

Un gémissement d'acquiescement s'échappa des lèvres de Sandra.

Il lui tendit les bras.

– Viens ici, chérie. J'ai quelque chose à te dire, avant.

Elle s'approcha, les yeux baissés. James sentait sa nervosité. Quand elle fut devant lui, il lui releva le menton pour l'obliger à croiser son regard.

– Je t'aime, murmura-t-il avec ferveur.

Il vit son regard briller d'émotion.

– Oh, James, moi aussi, je vous aime. Très, très fort.

Elle se jeta dans ses bras et le couvrit de baisers sur le visage et sur le cou. « Je vous aime... je vous aime », répétait-elle entre chaque baiser.

James la serra contre lui et enfouit une main dans ses cheveux.

– Je t'aime, Sandra, répéta-t-il à son tour. J'ignore ce que demain nous réservera, ni même si nous serons encore ensemble demain...

– J'espère que nous resterons ensemble pour toujours, coupa-t-elle, les larmes aux yeux.

– Nous reparlerons de l'avenir plus tard. Mais je voulais que tu saches... je voulais que tu saches...

Sa voix était brisée par l'émotion. Il haussa les épaules, faute de trouver les mots capables de traduire ce que ressentait son cœur.

Mais Sandra avait compris.

Il m'aime ! Il m'aime vraiment ! Merci, mon Dieu !

Et il la désirait...

Avec une lenteur calculée, il ouvrit un à un les boutons de son pantalon. Il était totalement nu, à présent.

– Vous êtes si beau, James.

Il arqua un sourcil.

– Tu trouves ? Quelle partie de mon corps préfères-tu ?

– Vous devenez indécent !

Il sourit.

– J'espère bien. Laisse-moi te déshabiller, Sandra. Tourne-toi.

Elle obéit et il déboutonna sa robe, qu'il laissa tomber à ses pieds.

– Toi aussi, tu es belle, Sandra.

Elle frissonna en sentant son érection contre ses fesses.

– J'adore tes seins, chuchota-t-il en les caressant à pleines mains. Regarde-toi dans le miroir. Regarde comme tu es belle.

– Oh !...

– Tu aimes ça ?

– Oui... enfin, non. C'est trop et pas assez à la fois.

James abandonna ses seins pour lui caresser le ventre, les hanches, le haut des cuisses... Sandra baissa les yeux, mais il l'obligea à redresser le menton et croisa son regard dans le miroir.

– Ne baisse pas les yeux, chérie. Je veux y lire ton plaisir, comme tu peux lire le mien.

Il réitéra ses caresses, mais Sandra se retourna soudain dans ses bras.

– James, cessez de me torturer. J'ai trop envie de vous... maintenant.

Avec un soupir de mâle satisfaction, James la porta jusqu'au lit et s'allongea sur elle.

– Maintenant ! l'implora-t-elle de nouveau en écartant les cuisses.

Elle voulut s'approprier sa virilité, mais James repoussa sa main en riant.

– Pas tout de suite, chérie. Ne sois donc pas si pressée.

Sandra eut beau protester, James se montra inflexible. Il voulait la conduire à la limite de son désir, à ce point de fusion où l'esprit chavire dans l'abandon le plus total.

Se redressant sur un coude, il traça du bout des doigts le contour de sa bouche, puis de ses seins.

– T'ai-je déjà dit que j'aimais tes seins ?

– Oui... murmura Sandra qui se sentait ronronner comme une chatte.

Il se pencha pour lui lécher un sein, puis l'autre, et sucer ses tétons.

Sandra se sentait soulevée par un plaisir toujours plus intense.

Tout à coup, James s'arrêta.

Sandra le regarda avec stupeur.

– Vous me rendez folle de désir et vous vous arrêtez en chemin ? Pourquoi êtes-vous aussi cruel ?

– J'ai autant de mal à me retenir que toi, chérie.

– Alors, ne vous retenez pas.

Elle aventura de nouveau sa main vers son sexe érigé, mais cette fois il la laissa s'en emparer pour le caresser et le guider vers sa féminité.

James rendit les armes. Il ne pouvait résister davantage à son désir de fondre son corps dans celui de Sandra. Il la pénétra, l'empala presque, d'une seule poussée puissante.

Sandra poussa un cri de soulagement.

– Oui, James ! Oh, oui...

– Je t'aime, Sandra, je t'aime, ne cessait-il de murmurer à son oreille, à chaque mouvement de reins.

– Je vous aime, moi aussi, James !

La jouissance les emporta à l'unisson, telle une seule âme, comme un volcan dont l'éruption libère soudain la lave. Puis ils restèrent longuement enlacés, sans bouger. James ne pouvait se détacher de Sandra.

Pour la première fois de sa vie de femme, celle-ci se sentait comblée. Totalement comblée.

– Je vous aime, James, chuchota-t-elle en lui caressant le dos.

Il roula de côté.

– Tu dis ça parce que je t'ai fait jouir, la provoqua-t-il.

– Ah bon, c'est déjà terminé ?

Il la dévisagea avec incrédulité, puis éclata de rire.

– Tu veux ma mort !

Mais James s'empressa de lui prouver qu'il possédait encore toute sa vitalité.

Ils refirent l'amour. Plus posément. Plus tendrement, aussi, chacun s'ingéniant à donner encore plus de plaisir à l'autre.

– Je n'ai plus envie de retourner au XXe siècle, déclara Sandra un peu plus tard, alors qu'ils reprenaient leur souffle, tendrement enlacés.

– Chuut ! Ne t'engage pas dans des promesses que tu ne pourrais pas tenir.

Sandra se souleva légèrement et le regarda avec tendresse.

– James, je vous aime et je veux vivre avec vous. Je peux parfaitement refuser de porter cette robe de bal la nuit de la Saint-Jean. Le choix m'appartient. Et à moi seule.

James se troubla.

– Je n'ose pas y croire, Sandra. J'ai déjà tant de soucis que je ne veux pas me prendre à espérer le bonheur maintenant.

– Je comprends ce que vous ressentez, James. Vous avez peur d'être heureux parce que ça vous paraîtrait trop beau pour être vrai. Vous craignez qu'un dieu jaloux ne vous enlève votre bonheur.

Il sourit.

– Tu as peut-être raison, Sandra. Que proposes-tu dans l'immédiat ?

– Si nous recommencions ?

– Non, pas tout de suite ! protesta-t-il sur un ton exagérément scandalisé. Je voulais parler de demain et des jours suivants. Dans cette maison, tout le monde voit et entend tout : Etienne, ma mère, Poupie, les autres domestiques, les esclaves... Je ne voudrais pas te compromettre. Même si je quitte ton lit avant l'aube, ils sauront tous que j'ai passé la nuit ici. Tu peux me croire !

– Que suggérez-vous, alors ? demanda-t-elle, émerveillée qu'il lui témoigne autant de considération.

– De nous marier le plus tôt possible.

Sandra eut toutes les peines du monde à se retenir d'exploser de joie.

– Je vous aime, James et rien ne me rendrait plus heureuse que de devenir votre femme. Rien. Mais croyez-vous qu'il soit bien sage de nous marier dans la précipitation ? Je veux dire... eh bien, moi je peux choisir de rester ici, mais qu'adviendrait-il si vous changiez d'avis à mon sujet ?

– Je ne changerai pas d'avis, Sandra.

– Et si...

– A chaque jour suffit sa peine, Sandra. Personne n'est jamais sûr de rien, dans la vie. L'amour est un jeu risqué, tu le sais aussi bien que moi...

– Pensez-vous que les dés soient en notre faveur ?

– J'en suis convaincu.

Ils s'endormirent dans les bras l'un de l'autre mais James la réveilla juste avant l'aube :

– Debout, Sandra !

– Noon, marmonna-t-elle en enfonçant sa tête dans l'oreiller.

Il lui donna une tape sur les fesses.

– Allez, Sandra, lève-toi. Et habille-toi.

Elle tourna la tête, intriguée. Il était déjà sorti du lit et enfilait son pantalon.

– M'habiller ? Et pourquoi ? Il fait encore nuit !

– Je veux te montrer quelque chose.

– A cette heure-ci ?

– Il est déjà plus de quatre heures du matin. Le soleil ne va pas tarder à se lever.

Il la tira du lit et lui tendit sa robe.

– Non, attendez, je voudrais d'abord me laver.

Il secoua la tête.

– Non. J'ai envie que tu gardes encore un peu les traces de notre nuit d'amour.

– Oh, James... murmura-t-elle, cramoisie, en sentant une bouffée de désir renaître entre ses cuisses.

Il rit en l'aidant à se relever.

– Pas maintenant, petite sorcière. Dépêche-toi d'enfiler ta robe, avant que je n'oublie où je voulais t'emmener.

Vingt minutes plus tard, Sandra, assise devant James sur sa jument, comprit où ils se rendaient. Elle reconnaissait le chemin qui conduisait à la petite clairière où ils avaient assisté au rituel nuptial des hérons.

– J'ai souvent rêvé de te faire l'amour ici, chuchota James alors qu'ils arrivaient à destination.

Il mit pied à terre, attacha sa jument à un arbre et aida Sandra à descendre avant de récupérer la couverture qu'il avait pensé à emporter.

Au bord du bayou, les deux mêmes hérons se promenaient tranquillement, comme s'ils les attendaient.

– Vous avez raison, James. Il n'y a pas de plus bel endroit pour sceller notre amour.

Transportée par la beauté de ce lieu sauvage, Sandra commençait réellement à croire que l'amour pouvait se jouer des siècles.

Ils s'allongèrent sur la couverture, au milieu de la clairière, et leurs corps trouvèrent cette mystérieuse harmonie qui les avait déjà propulsés dans une jouissance indicible. Quand ils se regardèrent, plus tard, ils avaient tous deux les larmes aux yeux.

C'était comme si le temps s'était suspendu. Rien que pour eux. Et pour cette seule minute d'éternité, ils surent qu'ils étaient bénis des dieux.

20

Il était plus de sept heures du matin quand James et Sandra rentrèrent à la maison. Sandra avait beaucoup de peine à réprimer des bâillements de fatigue, bien qu'elle se sentît merveilleusement détendue.

James sauta à terre d'un bond agile, attacha sa jument à un poteau puis enlaça Sandra pour l'aider à descendre.

– Je t'aime, Sandra, dit-il avec beaucoup de solennité en l'embrassant sur le front.

– Moi aussi, James, je vous aime. Je ne me suis jamais sentie aussi heureuse qu'aujourd'hui.

Elle était si émue que sa voix tremblait.

– Il faudra que nous reparlions très vite de notre avenir, chérie.

– J'y compte bien, fit-elle d'un air taquin.

A peine furent-ils entrés dans la cuisine que Poupie leur tomba dessus.

– Où étiez-vous passés, tous les deux ? Nous vous avons cherchés partout !

Iris, qui préparait un plateau pour Mme Baptiste, regardait avec curiosité les deux arrivants, qui se tenaient par la main.

Déjà installé devant son petit déjeuner, Etienne faillit

laisser tomber sa tartine dans sa tasse de café. Du café, à son âge ! Comme si ce garnement n'était pas déjà assez nerveux comme cela !

– Je sais ce que vous avez fait ! déclara-t-il fièrement avant de mordre dans sa tartine, comme si le sujet ne lui paraissait pas vraiment important.

– Etienne ! le menaça son père.

Gênée, Sandra lâcha la main de James.

– Je vais prendre un bain.

– Attendez ! ordonna Poupie. Si vous vouliez bien m'écouter une seconde, vous sauriez pourquoi nous vous cherchions.

Sandra et James regardèrent la cuisinière, interloqués.

– Victor est ici. Avec des policiers. Je leur ai servi une collation sur la terrasse, pour les faire patienter. Ils sont venus chercher Fleur. Ils ont un mandat pour fouiller la maison.

Sandra ignorait toujours où James avait caché la jeune quarteronne : il avait refusé de le lui dire. Elle voulut le suivre sur la terrasse, pour affronter Victor, mais il l'arrêta.

– Non. Va te changer. Ensuite, tu donneras sa leçon à Etienne. Je m'occupe de cette affaire, ne t'inquiète pas. Allez trouver Fergus et dites-lui de venir ici avec des hommes armés, ajouta-t-il en se tournant vers Iris.

– Mais... tenta de protester Etienne.

– Si tu ajoutes encore un mot, je te promets que tu ne pourras plus t'asseoir pendant huit jours.

– Mais... protesta Sandra à son tour.

– Pareil pour toi.

– De toute façon, je ne peux déjà plus m'asseoir marmonna-t-elle.

Pendant toute la matinée, Victor et les policiers fouillèrent minutieusement la maison, ses dépendances, le quartier des esclaves et même les champs de canne à sucre. En pure perte.

Ils repartirent bredouilles mais en jurant de revenir avec des chiens.

James rejoignit Sandra et sa mère, qui prenaient le café sur la terrasse.

— Victor ne renoncera jamais, déclara Mme Baptiste. Il faudra bien que tu lui rendes cette fille, James.

— Non ! s'écria Sandra. Fleur est enceinte. Quand Victor l'apprendra, il voudra la tuer.

Mme Baptiste arqua un sourcil.

— Comment savez-vous cela, ma chère ?

— Je le sais, se contenta de répondre Sandra, en évitant le regard de James.

— Franchement, mère, je donnerais volontiers le testament à Victor si cela pouvait le convaincre de nous laisser tranquilles.

Il se tourna vers Sandra :

— Je sais qu'il est entre tes mains. Je voudrais que tu me le confies.

— D'accord, répondit Sandra. Je monte le chercher.

— Ce testament ne t'appartient pas entièrement, James, objecta Mme Baptiste après le départ de Sandra. Tant que je vivrai, il n'est pas question que tu aliènes ce que *j'ai* gagné pour toi.

James jura qu'il n'en avait nullement l'intention.

Puis Sandra revint et lui tendit le parchemin.

— Je n'ai pas l'intention de renvoyer Fleur, affirmat-il. Mais il faut l'éloigner d'ici avant que Victor ne revienne avec des chiens.

— Je me demandais, James... Croyez-vous que Pierce accepterait de l'emmener avec lui dans l'Ouest ? Il pourrait l'employer comme servante.

269

Le visage de James s'éclaira.

– Voilà qui me paraît une excellente idée, dit-il en prenant la main de Sandra dans la sienne.

– Avez-vous décidé de vous marier ? demanda Mme Baptiste.

James faillit éclater de rire.

– Personnellement, j'aimerais beaucoup.

– Et vous, Sandra ? Etes-vous sûre de vouloir épouser cette tête de mule ?

– Oui, j'en suis sûre, répondit Sandra en regardant James dans les yeux.

– Dans ce cas, je demanderai au père Sebastian de publier les bans dès dimanche prochain, décréta Mme Baptiste, qui échafaudait déjà des plans pour la cérémonie. Je suppose qu'il acceptera de vous unir à Bayou Noir. Disons... dans un mois ?

– Il n'y a pas lieu de précipiter les choses, vous savez, mère.

Mme Baptiste secoua la tête d'un air entendu.

– Permets-moi d'être d'un autre avis, James.

Elle les regardait tous deux avec une telle satisfaction qu'on aurait pu jurer qu'elle avait organisé leur rencontre.

James ne put trouver le temps de rejoindre Sandra de toute la journée.

Il faisait nuit noire quand, recru de fatigue, il s'installa dans la cuisine pour dévorer le repas froid que lui avait laissé Poupie. Toute la maisonnée dormait déjà.

Son dîner expédié, James monta prendre un bain avant de rejoindre Sandra dans sa chambre. Dès qu'il entra, elle se précipita dans ses bras.

– Vous voilà enfin, James ! Je commençais à m'inquiéter. Où étiez-vous passé ?

Tout à coup, James se sentit moins fatigué. Il s'assit dans un fauteuil et installa Sandra sur ses genoux. Elle l'embrassa dans le cou.

– J'ai suivi ton conseil, expliqua-t-il. Je me suis rendu chez les Collins, cet après-midi. Pierce a tout de suite accepté de prendre Fleur sous sa protection.

– Oh, James, c'est merveilleux !

– Comme je craignais que Victor ne revienne demain avec les chiens, j'ai conduit Fleur chez les Collins sans attendre. Pierce part dans moins d'une semaine pour le Missouri. Il l'emmènera, et d'ici là elle restera chez lui.

– Quel soulagement ! Je m'inquiétais tellement pour elle...

– A juste titre, convint James. Je me suis aperçu que Fleur portait des marques de coups en plusieurs endroits. Et je ne vois pas d'autre coupable que Victor.

– Quel monstre !

– Oui, c'est un monstre. Crois-tu qu'il soit fou ?

Sandra haussa les épaules.

– Je n'en sais rien. L'important est que vous ayez pu sauver Fleur. Merci, James.

Il l'invita à se relever et l'imita.

– Ne t'imagine pas que je me suis donné tout ce mal pour t'entendre seulement me dire merci.

Elle lui lança un regard provocant.

– Qu'avez-vous en tête, James ?

– Si nous faisions un peu d'aérobic ?

– Maintenant ?

– Oui, maintenant. Je suis un peu comme Etienne. Moi aussi, j'ai besoin d'un professeur.

– Pour vous apprendre quoi ?

– La position idéale.

– Dieu du ciel !

– Ce n'est pas le bon moment pour les prières, ché-

271

rie, murmura-t-il en l'embrassant. Mes pensées sont résolument impures.

– Alors, vous devriez vous agenouiller, pour me confesser ce que vous avez en tête.

– Je vais m'agenouiller, Sandra. Mais ça ne sera pas pour me confesser.

Sandra éprouva bientôt trop de plaisir pour avoir la force de protester.

Le lendemain matin, Victor, Jack Colbert, le caporal Atwood, deux autres policiers et six molosses aux canines acérées débarquèrent à Bayou Noir. Après plusieurs heures de recherches, pendant lesquelles ils terrifièrent les esclaves, ils ne trouvèrent qu'une petite cabane où les chiens détectèrent l'odeur de la jeune quarteronne. Mais Fleur avait disparu.

– Tu ne t'en tireras pas aussi facilement ! cria Victor à son frère.

Mais, pour l'instant, il ne pouvait rien faire de plus et il repartit, plus furieux que jamais.

En début d'après-midi, ce fut au tour de Sandra de piquer une belle colère.

James et Fergus travaillaient dans les champs de canne à sucre, un chapeau sur la tête pour les protéger des ardeurs du soleil, quand ils la virent arriver comme une furie.

– Que se passe-t-il, chérie ? demanda James en la rejoignant.

– Je voudrais vous montrer ce qu'Etienne a fait ! s'écria-t-elle d'une voix tremblante d'indignation.

– Quoi ? Qu'a-t-il encore été inventer ?

– Vous allez voir. Iris l'amène ici, avec les autres coupables. Je ne voulais pas vous obliger à revenir à la maison pour ça, mais... mais ce garnement me rend folle !

Iris arrivait en effet, à la tête d'une petite troupe d'enfants – Etienne, Abel, Caïn et quelques autres – qui marchaient tête baissée, honteux de leur crime.

Fergus s'approcha à son tour.

Quand les enfants relevèrent la tête, les deux hommes écarquillèrent les yeux en même temps, avant de partir d'un grand éclat de rire.

De toute évidence, les enfants avaient confisqué les cosmétiques de Sandra pour leur propre usage. Ils arboraient tous des mines grotesques.

– Ce n'est pas drôle ! protesta Sandra. Ils ont abîmé tous mes produits et maintenant... maintenant, je n'ai plus de maquillage !

– Etienne, dit James en s'obligeant à redevenir grave. Explique-toi.

Son fils baissa humblement la tête.

– Nous ne voulions pas faire pleurer Mlle Sandra, assura-t-il. Nous nous amusions seulement et...

En dépit de ses protestations, il ne semblait pas vraiment désolé.

– Iris, ramenez les enfants à la maison et débarbouillez-les. Ensuite, renvoyez Etienne ici. Puisqu'il a du temps à perdre, quelques heures de travail au soleil lui occuperont sainement l'esprit.

– Papa, tu ne peux pas m'obliger à travailler dans les champs ! Je suis trop petit...

– Je t'attends ici dans une demi-heure, Etienne, ordonna son père d'une voix inflexible. Et ne t'avise pas de me désobéir. Ta conduite inexcusable mérite une bonne punition.

– Ce n'est pas ma faute, papa.

– Ne raconte pas d'histoires, je t'en prie. Je me doute que c'est toi qui as entraîné tes camarades dans cette bêtise. Il est donc normal que tu paies pour eux. Mais d'abord, tous autant que vous êtes, je suppose que vous savez ce que vous devez faire pour commencer.

L'un après l'autre, les jeunes coupables présentèrent piteusement leurs excuses à Sandra.

Après leur départ, James demanda à ses esclaves de reprendre le travail, pendant qu'il entraînait Sandra vers un petit cabanon.

– Chérie, je suis désolé de ce qui s'est passé. Mais est-ce vraiment si grave que cela ?

– Evidemment ! C'est un vrai désastre. Comment vais-je faire, maintenant, sans maquillage ?

– Ces produits te sont à ce point nécessaires ?

– Oui ! s'impatienta Sandra. J'en ai besoin pour être belle. Depuis mes douze ans, je ne me souviens pas d'avoir passé une seule journée sans me maquiller.

– Tu te maquillais, ici ? demanda-t-il, étonné. Pourtant, ton visage semblait si naturel...

– Oh, vous les hommes, vous êtes tous aveugles ! Evidemment, que je paraissais naturelle. C'est tout l'art du maquillage. Désormais, je n'aurai plus aucun charme et vous n'allez plus m'aimer.

James la serra dans ses bras.

– Sandra chérie, je te trouverai toujours belle. Même sans artifice.

– Qu'en savez-vous ? Vous ne m'avez jamais vue sans maquillage. Et je ne suis même pas blonde.

– Je ne vois pas le rapport ?

– Si au moins j'étais blonde, ça pourrait compenser l'absence de maquillage.

– Ne sois pas ridicule.

– Connaissez-vous l'histoire de la blonde de soixante-quinze ans qui entre dans une taverne avec un pigeon sur la tête ?

– Sandra, tu ne vas pas recommencer avec ces histoires...

– Ne m'interrompez pas, James. Où en étais-je ? Ah, oui : la blonde de soixante-quinze ans entre avec son pigeon sur la tête et clame : « Celui qui peut deviner le poids de cet oiseau pourra me faire l'amour. » Et alors, une voix crie du fond de la salle : « Cinq cents kilos ! »

– Je ne...

– Et la blonde, tout sourires, répond : « Gagné ! »

– Où est le problème, Sandra ? Je ne vois pas de pigeon sur ta tête.

Elle éclata de rire et, en reculant, heurta un objet qui produisit un son métallique.

– Qu'est-ce que c'est ?

– Les balances dont nous nous servons pour peser le sucre.

– Des balances ? Peuvent-elles servir à peser une personne ?

– Bien sûr.

Sandra monta sur l'une des bascules avec appréhension.

– Autant grouper les mauvaises nouvelles dans la même journée.

James déplaça les poids et surveilla l'aiguille.

– Soixante kilos, annonça-t-il.

– C'est impossible ! Recommencez !

Il s'exécuta.

– Soixante kilos, pareil.

Sandra redescendit de la balance avec une mine d'enterrement.

– J'ai grossi de dix kilos. Dix kilos ! Je dois ressembler à une barrique, ou à...

– Ça suffit, Sandra ! J'en ai assez d'entendre de telles âneries. Je t'ai déjà dit et répété que je t'aimais comme tu étais.

Soudain, il se radoucit et la prit dans ses bras.

– Sais-tu quelles sont les deux plus merveilleuses occupations au monde ?

– Est-ce une devinette ?

– Non, dit-il en commençant à lui caresser les seins. Les deux plus merveilleuses occupations que je connaisse sont faire le sucre et...

– ... et ? ronronna Sandra en s'arquant contre lui.

– ... et faire l'amour.

– Je suppose que vous êtes aussi expert dans les deux cas. Croyez-vous qu'il soit prudent de faire l'amour ici ? Quelqu'un pourrait nous surprendre.

– Personne n'entrera. Veille simplement à ne pas crier trop fort, pour que les esclaves n'aillent pas s'imaginer que je te frappe.

– Connaissez-vous l'histoire de la blonde à qui on demande si elle fume après l'amour ?

– Je ne veux plus entendre ces histoires de blondes ! gronda James.

– « Je ne sais pas, répond la blonde. Je n'ai jamais regardé. »

Il éclata de rire.

– Tu es vraiment impossible, Sandra !

Deux semaines plus tard, Sandra, James et Etienne revenaient en bateau d'une excursion à Saint-Martin-ville.

Sandra avait l'impression de flotter sur un nuage. Elle ne s'était jamais sentie aussi heureuse de sa vie et ne regrettait absolument pas d'avoir abandonné le XXe siècle.

Elle laissa aller sa tête contre l'épaule de James en soupirant de contentement. Etienne s'était endormi sur les genoux de son père, épuisé par les événements de ces deux derniers jours.

La veille, pour fêter dignement son sixième anniversaire, Sandra avait organisé, avec l'aide de Poupie, une petite fête qu'il n'était pas près d'oublier. Tous ses camarades de la plantation avaient été conviés à un gigantesque goûter servi sur la pelouse. Sandra lui avait offert un petit cahier rempli de dessins d'E.T. et de Casper. Pour compléter les réjouissances, James avait proposé cette promenade à Saint-Martinville.

– Pourquoi soupires-tu, mon amour ? demanda James en baisant le front de Sandra.

Elle tourna la tête pour lui offrir ses lèvres, qu'il embrassa tendrement.

– Je soupirais parce que je n'arrive toujours pas à croire que nous puissions nous aimer. Notre histoire est si extraordinaire qu'elle semble un cadeau des dieux. Le destin a voulu que je vienne dans votre siècle pour vous rencontrer.

Il rit.

– Pourquoi riez-vous ? Vous n'y croyez pas ?

Il haussa les épaules.

– Je ne sais pas. Cela me paraît une hypothèse plutôt audacieuse.

– Sans doute. Mais comment expliquer mon voyage dans le temps ? Réfléchissez : vous aviez besoin de moi et moi de vous. C'est comme si nous étions deux moitiés d'un même ensemble qui aurait été absurdement divisé par la fantaisie du temps.

– Alors, comme ça, tu crois que j'ai besoin de toi ? Quelle prétentieuse !

Sandra lui donna sur les cuisses une tape qui faillit réveiller Etienne. Le garçonnet grommela quelques mots de protestation, puis replongea tranquillement dans le sommeil.

– Sandra, ce n'est pas gentil de me tenter alors que je ne suis pas en mesure d'en profiter.

– Comment cela, « pas en mesure » ?

– Avec toi, chérie, tu sais bien que je serai toujours en mesure, rétorqua-t-il en riant.

– Voilà une promesse que je veillerai à vous faire respecter après notre mariage. Il ne reste plus que deux semaines avant que nous devenions mari et femme, James. Vous ne regrettez toujours pas ?

– Certainement pas.

– Avez-vous réfléchi à cette ruée vers l'or dont je vous ai parlé ? Nous pourrions partir pour la Californie. Les premières pépites seront découvertes dans trois ans.

– Cette histoire me paraît incroyable.

– James, *notre histoire* est incroyable.

Il ne trouva rien à redire à cela.

La nuit était déjà tombée quand ils arrivèrent à Bayou Noir. James réveilla Etienne, et le garçon, encore tout endormi, suivit son père et Sandra dans l'allée, pendant que deux esclaves arrimaient solidement le bateau à l'embarcadère.

– Pourquoi les lumières sont-elles toutes allumées ? demanda brusquement Sandra.

– Je l'ignore. Nous avons peut-être des invités-surprises.

Ils approchaient du perron quand James s'arrêta net.

– C'est impossible ! murmura-t-il avec effroi. Dieu ne saurait être aussi cruel !

Sandra suivit son regard.

Une femme se tenait devant la porte. Elle portait une robe de soie bleu pâle amplement décolletée et agitait la main en signe de bienvenue.

– Fleur ? Pourquoi se trouve-t-elle ici ? demanda

Sandra, soudain inquiète. A l'heure qu'il est, elle devrait être en route pour le Missouri.

James la regarda étrangement, en secouant la tête, comme s'il n'arrivait pas lui-même à croire ce qu'il voyait.

Tout à coup, un rayon de lune s'accrocha dans les cheveux blonds de la femme.

Une blonde ! Alors que Fleur était brune.

Sandra interrogea James du regard.

– C'est Gisèle. Ma femme, lui apprit-il d'une voix glaciale.

Ces quelques mots suffirent à Sandra pour comprendre que son bonheur venait de prendre fin.

21

– James ! Mon chéri ! s'exclama Gisèle en se jetant dans ses bras. Cela fait si longtemps ! Je n'espérais plus vous revoir un jour.

Elle se mit à couvrir le visage de James de baisers. Horrifiée, Sandra réalisa que cette créature au teint de porcelaine était en droit de l'embrasser : elle était sa femme...

Sa femme ! Sandra avait envie de crier, pour dissiper ce monstrueux cauchemar. *Non, ce n'était pas possible ! Gisèle était morte, James était libre et elle l'épouserait dans deux semaines.*

James se raidit sous les embrassades.

– Où étiez-vous passée, Gisèle ? A quoi jouez-vous ?

– *Jouer, moi ?* Comment osez-vous m'accuser de la sorte, après tout ce que j'ai souffert pendant l'année écoulée ? Cette nuit... cette horrible nuit où nous nous sommes querellés, j'ai couru comme une folle dans les marais. Et j'ai bien failli me noyer...

Elle s'interrompit pour s'assurer qu'elle avait bien réussi à le culpabiliser. Mais il se contentait de la regarder froidement.

– Heureusement, reprit-elle, un pêcheur m'a sauvée. Mais une fièvre atroce m'a tenue alitée pendant des mois. Je ne me souvenais plus de rien. Pas même de mon nom. Jusqu'à une date récente.

– Où vit ce pêcheur ? Donnez-moi son nom !

Etienne, effrayé, vint s'abriter dans les jupes de Sandra. Tout le monde avait oublié sa présence.

– Mon fils ! s'écria Gisèle en se penchant pour le prendre dans ses bras.

– Non ! protesta Etienne, en s'accrochant aux jupes de Sandra. Je veux pas aller avec le fantôme !

La porte s'ouvrit soudain à toute volée et Poupie fit irruption sous le porche.

– Viens, mon garçon, dit-elle à Etienne. Poupie va te mettre au lit. Tout ira bien, tu verras. Poupie va rester avec toi.

– Mêlez-vous de ce qui vous regarde, sale négresse, riposta Gisèle. C'est mon fils. Je m'occuperai de lui toute seule.

Elle leva la main pour gifler la cuisinière, mais Sandra, indignée, lui saisit le poignet au vol.

Reprenant ses esprits, James fit signe à Etienne et Poupie de s'éclipser.

– N'allez pas vous imaginer que vous prendrez ma place dans cette maison, siffla hargneusement Gisèle à l'intention de Sandra.

Se tournant vers son mari, elle se radoucit brusquement :

– James, mon chéri, n'êtes-vous pas heureux de me revoir ? J'attendais ce jour avec impatience, depuis que j'ai retrouvé la mémoire. C'est comme si notre couple connaissait un nouveau départ.

– Rentrons, répondit James le plus calmement qu'il put. Vous n'avez pas fini de vous expliquer.

– Je vais monter dans ma chambre, annonça Sandra d'une voix éteinte alors qu'ils pénétraient dans le hall.

Elle avait l'impression de s'enfoncer dans un océan

de chagrin. Qu'allait-elle faire, désormais ? Comment pourrait-elle continuer à vivre sous le même toit que James et sa femme ?

– Non, répliqua fermement James. Restez avec nous. Quoi que Gisèle ait à dire, cela nous concerne tous les trois.

– Comment ? s'étonna Gisèle, avec une pointe de mépris dans la voix. Je ne vois pas pourquoi cette... gouvernante assisterait à nos retrouvailles ?

Retrouvailles ! Ce mot résonna sinistrement aux oreilles de Sandra. A chaque seconde, elle sentait son cœur se briser un peu plus.

– Je ne peux pas rester, James, objecta-t-elle d'une voix tremblante. C'est au-dessus de mes forces.

Elle éprouvait un besoin urgent de se retrouver seule. Pour faire le point. Et pleurer tout son soûl.

Elle s'élança vers l'escalier, mais James la rattrapa au bas des marches.

– Fais-moi confiance, chérie, je t'en supplie, lui chuchota-t-il.

Sandra avait la gorge si serrée qu'elle ne put répondre. Elle se contenta de hocher la tête et monta l'escalier, le dos raide.

Dès le palier, elle découvrit les changements déjà intervenus dans la maison. Iris l'informa que Gisèle avait ordonné que ses effets soient déménagés sous les combles, où elle dormirait désormais, dans une chambre minuscule, comme n'importe quelle domestique.

– Voilà que tout est reparti comme avant, soupira tristement Iris. Qu'allez-vous faire, mademoiselle ?

– Moi ?

– Oui. Vous êtes la seule à pouvoir l'arrêter.

Je me demande bien comment, songea Sandra en montant s'enfermer dans sa nouvelle chambre.

Toute la soirée, elle se répéta les paroles de James.

Oui, elle voulait bien lui faire confiance. Mais elle ne voyait pas quelle solution il pourrait trouver à cet imbroglio épouvantable.

L'homme qu'elle aimait était marié.

Et il ne viendrait pas la rejoindre cette nuit.

Le lendemain matin, Sandra se réveilla bien avant sept heures. A peine eut-elle quitté sa chambre qu'elle constata qu'un climat oppressant s'était brutalement abattu sur la maison. Les joyeuses conversations qui résonnaient la veille encore dans les couloirs avaient cédé la place à des regards apeurés et des chuchotements inquiets.

Dans la cuisine, Etienne mangeait ses céréales avec un accablement qui ne lui ressemblait pas. Regroupées devant l'évier, Iris, Jacinthe et Verveine avaient perdu le sourire.

– Que comptez-vous faire ? demanda Poupie en la regardant comme si elle détenait la réponse à leurs soucis.

– Que puis-je faire ? répondit Sandra, douloureusement consciente de son impuissance. Où est James ?

– Il est déjà sorti. Je suppose qu'il est parti à la recherche de ce pêcheur dont Gisèle prétend qu'il l'a recueillie. Pfft ! Moi, je suis persuadée que pendant tout ce temps elle n'a pas quitté le lit de Victor.

Sandra partageait la conviction de Poupie. Elle pensait même que Gisèle avait été le « fantôme » mais, se souvenant qu'Etienne les écoutait, elle préféra changer de conversation :

– Viens, E.T., nous allons commencer ta leçon tout de suite.

Le garçon obéit en grimaçant.

– Je parie qu'elle voudra plus que je m'appelle E.T. Ni qu'on fasse la classe sur la pelouse.

Sandra ne sut que répondre à cela. Après tout, Gisèle était la mère d'Etienne – même si cette vérité semblait désolante.

Un timbre de sonnette les fit brutalement sursauter.

– Qu'est-ce que c'est ? s'exclama Sandra.

– Ça commence déjà, soupira Iris. La maîtresse appelle une servante.

– J'ignorais qu'il existait des sonnettes dans cette maison.

– Maintenant, vous allez souvent les entendre, prédit Poupie.

– Je n'ai pas envie d'y aller, protesta Jacinthe. Le jour où elle a disparu, elle avait failli m'assommer avec un fer parce qu'elle trouvait que je n'avais pas repassé correctement sa robe.

– C'est bon, je vais monter, soupira Iris, résignée. Mais si jamais elle veut me frapper, je vous jure que je ne la laisserai pas faire.

Poupie avait vu juste. La sonnette se fit entendre plus que de raison, ce matin-là. Chacune de ses stridulations semblait répéter que la véritable maîtresse des lieux était de retour.

En début d'après-midi, la classe reprit avec Etienne et tous les enfants noirs qui avaient eu le courage de venir en salle d'étude. Pour les mettre en confiance, Sandra s'accroupit avec eux sur le plancher. Ils étaient si angoissés qu'elle dut d'abord leur raconter une histoire pour les détendre.

Tout le monde riait des mésaventures de Pinocchio, quand la porte s'ouvrit brutalement.

– Que signifie cet odieux tapage ?

Toutes les têtes se tournèrent vers Gisèle. Elle tapotait sa cravache d'équitation contre ses cuisses, attendant une réponse à sa question.

– Je donne un cours aux enfants, répondit Sandra en se relevant.

Elle dominait Gisèle d'une bonne tête, mais celle-ci la toisait cependant avec mépris.

– En leur racontant des histoires ?

– Oui, en leur racontant des histoires, confirma Sandra en s'efforçant de conserver son calme. Voulez-vous vous joindre à nous ?

– Moi ? Vous plaisantez ! Je suis venue chercher Etienne pour une promenade à cheval.

– Un peu d'air te fera du bien, E.T., dit Sandra devant la mine déconfite de celui-ci.

Il était difficile de s'opposer à la volonté de sa mère.

– J'ai mal au ventre, mentit Etienne.

Sandra lui caressa les cheveux.

– Peut-être serait-il préférable de remettre la promenade à demain ? suggéra-t-elle à Gisèle.

Gisèle leva sa cravache, comme si elle s'apprêtait à frapper Sandra, mais laissa retomber son bras.

– Pourquoi l'appelez-vous E.T. ?

– C'est mon diminutif, expliqua Etienne d'une toute petite voix.

– Tu n'as pas à répondre à un autre nom que celui que je t'ai choisi le jour de ton baptême. Est-ce clair ?

Le garçon hocha piteusement la tête.

– Et que font tous ces petits nègres dans la maison ? Allez, ouste !

Terrorisés, les enfants décampèrent. Sauf Etienne, qui se réfugia dans les jupes de Sandra.

– Vous monterez me voir dans ma chambre, mademoiselle ! lança Gisèle, exaspérée. J'ai l'impression que nous devons mettre certaines choses au point, toutes les deux.

Elle repartit sans attendre de réponse, comme si ses ordres ne souffraient pas la moindre discussion.

Il fallut à Sandra une bonne demi-heure pour calmer Etienne. Quand elle gravit l'escalier pour rejoindre la chambre de Gisèle, elle réalisa que c'était *aussi* la chambre de James. Cette idée la bouleversa.

Gisèle était furieuse que Sandra ne lui ait pas obéi plus rapidement.

— Asseyez-vous ! lui ordonna-t-elle sèchement.

Sandra aperçut une des chemises de James jetée en travers d'un fauteuil. Elle dut se retenir pour ne pas pleurer.

— James est-il rentré ? demanda-t-elle.

— Oui. Malheureusement, le pêcheur qui m'avait recueillie a mystérieusement disparu en abandonnant sa maison. Heureusement, il y restait une de mes anciennes robes, pour prouver que j'ai bien vécu là.

— Comme c'est dommage ! ironisa Sandra.

— Quand avez-vous l'intention de partir, mademoiselle ?

— Partir ?

— Evidemment. A présent que je suis revenue, croyez-vous que je puisse tolérer sous mon toit la maîtresse de mon mari ?

Sandra resta silencieuse. Tout était allé trop vite. Elle n'avait pas eu le temps de réfléchir à ce qu'elle allait faire.

— Le mieux serait de ne pas compliquer les choses, ma chère. N'obligez pas James à vous demander de partir. J'imagine que votre fierté le supporterait mal.

Sandra voulait bien faire confiance à James, comme il l'en avait suppliée, mais la situation était difficile.

— Il ne divorcera pas, précisa Gisèle. Nous nous

sommes mariés à l'église et notre religion interdit le divorce.

Sandra s'en doutait bien.

– Vous satisferiez-vous de continuer à être sa maîtresse, mais en vivant à l'écart de Bayou Noir ?

Non ! Ça, jamais !

– James m'aimait, insista Gisèle avec cruauté. Je ferai ce qu'il faut pour qu'il me revienne. Les hommes sont si faciles à manipuler !

Elle a probablement raison, songea Sandra. *Si je m'en vais, James finira par m'oublier. Malgré ses divergences avec Gisèle, il aura à cœur de former une vraie famille, avec Etienne. Et tout rentrera dans l'ordre à Bayou Noir.*

– Je pensais partir à la Saint-Jean, lança-t-elle enfin.

Gisèle réfléchit un instant.

– Hmmm !... C'est dans douze jours. Admettons. Mais d'ici là, je compte sur vous pour rester à votre place. Vous êtes la préceptrice d'Etienne, et rien de plus.

Le ton de cette femme était insupportable. Sandra se jura d'avoir le dernier mot, tôt ou tard, mais pour l'instant, elle n'était pas en position de force.

Elle sortit après s'être poliment inclinée devant Gisèle, avec son sourire le plus hypocrite. Mais dans le couloir, elle ne put retenir ses larmes. En acceptant de quitter Bayou Noir et le seul homme qu'elle ait jamais vraiment aimé, elle avait l'impression d'avoir signé son arrêt de mort.

Ce soir-là, un nouvel orage éclata et les tambours se firent entendre dès le coucher du soleil.

Sandra monta tenir compagnie à Etienne et lui raconta des histoires pour l'apaiser. Depuis le retour de sa mère, il était si nerveux que Sandra se demandait comment lui annoncer son départ sans ajouter à son trouble.

Le mieux serait d'en parler d'abord à James – entre autres sujets qu'elle souhaitait aborder avec lui. Mais elle ne l'avait pas revu depuis la veille.

Quand Etienne se fut endormi, Sandra gagna sa propre chambre et se coucha aussitôt.

Au beau milieu de la nuit, elle fut réveillée en sursaut par une présence, près de son lit. *Mon Dieu, c'est Gisèle !* pensa-t-elle immédiatement. *Et je n'ai même pas d'arme sous la main !*

Se redressant sur ses oreillers, elle soupira de soulagement en découvrant James tranquillement assis dans un fauteuil, jambes croisées et mains dans les poches. Comme s'il la veillait.

– Pourquoi dors-tu sous les toits, chérie ?

Elle le regarda avec surprise.

– Ce sont les ordres de Gisèle.

Il grimaça.

– J'aurais dû m'en douter. Je vais t'aider à redescendre tes affaires dans ta chambre.

– Non ! C'est aussi bien ainsi.

Il voulut protester, mais y renonça de lui-même.

– Où étiez-vous passé, James ?

– Je cherchais des preuves.

– A quel propos ?

– La complicité entre Victor et Gisèle.

– Vous ne croyez pas à son histoire ?

Il ricana.

– Et toi ?

Sandra secoua la tête.

– Ce matin, en rentrant de chez Fergus, où j'ai passé la nuit, j'ai découvert qu'on avait fouillé mon bureau.

Je suis sûr qu'elle cherche le testament. Dieu merci, je l'ai caché en lieu sûr.

Donc, il n'avait pas dormi avec sa femme. Cette nouvelle réconforta Sandra.

– J'avoue que je ne comprends plus rien, dit-elle. Pourquoi Gisèle s'est-elle fait passer pour morte ? Et où a-t-elle habité, pendant l'année écoulée ? Si elle voulait vivre avec Victor, un divorce aurait suffi.

– On ne divorce pas, ici, répliqua froidement James.

Sandra sentit son cœur se serrer.

– C'est vrai, j'oubliais. Gisèle me l'a déjà dit.

– Que t'a-t-elle dit d'autre ?

– Qu'elle est votre femme et qu'il n'y a plus de place pour moi dans cette maison.

Il se releva d'un bond.

– Lui as-tu répondu que je t'aimais et que je ne te laisserais pas partir ?

Sandra n'eut pas le courage de soutenir son regard.

– Non. Je lui ai annoncé que je partirais à la Saint-Jean.

James tituba comme s'il avait reçu un coup de poing en plein ventre, avant de se laisser choir au bord du lit.

– Comment as-tu pu dire une chose pareille ? Je t'avais demandé de me faire confiance.

Sandra éclata en sanglots.

– Ce n'est pas un problème de confiance, James, mais de moralité. Puisque vous ne pouvez pas divorcer, quelle solution voyez-vous à tout cela ?

– Pour l'instant, aucune. Mais je te promets que j'en trouverai une.

– Même si vous réussissez à prouver sa collusion avec Victor, Gisèle restera votre femme.

– Chuut ! Aie confiance en moi, chérie.

Il lui caressa les cheveux, juste derrière l'oreille. Ce simple geste suffit à réveiller le désir de Sandra.

– Ce n'est pas bien, protesta-t-elle, en abandonnant pourtant sa tête sur son épaule.

– Au contraire, chérie. Notre amour est la seule chose valable dans ce cauchemar.

Sandra ne demandait qu'à le croire, mais les apparences jouaient contre eux. Elle avait dit un jour à James qu'elle considérait leur amour comme un cadeau divin. Se pouvait-il que Dieu reprît d'une main ce qu'Il accordait de l'autre ?

– J'ai besoin de toi. Sandra.

Sandra ne voulait pas en entendre davantage. Elle se rallongea et entraîna James avec elle.

Ils s'étreignirent avec une passion décuplée par le danger qui les menaçait.

– Tu es à moi, ne cessait de répéter James entre deux baisers.

Le temps semblait s'être à nouveau suspendu. Plus rien ne comptait que leurs corps avides l'un de l'autre, cherchant désespérément l'apaisement dans une jouissance partagée.

22

Dès le lendemain matin, les désastres s'enchaînèrent à Bayou Noir à un rythme étourdissant.

– Bob est mort, apprit Poupie à Sandra lorsqu'elle entra dans la cuisine.

Bob ? Le poulet ?

– Un canal d'irrigation a été percé, ajouta Jacinthe. Une partie des champs est inondée.

– Et Mme Baptiste boit son tafia comme du petit-lait, annonça Iris.

Pendant qu'elles parlaient, Sandra remarqua que les servantes observaient craintivement la sonnette, comme si elles redoutaient d'être entendues.

James l'avait quittée à l'aube pour aller travailler dans les champs, en lui répétant une dernière fois d'avoir confiance. Sandra décida que le mieux à faire était de lui obéir.

– Est-ce tout ? demanda-t-elle.

– Oh, non ! répondit Poupie. Il y a eu une cérémonie vaudoue, cette nuit...

Sandra se rappelait effectivement avoir entendu les tambours.

– Isaac prétend qu'il a vu Gisèle à cette cérémonie. Elle était habillée en prêtresse et c'est elle qui aurait égorgé Bob. Mais je me demande bien ce que faisait là-bas ce chenapan d'Isaac !

Une chose à la fois ! songea Sandra.

– Où est Etienne ? demanda-t-elle. Quelqu'un l'a-t-il déjà prévenu, pour Bob ?

Poupie hocha la tête.

– Le maître lui a annoncé la nouvelle avant de partir travailler. Etienne pleurait tellement que M. James l'a pris avec lui pour la journée.

– Très bien. De mon côté, je vais aller parler à Mme Baptiste. Donne-moi son plateau, Iris.

Juste à cet instant, la sonnette retentit et tout le monde sursauta. Sandra avait l'impression que chaque stridulation menaçait un peu plus son bonheur à Bayou Noir.

Elle ne revit pas James de la journée. Il était occupé à drainer les champs inondés et à réparer le canal endommagé.

En revanche, Sandra eut le malheur de croiser Gisèle dans le hall. Malgré la chaleur, ses cheveux étaient impeccablement coiffés et elle portait une jupe qu'élargissaient au moins six crinolines.

– James va être ruiné, dit-elle avec une satisfaction perverse.

– Pourquoi la ruine de James vous réjouirait-elle ? C'est votre mari. Si la plantation fait faillite, vous en souffrirez autant que lui.

– Peut-être, répondit Gisèle en contemplant ses ongles d'un air distrait. Ou peut-être pas.

– Est-ce Victor qui a saboté le canal d'irrigation ?

Gisèle pâlit brusquement.

– Pourquoi me demandez-vous cela ? Je n'ai rien à voir avec Victor.

– Ce n'est pas mon avis. Je crois, au contraire, que vous complotez avec lui pour détruire Bayou Noir.

– Vous pensez trop, ma chère, répliqua Gisèle sur un ton de suprême dédain.

Sandra aurait préféré garder son sang-froid. Mais c'était impossible.

– Savez-vous, Gisèle, ce que donne le croisement d'une blonde et d'un porc ?

Gisèle la regarda, bouche bée.

– Rien du tout. Car il y a certaines choses que même un porc se refuserait à faire.

Gisèle ne comprit pas immédiatement. Mais trois secondes plus tard, elle s'empourpra violemment.

– Espèce de sale garce ! Comment osez-vous me parler de la sorte ? Je pourrais vous tuer, si je voulais.

– Essayez donc ! riposta Sandra. Comme vous avez déjà essayé de tuer James...

Quelques minutes après cette entrevue houleuse, Mme Baptiste appela Sandra dans ses appartements pour lui montrer une boule de cire et de cheveux agglomérés.

Sandra grimaça de dégoût. L'objet ressemblait étrangement à celui qu'elle avait découvert dans sa chambre d'hôtel et qu'elle avait supposé avoir été placé là par Lilith.

– Où avez-vous trouvé ça ?

– Dans mon lit, ce matin, répondit Mme Baptiste. Je suis persuadée que Gisèle m'a jeté un sort.

La mère de James tenait à peine debout, et son haleine empestait l'alcool.

– Asseyez-vous, ordonna Sandra. Vous allez finir par tomber.

Mme Baptiste obéit sans broncher.

– Elle cherche le testament, reprit-elle. Elle a dû verser du laudanum dans mon rhum, hier soir. Sinon, comment expliquer que je ne l'aie pas entendue rentrer dans ma chambre ?

Parce que vous étiez ivre, se retint de répondre Sandra.

Mme Baptiste l'implorait du regard. Seigneur Dieu ! Tout le monde, dans cette maison, semblait compter sur elle pour résoudre les problèmes !

– Si vous voulez, vous partagerez ma chambre pendant quelques jours. Le temps d'éloigner le danger.

– Oui, acquiesça Mme Baptiste. C'est une excellente idée. J'y réfléchirai.

Sandra réalisa que son invitation empêcherait désormais James de la rejoindre pendant la nuit. Mais peut-être avait-elle inconsciemment agi dans ce seul but ? En dépit de la méchanceté de Gisèle, Sandra répugnait à l'idée de coucher avec un homme marié. C'était une question de morale. Naturellement, elle comptait sur James pour les tirer de ce dilemme, mais d'ici là, elle préférait cesser toute relation adultère.

Pendant les cinq jours suivants, Sandra évita soigneusement de croiser James, qui du reste avait assez de problèmes de son côté.

La canne à sucre avait pu être sauvée et le canal d'irrigation réparé, mais trois vaches et un mulet étaient morts pour avoir mangé de l'avoine empoisonnée. Une nuit, l'Affreux avait pourchassé un intrus qui l'avait blessé d'un coup de couteau. Depuis, le bâtard arborait un bandage qui attestait de sa bravoure. Et Etienne était plus fier que jamais de son « chien de garde ».

A la grande fureur de Gisèle, James avait décrété que Sandra devait continuer la classe avec tous les enfants. Il avait aussi ordonné qu'un garde suive toutes les allées et venues de sa femme. Cette surveillance constante aggrava rapidement l'humeur massacrante de Gisèle.

Tout le monde finit par se douter qu'elle se droguait – probablement avec un dérivé d'opium. Empêchée de se rendre aux cérémonies vaudoues où elle devait se fournir en narcotiques, elle devenait chaque jour plus méchante, à mesure que le manque la minait. Bientôt, plus aucune servante n'osa se rendre dans sa chambre. Sandra finit par se dévouer pour lui monter son plateau.

– Attention, la prévint le garde planté devant sa porte. Tout à l'heure, je l'ai entendue casser un vase. Soyez prudente.

– Ne vous inquiétez pas, répondit Sandra qui ne se sentait pas aussi brave qu'elle voulait bien le montrer.

A peine eut-elle franchi la porte qu'elle s'arrêta, pétrifiée par le désordre qui s'offrait à ses yeux.

Gisèle, à moitié nue, arpentait la pièce transformée en un invraisemblable capharnaüm : linge éparpillé, bibelots renversés ou cassés, tiroirs grands ouverts... Elle se tourna brusquement vers Sandra, sans paraître réellement la voir.

– J'ai besoin de mes médicaments, dit-elle d'une voix enfantine. Pouvez-vous m'en procurer ?

Sandra remarqua les bleus qu'elle avait sur les bras et les épaules. Elle eut soudain pitié de cette femme.

– C'est Victor qui vous a fait ça ? demanda-t-elle en voulant lui toucher l'épaule.

Gisèle repoussa sa main.

– Ce n'est rien. Victor et moi, nous avons toujours aimé les caresses un peu rudes. Il a autant de marques que moi, ajouta-t-elle en regardant Sandra d'un air méprisant, comme si elle la jugeait incapable de comprendre ce qu'était vraiment l'amour.

Sandra, en effet, la regardait avec incrédulité.

Gisèle éclata d'un rire hystérique.

– Victor est un amant merveilleux ! Pas une chiffe molle, comme James.

James ? Une chiffe molle ? Jamais de la vie !

– Aimez-vous Victor ?

– Oui.

Elle se passa une main dans les cheveux et fronça les sourcils.

– Enfin, je crois. Oh, et puis, je ne sais plus !

– Pourquoi ne pas vous être mariée avec lui et avoir épousé son frère à la place ?

– Le père de Victor s'est opposé à notre mariage. Il l'a menacé de lui couper les vivres. Alors, nous avons échafaudé un plan. J'épousais James, et quand il ne serait plus là je récupérerais le testament, Bayou Noir et tous les esclaves de la plantation.

Sandra n'était pas sûre d'avoir bien compris.

– Et Etienne ?

– Je n'avais pas prévu d'avoir un fils, avoua Gisèle avec une grimace de dégoût. Heureusement, j'ai réussi à me débarrasser de deux autres bébés, sans que James se doute de rien.

Sandra était horrifiée, mais il fallait profiter de ce que Gisèle était disposée à parler pour obtenir le plus d'informations possible.

– Pourquoi avoir disparu pendant un an ?

– Cette vieille entêtée... la mère de James... refusait de me donner le testament. Elle a même essayé de me tuer.

Gisèle avait recommencé à faire les cent pas à travers la chambre et elle semblait perdre le fil de ses pensées.

– Et... ? l'encouragea Sandra.

– J'ai été malade plusieurs mois, je crois. Je ne me souviens plus très bien. J'étais dans une chambre et

Victor m'apportait mes médicaments... Savez-vous où sont mes médicaments ?... Et Fleur, où est-elle ?... Oh, j'ai mal à la tête ! Et mon cœur qui bat si vite ! S'il vous plaît, aidez-moi à retrouver mes médicaments...

Il restait une dernière chose que Sandra voulait savoir.

– Pourquoi n'êtes-vous pas restée avec Victor ? Pourquoi être revenue ici ?

– A cause de vous.

– *De moi ?*

Gisèle la regarda avec des yeux fiévreux.

– Je vous l'ai déjà dit : nous voulons la plantation et le testament. Il n'est pas question que James vous épouse. Personne ne doit s'opposer à notre plan.

– Gisèle, croyez-vous vraiment que tuer James pour récupérer la plantation suffirait à contenter Victor ? Ne voyez-vous pas que vous n'êtes que l'instrument de sa vengeance ?

Gisèle sembla douter un court instant. Mais elle se ressaisit très vite.

– J'ai foi en Victor. Quand nous aurons atteint notre but, nous quitterons cet endroit pour aller vivre ailleurs. Peut-être à Paris. Et avec Victor, je ne manquerai plus jamais de médicaments.

Sandra se retint de demander si Etienne avait une place dans ce programme. C'était peu probable.

Après cette conversation, Gisèle sombra rapidement dans la démence. Sandra ignorait comment traiter les drogués, mais elle se doutait que Gisèle irait jusqu'à mettre sa propre vie en danger si on ne la surveillait pas.

Les jours suivants, Sandra, Iris et les autres servantes se relayèrent au chevet de Gisèle pour changer ses draps, doubler ses couvertures quand elle frissonnait ou lui appliquer des compresses froides quand la fièvre montait trop haut.

Au bout de trois jours, Gisèle se calma enfin. Elle restait prostrée dans son lit, dormait la plupart du temps et sanglotait parfois en réclamant Victor ou ses « médicaments ». Mais la fièvre était retombée et elle était moins agitée.

Sandra s'accorda un bain pour se changer les idées. Malheureusement, elle ne profita pas autant de la luxueuse baignoire en marbre qu'elle l'avait espéré : quand elle sortit de l'eau, elle pleurait à chaudes larmes.

Elle subissait brutalement le contrecoup de ces derniers jours et était à présent convaincue qu'elle ne pouvait pas rester à Bayou Noir.

Le drame de Gisèle lui rappelait, d'une certaine manière, celui de son amie Tessa. Que serait-il arrivé si, au lieu d'être célibataire, Tessa avait eu un mari incapable de comprendre son anorexie ? Un mari qui l'aurait trompée avec une autre femme au moment où Tessa avait le plus besoin d'amour, au lieu de l'aider à s'en sortir et d'accorder une deuxième chance à leur mariage ?

En suivant ce raisonnement, Sandra ne pouvait plus justifier sa place dans l'étrange triangle qu'elle formait avec Gisèle et James.

Dans deux jours, ce serait la Saint-Jean. Il fallait en profiter pour retourner en 1996. Elle n'avait plus le choix.

Sa décision prise, elle remonta dans sa chambre.

Pour s'apercevoir que sa robe de bal – son précieux viatique pour voyager dans le temps – avait disparu !

Je vais l'étrangler ! pesta-t-elle. *Je n'arrive pas à croire qu'il ait eu l'audace de la prendre ! Pourquoi James veut-il m'obliger à rester ici contre mon gré ?*

Fallait-il aller le chercher tout de suite ou attendre le dîner ? Finalement, Sandra préféra redescendre dans la cuisine pour l'intercepter à son retour.

Elle n'eut pas besoin d'aller jusqu'à la cuisine : ils se rencontrèrent dans le couloir.

Profitant de cette occasion inespérée, James l'attira dans un petit cellier parfumé d'odeurs de fruits et de légumes.

– Je vous cherchais... commença Sandra.

Mais James l'avait plaquée contre le mur et lui pétrissait les seins.

– Oh, arrêtez ça !

– Arrêter quoi ? murmura-t-il en lui mordillant tendrement les lèvres. Ça fait si longtemps, chérie... J'ai terriblement envie de toi.

Sandra tenta de le repousser.

– Je voulais vous demander... Oh !... J'ai besoin de... Ah...

– J'adore tes vocalises, chérie.

– Quoi ?

– La façon dont tu dis « oh » et « ah ». Je trouve cela très excitant. Sais-tu que chaque « oh » et chaque « ah » a sa propre signification ?

Sandra ne comprenait rien à ce qu'il disait. Elle essaya encore de le repousser, mais il s'empara de ses seins pour les couvrir de baisers.

– O-o-oh...

– Ce « oh » veut dire que tu aimes ça.

– Non, James, arrêtez. Nous ne pouvons plus...

– Je t'aime, Sandra. Non seulement nous le pouvons, mais nous allons le faire.

Il retroussa sa robe et glissa une main entre ses cuisses.

– Oh... !

– Cette fois, ton « oh » prouve que tu t'émerveilles de ma dextérité.

Sandra ne put s'empêcher de rire. James en profita pour se dénuder. Puis il souleva Sandra et noua ses jambes autour de lui.

– Dis-moi que tu m'aimes, chuchota-t-il avec ardeur.

– Je vous aime.

– Dis-le-moi encore.

– Je vous aime. Je vous aime. Je vous aime...

Lentement, il la pénétra, en couvrant sa gorge et son cou de baisers.

Et Sandra oublia instantanément toutes ses bonnes résolutions pour se laisser emporter dans un tourbillon de sensations délicieuses. A nouveau, ils parvinrent ensemble au summum du plaisir. Puis ils se laissèrent lentement glisser sur le sol de terre battue et restèrent un moment enlacés sans bouger.

Soudain, James s'aperçut que Sandra pleurait.

– Que t'arrive-t-il, chérie ? Je t'ai fait mal ?

Elle secoua la tête.

– Où est ma robe ?

James écarquilla les yeux.

– Ta robe ? Tu pleures pour une robe ? *Maintenant ?*

– Oui. Vous m'avez séduite... (elle renifla bruyamment)... avant que je puisse vous en parler.

– *Te séduire ?* Je croyais que nous nous étions fait mutuellement l'amour. Explique-toi mieux, Sandra.

– Je... j'ai décidé de retourner chez moi.

– Tu es chez toi, ici.

– Non, James. Je veux repartir au XXe siècle.

– Pourquoi ? Pourquoi maintenant ? demanda-t-il en la regardant sévèrement. Tu avais promis de me faire confiance.

– J'ai confiance en vous, James. Là n'est pas le problème. Mais Gisèle est malade. Très malade. Elle a besoin de vous. Vous ne pouvez pas la répudier maintenant. En revanche, si je n'étais plus là, peut-être pourriez-vous l'aimer de nouveau ?

– Non. Pas même dans un million d'années ! Ecoutez-moi, Sandra : Victor ne va pas tarder à se manifester. J'attends qu'il tombe dans le piège que je lui ai tendu.

– Même si Victor est mis hors d'état de nuire, cela ne résoudra pas le problème de Gisèle.

– Je demanderai l'annulation de notre mariage.

Ce fut au tour de Sandra de le regarder sévèrement.

– Et vous déclarerez Etienne illégitime par la même occasion ? Je ne vous laisserai pas faire ça.

– Ne pars pas, l'implora-t-il en la serrant contre lui.

– Pour l'instant, je ne peux pas partir, puisque vous m'avez pris ma robe. Mais j'exige que vous me la rendiez. Le plus tôt sera le mieux.

Il parut sincèrement surpris.

– Tu crois vraiment que je t'ai pris ta robe ? Que je te forcerais à rester ici contre ton gré ?

Sandra se sentit vaguement coupable. C'était exactement ce qu'elle avait pensé.

– Sans confiance, nous n'arriverons à rien, lâcha James, furieux. Je commence à être fatigué de tous ces retournements. J'ai besoin de te savoir à mes côtés, Sandra. Pas contre moi. Je vais te retrouver cette fichue robe. Ensuite, tu seras libre de partir ou de rester. Franchement, je m'en moque.

C'était faux, bien sûr.

Comment pourrait-il continuer à supporter l'existence si Sandra le quittait ?

Une heure plus tard, Sandra avait rejoint Rebecca dans la salle de couture, pour l'aider à couper des vêtements destinés aux esclaves.

Soudain, elle vit entrer Mme Baptiste avec sa robe de bal dans les bras.

– C'est moi qui avais subtilisé votre robe, confessa la vieille dame. J'avais peur que vous ne décidiez de partir. J'espère que vous me pardonnez, ma petite.

– Vous voulez partir ? s'alarma Rebecca. Oh, non ! Vous ne pouvez pas nous abandonner maintenant et nous laisser avec cette folle !

Sandra posa une main sur l'épaule de son amie.

– Rebecca, Gisèle est la femme de James. Ma place n'est plus ici.

– Ce n'est vraiment pas gentil de votre part, s'obstina Rebecca. Vous nous abandonnez juste au moment où nous avons le plus besoin de vous.

Le regard de Mme Baptiste convainquit Sandra que la mère de James était du même avis.

Jusqu'à la Saint-Jean, ni Rebecca ni les servantes n'adressèrent plus la parole à Sandra. Elle avait l'impression d'être un rat abandonnant le navire avant le naufrage !

Personne ne savait comment elle comptait partir – à l'exception de James et de Mme Baptiste, bien sûr. Mais personne ne lui posait de questions. Sans doute imaginaient-ils qu'elle repartirait tout simplement en bateau.

Dès le milieu de l'après-midi, les tambours vaudous annoncèrent l'une des cérémonies les plus importantes de l'année, celle qui marquait le solstice d'été.

L'atmosphère devint encore plus étrange quand Gisèle fit son apparition en haut de l'escalier, dans une robe de soie verte très décolletée. Bien qu'elle eût beaucoup maigri depuis son retour à Bayou Noir, elle semblait avoir brusquement recouvré toute sa vigueur.

Tout le monde en conclut qu'elle avait, d'une manière ou d'une autre, réussi à se procurer sa drogue.

Le doute devint certitude lorsqu'on découvrit l'esclave qui gardait sa porte assommé dans un recoin de la galerie.

Gisèle refusa de répondre à toutes les questions à ce sujet – y compris celles de James. Elle se contentait de sourire dans le vide et d'agir comme si de rien n'était.

Sandra essaya en vain de se ménager un tête-à-tête avec James pour lui faire ses adieux avant qu'il retourne travailler dans les champs. Mais il l'évita soigneusement – sans pourtant réussir à dissimuler l'angoisse qui assombrissait son regard.

Convaincue d'avoir pris la bonne décision, Sandra s'assura que Jacinthe, Iris et Verveine continueraient d'entretenir la maison comme il avait été convenu. Puis elle se rendit dans la cuisine et serra Poupie dans ses bras pour lui dire adieu. Mais la cuisinière ne lui rendit pas son accolade.

James ne reparut pas de la journée.

A la tombée de la nuit, un nouvel orage s'annonça et Sandra comprit que son heure approchait. Sa robe l'attendait, là-haut, dans sa chambre. Ce matin, elle avait également exhumé de son vanity-case les deux sacs de graines, ainsi que la poupée vaudoue.

Après avoir couché Etienne, elle monta dans sa chambre, le cœur lourd. Il était onze heures du soir. Elle décida d'enfiler la robe.

Mais ses tentatives s'avérèrent infructueuses.

Elle était devenue trop étroite. Sandra se regarda dans la glace. Les bons petits plats de Poupie avaient notablement élargi son tour de taille. Mais cela ne la troublait même pas : elle ne s'était jamais sentie aussi bien dans sa peau. Du reste, elle n'avait pas l'intention de poursuivre sa carrière de mannequin. Ses résultats encourageants avec Etienne et les autres enfants lui avaient donné le goût de l'enseignement.

En décousant rapidement quelques boutons pour les déplacer, elle réussit à se glisser dans la robe.

Juste au moment où elle achevait de s'habiller, une lumière aveuglante embrasa la fenêtre. Sandra crut d'abord que l'orage s'était rapproché de la maison. Comme la lueur persistait, elle s'approcha de la fenêtre.

– Ô mon Dieu !

Des flammes géantes ravageaient une partie des champs de canne à sucre. James était parvenu à endiguer l'inondation, mais Sandra pressentit qu'il n'aurait pas les moyens de lutter efficacement contre le feu. Cet incendie allait achever de le ruiner.

– Vous avez raison de faire votre prière, Sandra. Car vous allez mourir !

Sandra se retourna d'un bond.

Debout sur le seuil de sa chambre, Gisèle braquait un pistolet sur elle. Une lueur diabolique brillait dans ses yeux mais sa main ne tremblait pas.

– Rangez cette arme, Gisèle. Quelqu'un pourrait venir.

– Non. Ils sont tous occupés à tenter d'éteindre l'incendie. Victor a rempli son rôle. A moi de jouer le mien.

– Où sont Etienne et Mme Baptiste ?

– Etienne est déjà ficelé sur le bateau sur lequel nous allons nous échapper.

– Et Mme Baptiste ?

– Elle est morte, répondit Gisèle sans la moindre trace d'émotion. Vous n'avez pas entendu le coup de feu ?

– Non !

Sandra se rua sur Gisèle qui appuya sur la détente.

La balle atteignit Sandra à l'épaule.

Je suis morte, songea-t-elle, en portant une main à sa

blessure qui saignait déjà abondamment. La deuxième détonation la toucha au ventre. Elle s'écroula à terre.

Mais Sandra n'avait pas encore perdu connaissance. Elle vit Gisèle se pencher au-dessus d'elle pour examiner ses blessures.

– J'espère que je ne vous ai pas tuée, Sandra, dit-elle d'une voix doucereuse. Je suppose que vous préférez périr par le feu ?

Incapable de répondre, Sandra ne pouvait que fixer cette folle qui s'agenouillait maintenant à côté d'elle pour la déshabiller.

– Cette robe est trop belle pour vous. Et vous la salissez, avec votre sang.

Bien que sa vision commençât à se troubler, Sandra eut encore le temps de voir Gisèle lui retirer complètement sa robe, puis ôter la sienne pour s'en vêtir. Après quoi, elle s'admira devant la glace en chantonnant, comme si elle avait déjà oublié qu'elle avait tué une femme – non : deux !

Puis Gisèle s'approcha de la poupée vaudoue, dont elle s'empara.

– Là, vous me surprenez, Sandra ! Je n'aurais pas imaginé que le vaudou vous intéressait.

Sandra avait déjà à moitié sombré dans l'inconscience. Elle ferma les yeux.

James ! Ô mon Dieu, sauvez-le ! Ne laissez pas le diable gagner la partie. Que mon voyage dans le temps ait un sens ! Je vous en supplie, mon Dieu...

23

– Sandra... ?

La voix de James lui parvenait de très loin. Elle se laissait happer par la mort avec le sourire, séduite à l'idée de devenir un ange et de ne plus souffrir.

– Ne t'avise pas de mourir maintenant ! cria James. Je te l'interdis !

A la douleur qui brûlait ses chairs, elle devina qu'il nettoyait ses blessures. Sans doute avait-il réussi à extraire les balles pendant qu'elle était encore inconsciente. Iris approcha un bol de ses lèvres et la força à boire.

Sandra se rendormit presque instantanément et ne ressentit plus aucune douleur jusqu'à son réveil, le lendemain après-midi.

Lorsqu'elle ouvrit les yeux, James était assis à côté de son lit.

– Je ne pourrai plus jamais être mannequin, murmura-t-elle. Personne ne voudra d'une femme toute couturée.

– Moi, si.

Sa réponse fit pleurer Sandra de bonheur.

Elle se rendormit à nouveau et ne se réveilla que le soir.

– Comment va Etienne ? demanda-t-elle.

– Très bien. Il s'inquiète beaucoup à ton sujet.

– Et votre mère ?

Un silence poignant suivit sa question.

– Dites-moi, insista Sandra.

– Elle est morte sur le coup. La balle de Gisèle lui a traversé le cœur.

– Oh, James...

Elle aurait voulu l'étreindre, mais ses bras n'avaient plus aucune force.

– Et Victor ? Et Gisèle ?

– Morts, aussi. Tous les deux. Victor a péri dans l'incendie qu'il avait lui-même allumé.

Tant de morts ! Sandra en avait la gorge sèche. James lui approcha un verre d'eau des lèvres.

– Comment Gisèle est-elle morte ?

James parut hésiter.

– On a retrouvé son corps au bord du bayou. Elle portait ta robe de bal et serrait cette damnée poupée vaudoue dans ses mains. On ne sait pas si c'est la foudre qui l'a tuée ou la drogue.

– James, et si elle était repartie dans le futur à ma place ? Son corps n'était peut-être qu'une coquille vide ? Qu'en pensez-vous ?

– Je n'en sais rien, Sandra. Et je m'en moque. Tout est fini, maintenant. Ne pense plus à tout cela : il faut te reposer.

Sandra resta alitée pendant de longs jours. Ses blessures cicatrisaient peu à peu, mais une fièvre persistante lui ôtait toute force.

Un matin, en se réveillant, elle découvrit Poupie à son chevet.

– Où est James ?

– Parti à La Nouvelle-Orléans pour ses affaires. Avec Fergus.

– Ah ? s'étonna Sandra.

Elle ne s'expliquait pas pourquoi James l'avait abandonnée alors qu'elle n'était pas encore rétablie.

– Il a attendu que votre fièvre retombe avant de se mettre en route, précisa la cuisinière. Vous êtes tirée d'affaire, à présent.

L'après-midi, en effet, Sandra avait déjà recouvré assez de forces pour s'asseoir dans son lit et recevoir les visites d'Etienne et de Rebecca. Très ému, Etienne lui raconta qu'il lui avait écrit une histoire parlant de serpents, d'alligators et d'une institutrice qui possédait des pouvoirs magiques, capables de vaincre tous les obstacles du bayou.

Le lendemain, Sandra réussit à faire le tour de sa chambre. Et quand Poupie lui monta un plateau avec du café et des beignets, elle entendit son estomac gargouiller.

– Je vois que vous êtes parfaitement rétablie ! plaisanta Poupie.

– Oui, acquiesça Sandra en contemplant son reflet dans la glace. Mais j'ai affreusement maigri.

– Vous avez aussi perdu votre bronzage.

– En d'autres termes, je suis devenue affreuse !

– Pas du tout ! Vous êtes toujours une très belle femme.

Sandra avait du mal à s'en convaincre. Surtout sans maquillage.

Le jour suivant, Iris l'aida à descendre dans la cuisine, où elles retrouvèrent Poupie et Rebecca.

– Quand allons-nous reprendre les cours d'aérobic ? demanda Iris.

– N'embête pas la maîtresse avec ça, protesta Poupie. Elle a besoin d'une longue convalescence.

Le visage d'Iris s'assombrit brusquement.

– Quelque chose ne va pas ? dit Sandra, inquiète.

– Eh bien... euh... je voulais vous annoncer quelque chose, mais c'est peut-être trop tôt ?

– Quoi ? demandèrent en chœur Sandra et Poupie.

– Rufus et moi allons nous marier, lâcha Iris, incapable de garder le secret plus longtemps.

– Mais c'est merveilleux, Iris ! s'exclama Sandra.

– Bof ! Je m'en doutais depuis longtemps, fit Poupie.

– Moi aussi, j'ai une nouvelle à vous annoncer, déclara Rebecca.

– Vous attendez un bébé ? hasarda Sandra.

Rebecca hocha la tête en rougissant.

– Je m'en doutais, répéta Poupie, triomphante.

Les quatre femmes se congratulèrent chaleureusement. La vie semblait retrouver son cours normal à Bayou Noir, malgré la disparition de Mme Baptiste, qui avait chagriné tout le monde.

Sandra récupérait rapidement ses forces mais l'absence de James commençait à l'inquiéter. Rebecca avait beau jurer qu'elle ne savait pas pourquoi James et son mari s'étaient rendus à La Nouvelle-Orléans, Sandra pressentait, en surprenant les regards furtifs qui s'échangeaient, qu'on lui cachait quelque chose.

L'incendie ayant détruit la moitié de la récolte de canne à sucre, James devait se débattre dans d'insolubles problèmes financiers. Elle craignait aussi que son maudit orgueil ne le retienne de l'épouser, dès lors qu'il n'avait plus le sou. Elle avait hâte de lui expliquer que le bonheur qu'il était le seul à pouvoir lui offrir valait toutes les fortunes du monde.

Une semaine jour pour jour après le départ de James, Sandra travaillait avec Etienne dans la salle d'étude, quand ils aperçurent un bateau qui accostait à l'embarcadère.

– Papa est rentré ! s'écria Etienne en se ruant vers la sortie.

Sandra voulut l'imiter, mais au bout de quelques pas elle dut s'arrêter pour reprendre son souffle. Quand elle atteignit le perron, James avait déjà remonté l'allée.

Ses cheveux avaient poussé, une ombre de barbe lui mangeait les joues et il portait un costume neuf. Sandra le trouva plus beau que jamais.

Derrière lui, elle aperçut Etienne, Fergus, qui avait enlacé Rebecca, des esclaves déchargeant le bateau de ses marchandises et un inconnu vêtu de gris... Un prêtre ! James l'avait sans doute invité pour qu'il bénisse les tombes de Gisèle et de sa mère, enterrées toutes deux à Bayou Noir. La dépouille de Victor avait été rapatriée à La Nouvelle-Orléans par son père.

– Sandra ! s'écria James, en s'élançant pour la prendre dans ses bras et la faire tournoyer sous les rires d'Etienne. Tu as bonne mine ! s'émerveilla-t-il en la reposant à terre. J'ai tellement eu peur de te perdre, tu sais... chuchota-t-il à son oreille. Mais j'ai beaucoup prié pour toi.

Elle lui sourit.

– Vous m'aviez pourtant assuré un jour que Dieu vous avait oublié ?

Il grimaça.

– Je m'étais trompé. Il m'a offert la plus extraordinaire femme dont on puisse rêver.

Un des esclaves, chargé de paquets, s'approcha d'eux.

– Où dois-je poser cela ?

James ouvrit la porte et entraîna Sandra et l'esclave vers le grand salon.

– Ici, dit-il au jeune homme. Je t'ai apporté quelques cadeaux, précisa-t-il en souriant à l'intention de Sandra.

Pour commencer, il lui tendit un gros paquet. Sandra le déballa précautionneusement et découvrit une somptueuse robe de velours vert.

– Ta robe de mariée, lança James avec un sourire radieux.

– Une robe de mariée verte ? Et en velours ?

Il fit un geste vague de la main.

– Ce sont des détails sans importance. Je me suis souvenu que tu avais aimé les rideaux de ma chambre d'hôtel. Alors, je les ai achetés, pour les confier à une couturière.

Sandra se laissa choir dans un fauteuil.

– Non ?

James sourit de plus belle.

– Si !

– Vous devez être la risée de la ville.

– C'est probable.

Il lui tendit ensuite une lourde sacoche en cuir, que Sandra posa sur ses genoux pour l'ouvrir. Elle contenait plusieurs liasses de billets, ainsi que des pièces d'or.

– Seigneur ! D'où vient tout cet argent ?

James s'approcha et prit ses mains dans les siennes.

– J'ai vendu la plantation, expliqua-t-il.

Sandra en resta bouche bée.

– A Fergus et Rebecca, précisa James. Bien sûr, Fergus n'avait pas assez d'argent pour en acquitter le prix maintenant. Mais je leur fais confiance pour travailler dur et me rembourser leur dette en quelques années.

– Alors, d'où vient cet argent ? insista Sandra, perplexe.

– De mon père. Je ne pouvais pas laisser passer la mort de ma mère sans réagir. Alors j'ai été le voir et je lui ai demandé de me donner tout de suite ma part d'héritage.

– Et il a accepté ? s'étonna Sandra.

– Disons que j'ai réussi à le convaincre.

A son regard, Sandra devina combien cette démarche lui avait coûté.

– Tu aurais été très fière de moi, tu sais. Je me suis montré un excellent négociateur.

Sandra commençait à prendre la mesure de la nouvelle. En se débarrassant de Bayou Noir, James s'était du même coup libéré de ses fantômes et affranchi des responsabilités qui l'avaient accablé pendant si longtemps.

– Tu sais, Sandra, cet argent ne représente pas tant que cela. Ça nous suffira juste à démarrer.

– A démarrer ?

– Ne penses-tu pas que j'aurai fière allure, en chercheur d'or ?

– Nous partons en Californie ! s'exclama Sandra, émerveillée qu'il se soit souvenu de la conversation où elle avait évoqué la ruée vers l'or de 1848.

– Iris et Rufus voudraient se joindre à nous, ainsi que quelques autres affranchis. Qu'en penses-tu ?

– Oh, James, vous êtes insupportable ! s'écria-t-elle en se jetant à son cou. Pourquoi ne pas m'en avoir parlé dès le début ? Je pense que c'est une idée formidable !

Il la repoussa tendrement.

– D'abord, il faut conclure notre mariage. J'ai amené le prêtre. Poupie a promis de préparer des beignets et du sabayon pour le repas de noces. Il ne manque plus que toi.

Dans sa robe de velours vert, Sandra était plus resplendissante que jamais. Etienne eut beau glisser une grenouille dans les poches du prêtre, celui-ci ne se démonta pas et la cérémonie fut très émouvante. L'Affreux avait des allures de parfait gentleman, avec son ruban rouge autour de la tête. Poupie sanglota d'émotion et Iris arborait une nouvelle toilette, cadeau de James, qui lui allait à ravir.

Ce soir-là, quand ils se retrouvèrent dans leur lit, Sandra et James se remémorèrent les événements de la journée à voix basse. Tout en parlant, Sandra promenait ses doigts sur le torse de James. Au bout d'un moment, elle aventura sa main plus bas.

James l'arrêta.

– Sandra, tu n'es pas entièrement rétablie. Il serait plus raisonnable d'attendre. Nous avons toute la vie devant nous et...

D'un baiser, Sandra l'empêcha de finir sa phrase. Bientôt incapable de discuter, James n'eut d'autre choix que de se rendre à ses arguments.

ÉPILOGUE

Ranch de la Dernière Chance
Sacramento, Californie, 1850.

— Et alors, le monsieur met son zizi dans...

Accroupi sur la terrasse, Etienne expliquait les secrets de la nature aux deux jumeaux d'Iris. A côté d'eux gazouillaient deux charmants bambins : Ashley, deux ans, le fils de James et Sandra, et Lilly Belle, un an, la ravissante fillette de Rufus et d'Iris. A dix ans, Etienne mettait déjà un point d'honneur à se conduire en parfait petit homme.

Sandra sortit brusquement de la maison.

— Etienne Baptiste ! Attends que ton père apprenne ce que tu racontes ! gronda-t-elle, en soulageant d'une main le poids de son ventre.

Seigneur ! Elle avait hâte d'accoucher ! Elle se sentait lourde comme une barrique.

Un bruit de cavalcade les fit tous se retourner. Un groupe de cavaliers arrivait, avec James à sa tête.

Sandra n'était pas peu fière de la réussite de leur ranch. Plutôt que de prospecter de l'or, ils avaient préféré, à leur arrivée en Californie, se lancer dans l'élevage de bétail pour nourrir les milliers de nouveaux arrivants. L'idée s'était avérée excellente et ils avaient rapidement fait fortune. Sandra était fière également d'avoir pu monter une petite école qui comptait à présent une vingtaine d'élèves.

Elle regrettait seulement que Poupie se soit déclarée trop âgée pour les suivre dans l'Ouest. Rebecca lui manquait aussi beaucoup, malgré leur correspondance régulière.

– Confie les enfants à Iris, ordonna-t-elle à Etienne.

Dès que la petite troupe fut entrée dans la maison, Sandra se retourna vers les cavaliers, qui approchaient à vive allure.

– Seigneur ! marmonna-t-elle en reconnaissant leurs visages.

A peine James eut-il mis pied à terre qu'elle se rua vers lui.

– Que faites-vous avec ces gredins ?

James leva les yeux au ciel.

– Ignacio et ses compagnons désiraient simplement s'arrêter pour se ravitailler en eau. Ils ont deux prisonniers.

– Je ne sais pas qui est le plus à plaindre : Ignacio, ou ses prisonniers, commenta Sandra. Ces lascars sont si bêtes ! La dernière fois qu'ils ont pris quelqu'un pour le détrousser, c'est eux qui se sont fait voler !

Ce souvenir fit rire James. Il s'approcha de sa femme et lui caressa le ventre.

– Comment te sens-tu, chérie ?

– Grosse et laide !

– Pour moi, tu es toujours belle, Sandra.

Même sans maquillage, Sandra devait reconnaître qu'elle se sentait mieux qu'à l'époque où seule son apparence comptait. A présent, grâce à James, elle se définissait autrement : épouse, mère et enseignante. Dans cet ordre.

Pendant qu'Ignacio et ses complices menaient leurs chevaux à l'abreuvoir, Sandra observa l'homme et la femme qui les accompagnaient. Bien que leurs mains fussent attachées par des cordes, ils se querellaient violemment.

— Oh, je vous en prie, Ralf ! Je vous ai vu reluquer cette blonde, dans le saloon, lança la femme en ramenant d'un mouvement de tête ses cheveux roux derrière ses épaules.

— Calmez-vous, Helen. J'admirais simplement la... dextérité de Larita avec les cartes, répondit l'homme, qui avait tout du beau ténébreux.

— Vous pensez sans doute que je vais vous croire ? Savez-vous comment s'appelle un bouton sur le sein d'une blonde ?

Le beau brun fronça les sourcils.

— Oh, assez avec ces devinettes sur les blondes, Helen !

— Une tumeur au cerveau.

— *Devinettes sur les blondes ?* s'exclamèrent en chœur Sandra et James.

Ils se dévisagèrent, stupéfaits. Sandra constata que son mari semblait inquiet.

— Qu'est-ce qui ne va pas, James ?

James lui désigna le couple, qui avait rejoint les autres près de l'abreuvoir.

A ce moment-là, Sandra s'aperçut que tous deux portaient des uniformes de l'armée américaine. Mais des uniformes... de la fin du XXᵉ siècle !

Et la femme racontait des plaisanteries sur les blondes...

Sandra comprit qu'elle n'était pas la seule à avoir voyagé dans le temps. D'ailleurs, Marie Laveau le lui avait clairement laissé entendre.

Et James, malgré les cinq années de bonheur sans

317

nuage qu'ils venaient de vivre, craignait encore qu'un jour ou l'autre elle ne souhaite repartir dans le futur. Elle avait beau lui répéter qu'elle l'aimait, il continuait de douter de la pérennité de leur bonheur. A croire qu'il s'était persuadé que ce cadeau du ciel finirait par lui filer entre les mains... comme le temps.

Mais Sandra n'avait plus aucune envie de quitter le XIXe siècle. Elle aimait trop James pour cela. Et elle décida de le lui prouver.

Elle tourna délibérément le dos au jeune couple moderne, qui lui rappelait son passé.

– Occupez-vous d'eux, James. Moi, je rentre nourrir votre bébé, dit-elle en se caressant le ventre. Iris a préparé des beignets.

– Je t'aime, chuchota James.

– Je sais.

Sandra disparut dans la maison et referma la porte sur son ancien monde.

Chère lectrice,

En novembre, découvrez l'un des plus grands succès de

Barbara Cartland

Séréna et La fille de Séréna

Cette grande saga, unique dans l'œuvre de Barbara Cartland, vous transportera en Angleterre auprès de Séréna, une jeune fille luttant pour regagner sa liberté et... vingt ans plus tard, auprès de sa fille entraînée à son tour dans une grande aventure.

Ces deux romans, épuisés depuis de nombreuses années, seront pour la première fois publiés en un seul volume.

En attendant sa parution le mois prochain, voici le début de l'histoire :

Cette fois, sir Giles Stavreley est allé beaucoup trop loin... Avoir joué et perdu contre lord Vulcan sa propre fille, quand il ne lui restait plus rien à miser, est plus qu'il n'en peut supporter. Son suicide laisse la jeune Séréna seule, déshéritée, aux mains de lord Vulcan, un libertin de la pire espèce. Et quand il l'installe dans son château familial où le vice et la dépravation règnent en maître, Séréna pense que tout bonheur est à jamais perdu pour elle...

Nous vous souhaitons beaucoup de plaisir à la lecture de ce grand roman.

Séréna et *La fille de Séréna*
J'ai lu n° 5079 - parution le 3 novembre 1998

Photocomposition Assistance 44-Bouguenais
Achevé d'imprimer en Europe (France)
par Brodard et Taupin à La Flèche (Sarthe)
le 25 septembre 1998. 6737U-5
Dépôt légal septembre 1998. ISBN 2-290-04982-4

Éditions J'ai lu
84, rue de Grenelle, 75007 Paris
Diffusion France et étranger : Flammarion

4982